LES MYSTÈRES D'OSIRIS

☥☥☥☥

LE GRAND SECRET

LES MYSTÈRES D'OSIRIS

☥ L'ARBRE DE VIE
☥☥ LA CONSPIRATION DU MAL
☥☥☥ LE CHEMIN DE FEU
☥☥☥☥ LE GRAND SECRET

DU MÊME AUTEUR
VOIR EN FIN DE VOLUME

CHRISTIAN JACQ

LES MYSTÈRES D'OSIRIS

☥☥☥☥

LE GRAND SECRET

ROMAN

ISBN : 2-84563-175-8

J'entre et je ressors après avoir vu ce qui est là-bas...
Je revis et je suis sauvé après le sommeil de la mort.

Livre des Morts, chap. 41
(trad. Paul Barguet).

Grande est la Règle, durable son efficacité.
Elle n'a pas été troublée depuis le temps d'Osiris.
Quand vient la fin, la Règle demeure.

Ptah-Hotep,
Maxime 5.

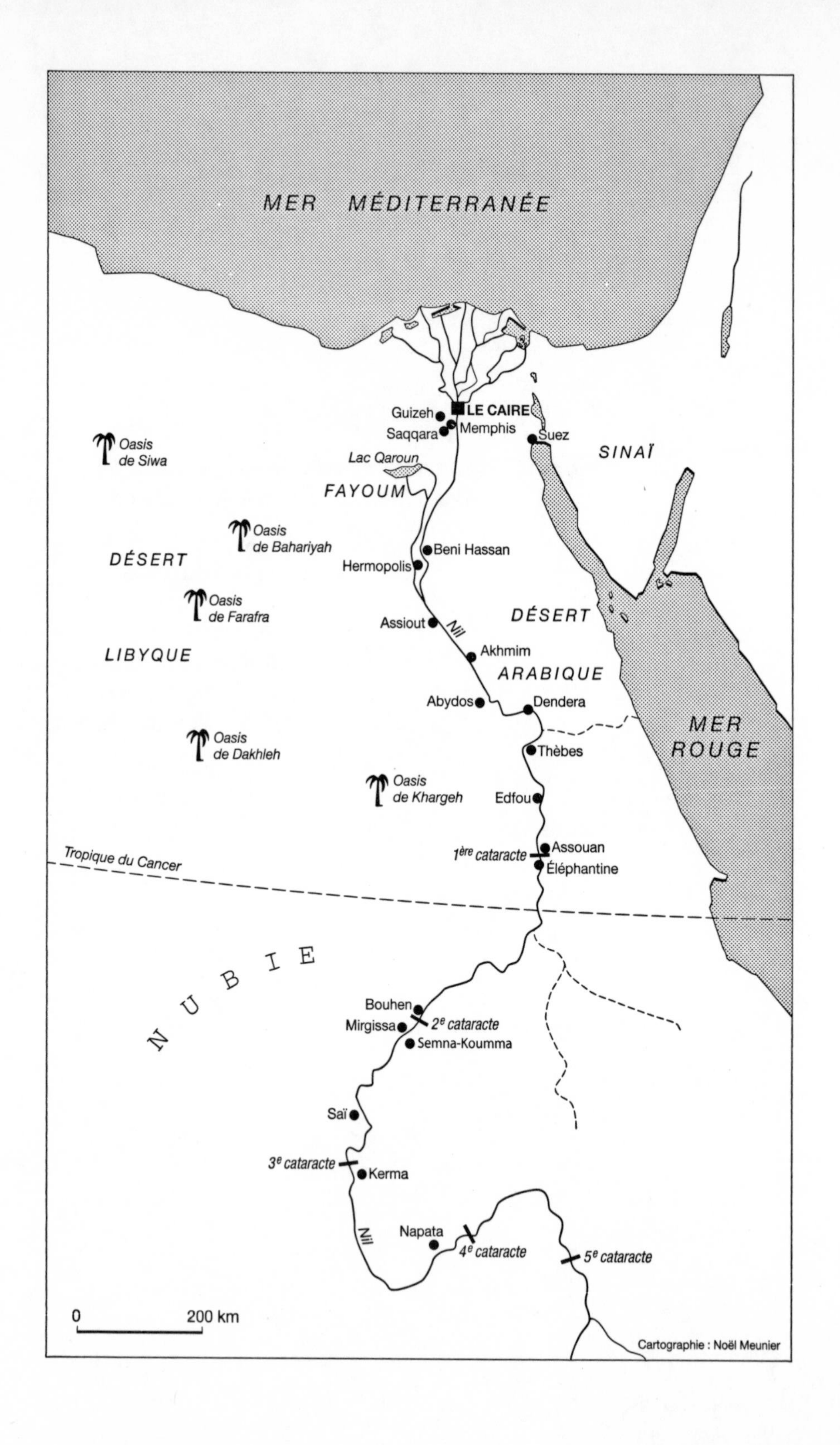
MER MÉDITERRANÉE
Guizeh
LE CAIRE
Saqqara
Memphis
Suez
SINAÏ
Oasis de Siwa
Lac Qaroun
FAYOUM
Oasis de Bahariyah
DÉSERT
Beni Hassan
Hermopolis
Oasis de Farafra
Assiout
Nil
DÉSERT
Akhmim
LIBYQUE
ARABIQUE
Abydos
Dendera
MER ROUGE
Oasis de Dakhleh
Thèbes
Oasis de Khargeh
Edfou
1ère cataracte
Assouan
Éléphantine
Tropique du Cancer
NUBIE
Bouhen
Mirgissa
2e cataracte
Semna-Koumma
Saï
3e cataracte
Kerma
Nil
Napata
4e cataracte
5e cataracte
0
200 km
Cartographie : Noël Meunier

ABYDOS

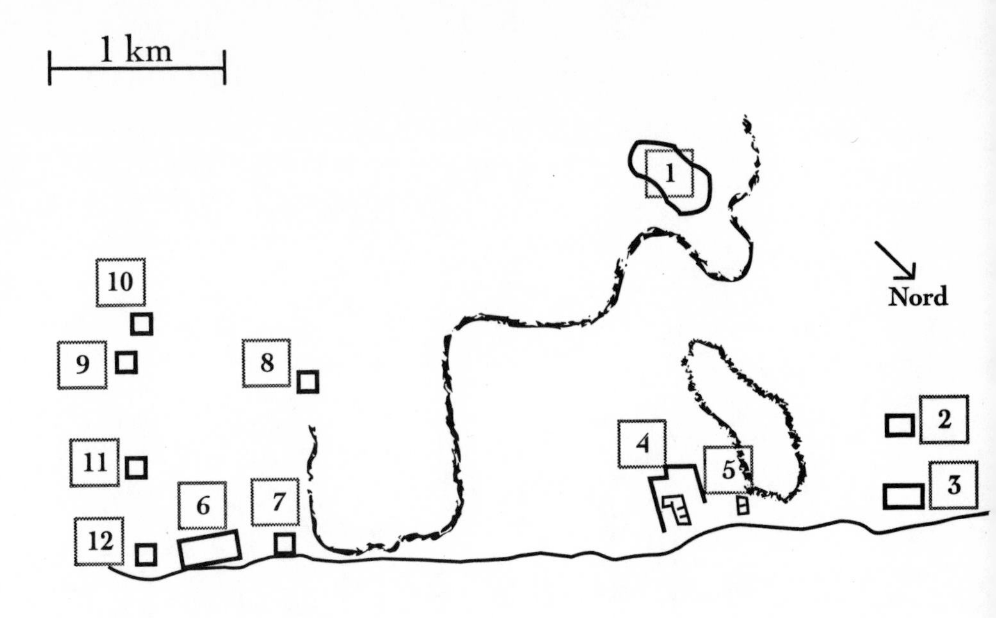

1 Tombes royales de la première dynastie

2 Tombes archaïques

3 Temple d'Osiris

4 Temple de Séthi Ier et Osireion

5 Temple de Ramsès II

6 Villes du Moyen et Nouvel Empire

7 Temple de Sésostris III

8 Cénotaphe de Sésostris III

9 Cénotaphe d'Ahmosé

10 Temple d'Ahmosé

11 Pyramide d'Ahmosé

12 Chapelle de Téti-shéri

LE CRIME SUPRÊME

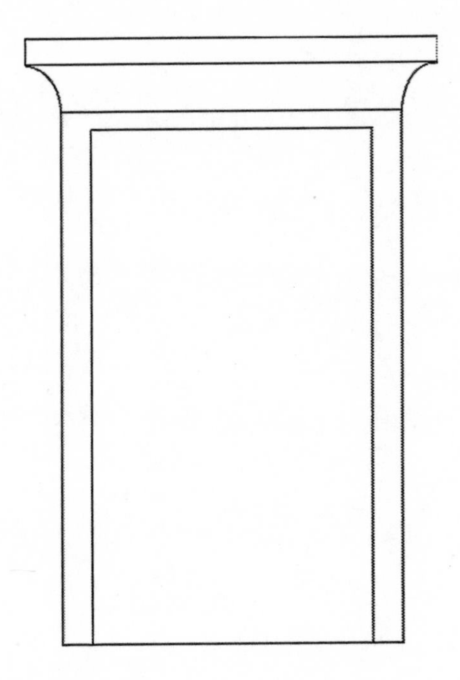

1

L'aube se levait sur Abydos, la Grande Terre d'Osiris. Une aube espérée et redoutée, puisqu'il s'agissait de celle du nouvel an. Cette journée exceptionnelle marquerait-elle le début de la crue dont dépendait la prospérité de l'Égypte ? Malgré l'étude approfondie des archives et les premières mesures fournies par les spécialistes d'Éléphantine, aucun technicien ne s'estimait capable de fournir une prévision digne de foi. Le flot serait-il bénéfique, dévastateur ou insuffisant ? L'angoisse étreignait les cœurs, mais chacun gardait confiance en Sésostris. Depuis que ce pharaon gouvernait les Deux Terres, les assauts du mal se brisaient contre ce géant impassible. N'avait-il pas vaincu l'égoïsme des chefs de province, rétabli l'unité du pays et la paix en Nubie ?

Le commandant des forces spéciales chargées d'assurer la sécurité du site n'éprouvait aucune crainte. D'après son chef, le vieux général Nesmontou, le roi maîtrisait le génie du Nil. Grâce aux rituels et aux offrandes, la montée des eaux s'effectuerait de manière harmonieuse. Cette certitude n'empêchait pas l'officier de remplir sa fonction avec rigueur en filtrant, chaque matin, les temporaires admis à franchir la frontière du domaine sacré. Des boulangers aux brasseurs, des menuisiers aux tailleurs de pierre, il les contrôlait un à un et notait leurs jours de présence. Quant à ceux et celles qui ne justifiaient pas leur absence, ils subissaient une radiation immédiate.

Se présentait un homme au crâne rasé, imberbe, de haute taille et vêtu d'une tunique de lin blanc.

— Ton travail, aujourd'hui ?

— Fumiger les demeures de fonction des permanents.

— Tu en auras pour longtemps ?

— Au moins trois semaines.

— Ton superviseur ?

— Le prêtre permanent Béga.

Une telle caution suffisait à inspirer confiance. Vu la sévérité de Béga et son austérité bien connue, ses employés ne devaient pas avoir souvent le sourire.

— Tu ressors ce soir ?

— Non, répondit le temporaire, je suis autorisé à dormir dans un local de service.

— Confort minimum ! Bon courage.

Le commandant ignorait qu'il livrait passage à l'ennemi juré de l'Égypte, l'Annonciateur. Naguère barbu et la tête couverte d'un turban, il se substituait à un temporaire qu'avait éliminé son fidèle lieutenant, Shab le Tordu, afin de s'introduire légalement à Abydos et d'y attendre sa proie, le Fils royal Iker.

Détenteur de la révélation divine, dépositaire de la vérité absolue, l'Annonciateur les imposerait au monde, de gré ou de force. Soit les incroyants se soumettraient, soit ils seraient exterminés. Seuls obstacles à l'expansion de la nouvelle croyance : le pharaon Sésostris et les mystères d'Osiris.

Toutes les tentatives d'assassinat du roi avaient échoué. Trop bien protégé, il semblait hors d'atteinte. Aussi l'Annonciateur s'était-il décidé à supprimer le jeune Iker que beaucoup considéraient déjà comme le successeur du souverain régnant. En commettant ce crime au cœur du royaume d'Osiris, « l'île des justes », il profanerait un sanctuaire réputé inviolable, tarirait la source de la spiritualité égyptienne et ruinerait l'édifice patiemment bâti.

L'Annonciateur marcha d'un pas lent vers l'« Endurante de places », la petite ville de Sésostris récemment édifiée à Abydos.

— Content de ton poste ? lui demanda un jardinier jovial.

— Très content.

— Heureuse nature, mon gars ! On est bien payés, d'accord, mais pas question de flemmarder. Et puis les surveillants, ils ne plaisantent pas. Enfin, on sert le Grand Dieu. Sacrée fierté, non ? Quand je pense à tous les envieux... De quoi t'occupes-tu, au juste ?

— Fumigation des maisons.

— Un beau métier, ça ! Au moins, tu ne t'abîmes pas les mains. Et toi, tu ne souffres pas du dos. Allez, de l'entrain ! À cause de la chaleur, on en aura besoin. En cas de crue trop faible ou trop forte, imagine les ennuis ! Puissent les dieux nous préserver du malheur.

L'Annonciateur sourit. Aucun dieu ne pourrait protéger Abydos.

Découvrir ce site le fascinait. Pendant que la police et l'armée le recherchaient sur tout le territoire égyptien, en Syro-Palestine et en Nubie, il circulait librement au sein du royaume d'Osiris qu'il comptait anéantir. Certes, les temporaires n'accédaient pas à ses parties secrètes, et l'Annonciateur ne faisait qu'effleurer cette forteresse spirituelle, jusqu'alors indestructible. Mais l'appui inconditionnel du permanent Béga, désormais disciple du Mal, lui promettait de beaux lendemains.

L'Endurante de places ne ressemblait pas aux autres villes. Y habitaient des ritualistes, des artisans et des gestionnaires chargés du bon fonctionnement des temples et de leurs annexes. Directement rattaché à la Couronne, ce personnel d'élite ne manquait de rien. Imprégné de la présence d'Osiris, il adoptait une certaine gravité et continuait à se poser une question angoissante : la guérison de l'arbre de vie était-elle définitive ?

L'Annonciateur laissait les optimistes se bercer d'illusions. Certes, l'or rapporté de Nubie et de Pount se révélait efficace, et le grand acacia, à nouveau verdoyant, éclatait de vigueur. À lui seul, il prouvait la capacité de résurrection du dieu. Encore fallait-il qu'un nouveau maléfice ne l'accablât point. À distance, en dépit de ses pouvoirs, l'Annonciateur ne pouvait plus l'agresser. À proximité, il briserait les protections entourant l'arbre de vie et le viderait de toute substance.

L'atmosphère des lieux le troublait. Porte du ciel, terre du silence et de la justesse, Abydos pénétrait l'âme. La « Grande Terre » n'abritait-elle pas le lac de vie ? Depuis l'origine de la civilisation pharaonique, les rites rendaient efficaces les puissances de création. Nul être, aussi insensible soit-il, n'échappait à leur rayonnement.

La mission de l'Annonciateur ne souffrait aucune ambiguïté : Osiris ne devait plus ressusciter. En mettant un terme à ce miracle, il répandrait l'ultime religion. Servant à la fois de doctrine et de programme de gouvernement, elle submergerait l'humanité. Chaque croyant répéterait quotidiennement des formules immuables, nulle liberté de pensée ne serait tolérée. Même si des dictateurs se levaient çà et là, persuadés de prendre en main la destinée de tel ou tel peuple, la machine, en réalité, fonctionnerait d'elle-même. Crédulité et violence ne cesseraient de l'alimenter.

Tel un chien mouillé, l'Annonciateur se secoua. L'énergie provenant des temples l'affaiblissait et risquait de compromettre ses interventions. Se hâter serait pourtant une erreur. Absorber le sel de Seth préservait ses pouvoirs et son feu destructeur. Sachant incertaine l'issue du combat décisif, le prédicateur aux yeux rouges avançait prudemment en territoire ennemi.

Bâtie selon les lois de la divine proportion, la cité de Sésostris tentait de le repousser. Au moment où l'Annonciateur abordait l'artère principale, un vent chaud le figea sur place. Il ouvrit la bouche et absorba ce souffle contraire

— Ça ne va pas ? lui demanda une domestique, armée d'un balai et de chiffons.

— J'admirais notre belle cité. La journée ne s'annonce-t-elle pas magnifique ?

— Et si la crue se transformait en catastrophe ? Espérons qu'Osiris nous sauvera !

L'Annonciateur reprit son chemin jusqu'à la demeure du prêtre permanent Béga, située au début d'une ruelle, à l'abri du soleil. Il écarta la natte obstruant l'entrée et pénétra dans une petite pièce dédiée aux ancêtres.

Un homme laid, au nez proéminent, bondit de son siège.

— Vous... vous n'avez pas eu d'ennuis ?

— Pas le moindre, cher Béga.

— Le commandant se montre cependant méfiant !

— Je ressemble suffisamment au temporaire que je remplace pour n'attirer aucun soupçon. Passer les contrôles me divertit.

Béga, dont le nom signifiait « le froid », savourait chaque étape de sa vengeance. Après de longues années passées à Abydos, il aurait dû être nommé Supérieur de la communauté et connaître les grands mystères. Sésostris en avait décidé autrement, et cette humiliation se paierait au prix fort. Désormais serviteur de Seth, l'assassin d'Osiris, Béga, promis à de hautes fonctions, réglementerait d'une poigne de fer les temples d'Égypte. Chacun reconnaîtrait sa valeur et lui obéirait aveuglément. Auparavant, il mettrait à exécution les plans audacieux de l'Annonciateur, car seul son nouveau maître lui permettrait d'assouvir sa haine.

Glacial comme un jour d'hiver, Béga brûlait ce qu'il vénérait. De son passé de ritualiste et de serviteur d'Osiris, rien ne subsistait. Longtemps centre de son existence, Abydos devenait celui de ses ressentiments et de ses aigreurs. Il violerait le grand secret, et la disparition de ce domaine privilégié lui procurerait un immense plaisir. Le pharaon et les permanents anéantis, les femmes exclues de toute fonction spirituelle, il posséderait enfin les trésors d'Osiris.

— As-tu revu Shab ? demanda l'Annonciateur.

— Il se cache dans une chapelle, près de la terrasse du Grand Dieu, et attend vos instructions.

— Pas de rondes, dans ce secteur ?

— Aucun profane n'est autorisé à y pénétrer. Parfois, un prêtre ou une prêtresse vont y méditer. J'ai choisi un emplacement retiré où Shab ne sera pas importuné.

— Décris-moiles protections de l'arbre de vie.

— Infranchissables !

L'Annonciateur eut un étrange sourire.

— Décris-les-moi, exigea-t-il d'une voix douce qui fit frissonner Béga.

Gravée au creux de la paume de sa main droite, une minuscule tête de Seth rougeoya.

La douleur l'incita à parler sans délai.

— Quatre acacias ont été plantés autour de l'arbre de vie. Imprégnés de magie, ils engendrent un champ de forces permanent. Aucune énergie extérieure ne peut le franchir. En eux s'incarnent les quatre fils d'Horus. Une châsse formée de quatre lions renforce leur efficacité. Ces veilleurs, aux yeux perpétuellement ouverts, se nourrissent de Maât. Le symbole de la province d'Abydos, une hampe au sommet pourvu d'un cache dissimulant le secret d'Osiris, anime ce reliquaire. Nul ne saurait le toucher sans être foudroyé. Et n'oublions pas l'or de Pount et de Nubie : il recouvre le tronc de l'acacia et le rend inattaquable.

— Tu me sembles bien pessimiste, mon ami.

— Réaliste, seigneur !

— Oublierais-tu mes pouvoirs ?

— Certes pas, mais un tel dispositif...

— Toute forteresse, fût-elle magique, souffre d'un point faible. Je le découvrirai. Le temple de Sésostris est-il accessible ?

— À condition d'y remplir une fonction précise.

— Lorsque j'aurai terminé les fumigations, trouve-m'en une.

— Ce ne sera pas facile, car...

— Pas de faux-fuyants, Béga. Je dois tout connaître d'Abydos.

— Moi-même, je ne franchis pas le seuil de tous les sanctuaires !

— Lesquels te sont interdits ?

— La demeure d'éternité de Sésostris et la tombe d'Osiris dont la porte doit rester scellée. Là se cache le vase qui contient la vie secrète du dieu.

— Le sort-on parfois ?

— Je l'ignore.

— Pourquoi ne t'es-tu pas renseigné, Béga ?

— Parce que la hiérarchie m'en empêche ! Chaque permanent, moi compris, remplit une tâche précise. Notre Supérieur, le Chauve, veille sur le parfait accomplissement de nos devoirs. En cas de faute, même vénielle, le coupable est radié.

— Donc, tu n'en commettras aucune. Une défaillance de ta part n'équivaudrait-elle pas à une trahison ?

Face à l'Annonciateur, Béga perdait ses moyens et ne songeait qu'à obéir.

La voix enjôleuse d'une jeune femme lui fit oublier sa frayeur.

— Puis-je entrer ? Je vous apporte le pain et la bière.

L'Annonciateur souleva lui-même la natte pour libérer le passage.

Apparut une jolie brune aux seins petits et ronds. De son bras gauche, elle maintenait le panier qu'elle portait sur la tête ; dans la main droite, elle tenait l'anse d'une cruche. Vêtue d'une jupe à croisillons bleus et noirs, maintenue par une ceinture bleue, elle portait aux poignets et aux chevilles de modestes bracelets. Vive, sensuelle, attirante, Bina déposa ses fardeaux, s'agenouilla devant l'Annonciateur et lui baisa les mains.

— Voici la reine de la nuit, déclara-t-il, satisfait. Bien

qu'elle soit désormais incapable de se transformer en lionne, sa capacité de nuisance demeure considérable.

— Tu... tu n'as pas le droit d'être ici ! protesta Béga.

— Au contraire, répondit-elle, tranchante, car je viens d'être nommée servante des prêtres permanents, auxquels je fournirai chaque jour nourriture et vêtements.

— Le Chauve a-t-il donné son accord ?

— Le commandant des forces de sécurité l'a persuadé qu'il ne trouverait pas de temporaire plus dévouée et plus efficace. En dépit de sa méfiance, ce rugueux officier reste un homme. Ma modestie le séduit.

— Ainsi, observa l'Annonciateur, tu approcheras le sommet de la hiérarchie masculine. Le prêtre préposé à la surveillance du tombeau d'Osiris sera ta cible prioritaire.

— Soyez extrêmement prudents, recommanda Béga, inquiet. Le Chauve a sûrement pris des précautions que j'ignore. Nul ne sait quelles puissances vous déclencherez en violant ce sanctuaire.

— Sur le premier point, j'attends de ta part des informations précises. Ne te soucie pas du second.

— Seigneur, le rayonnement d'Osiris...

— Ne comprends-tu pas qu'Iker et Osiris vont disparaître à jamais ?

2

Iker n'avait connu aucune femme avant Isis et n'en connaîtrait jamais d'autre. Isis n'avait connu aucun homme avant Iker et n'en connaîtrait jamais d'autre. Leur première nuit d'amour scellait un pacte éternel, au-delà du désir et de la passion. Une puissance supérieure transformait leur avenir en destin. Indissolublement liés, unis par l'esprit, le cœur et le corps, ils communiaient désormais dans le même regard.

Pourquoi tant de bonheur ? Vivre avec Isis, à Abydos... Un rêve bientôt brisé ! Aussi Iker rouvrit-il les yeux, assuré d'une cruelle déception.

Elle était là, près de lui. Ses yeux d'un vert magique le contemplaient. Il osa caresser sa peau d'une douceur divine, embrasser son visage aux traits d'une finesse inégalable.

— C'est toi... C'est bien toi ?

Le baiser qu'elle lui offrit ne semblait pas irréel.

— Sommes-nous vraiment chez toi, à Abydos ?

— Chez nous, rectifia-t-elle. Puisque nous habitons ensemble, nous voilà mariés.

Iker se redressa brusquement.

— Je n'ai pas le droit d'épouser la fille du pharaon Sésostris !

— Qui te l'interdit ?

— La raison, la bienséance, le...

Le sourire de la jeune femme l'empêcha de trouver d'autres arguments.

— Je ne suis rien, je...

— Pas de fausse modestie, Iker. Fils royal et Ami unique, tu as une mission à remplir.

Il se leva, arpenta la chambre, toucha le lit, les murs et les coffres de rangement, puis l'enlaça.

— Tant de bonheur... Je voudrais que cet instant dure toujours !

— Il durera toujours, promit-elle. Mais des tâches impérieuses nous attendent.

— Sans toi, je n'ai aucune chance de réussir.

Isis lui prit tendrement la main.

— Ne suis-je pas ton épouse ? Quand nous étions loin l'un de l'autre, tu ressentais ma présence et, toi, tu habitais mes pensées. Aujourd'hui, nous sommes unis à jamais. Même le souffle du vent ne pourrait se glisser entre nous. Notre amour nous conduira au-delà des limites de notre existence.

— Serai-je digne de toi, Isis ?

— Épreuves ou bonheurs, nous sommes un, Iker. Aucune mort ne nous séparera.

Sur le chemin menant à l'arbre de vie, Isis révéla à Iker que Sésostris lui avait demandé de repérer tout comportement suspect des permanents comme des temporaires. Ses tâches rituelles et son parcours initiatique ne lui permettaient guère d'observer ses collègues, et la prêtresse ne formulait aucun soupçon. Pourtant, les inquiétudes du pharaon ne pouvaient être prises à la légère. Perçant les apparences, ne pressentait-il pas une trahison au cœur de la confrérie la plus secrète d'Égypte ?

— Comment un initié d'Abydos deviendrait-il un fils des ténèbres ? s'étonna Iker.

— Je me suis posé cent fois cette question, avoua Isis. Le chemin de feu a brûlé ma naïveté. De magnifiques rituels n'engendrent pas forcément des individus irréprochables.

— Crois-tu un ritualiste assez hypocrite pour donner le change ?

— Ta mission n'implique-t-elle pas cette hypothèse ?

Le couple s'immobilisa à bonne distance de l'acacia.

La prêtresse pria les quatre jeunes arbres et les quatre lions gardiens de leur accorder le passage.

Presque aussitôt, Iker sentit un étrange parfum, doux et apaisant. Isis lui fit signe d'avancer.

Au pied de l'arbre de vie, au tronc recouvert d'or, le Chauve versait de l'eau.

— Tu es en retard, Isis. Prends le vase de lait et remplis ton office.

La jeune femme s'exécuta.

— Quelles que soient les péripéties de ton existence, ajouta le Supérieur des permanents d'une voix bourrue, le rite doit prédominer.

— Je ne suis pas une péripétie, intervint Iker, mais le mari d'Isis.

— Les histoires de famille ne m'intéressent pas.

— Ma fonction officielle vous intéressera peut-être davantage. Le pharaon Sésostris me charge de dissiper les troubles qui gangrènent la hiérarchie des prêtres et de veiller à la création de nouveaux objets sacrés en vue de la célébration des mystères d'Osiris.

Un long silence suivit cette déclaration.

— Fils royal, Ami unique, envoyé de Pharaon... Des titres impressionnants ! Moi, je vis ici depuis toujours, je préserve la Maison de Vie et ses archives sacrées, je vérifie le parfait accomplissement des tâches confiées aux permanents et n'accepte aucune excuse en cas de défaillance. Nul reproche ne m'a été adressé, le roi me garde sa confiance. Quant aux ritualistes, je m'en porte garant.

— Sa Majesté ne se montre pas aussi optimiste. Votre vigilance ne se serait-elle pas éteinte ?

— Je ne te permets pas, jeune homme !

— Mon âge importe peu. Acceptez-vous, oui ou non, de faciliter mon enquête ?

Le Chauve se tourna vers Isis.

— Qu'en pense la fille du roi ?

— Nous déchirer serait désastreux. Privé de votre appui, Iker s'enlisera. Et l'arbre de vie reste menacé.

Le Chauve s'insurgea.

— Il éclate de santé ! Ne plonge-t-il pas ses racines au sein de l'océan primordial afin de procurer aux justes l'eau de régénération ?

— Osiris est l'unique dans l'acacia, vie et mort s'unissent en lui, rappela Isis. Aujourd'hui, je ressens un trouble. Il annonce peut-être l'assaut de nouvelles forces de destruction.

— Les défenses mises en place par le roi ne seraient-elles pas infranchissables ? s'inquiéta Iker.

— Ne nous berçons pas d'illusions.

— Raison de plus pour éliminer d'éventuelles brebis galeuses ! insista le Fils royal.

Inquiet, le Chauve ne poursuivit pas un duel inutile.

— Comment désires-tu procéder ?

— En interrogeant les permanents un à un, sans oublier de rassembler les artisans et de leur dicter les volontés du roi. Tous devront avoir les mains pures.

— Tu te prépares des lendemains difficiles, Iker ! Étranger à Abydos, tu provoqueras des réactions de rejet.

— Je l'aiderai, promit Isis.

— Pourquoi le Fils royal réussirait-il là où nous avons échoué ? s'enquit le Chauve. Aucun indice ne nous oriente vers la culpabilité d'un permanent. Et n'oublions pas notre souci majeur ! La constellation d'Orion a disparu depuis soixante-dix jours. Si elle ne réapparaît pas cette nuit, le cosmos s'écroulera et la crue tant attendue ne se produira pas.

— J'interrogerai la palette en or, annonça Iker.

Le Chauve fut stupéfait.

— Le roi te l'aurait-il confiée ?

— J'ai cet honneur.

Le vieillard hocha la tête.

— Manie-la avec prudence. Et n'oublie pas : seules les bonnes questions offrent de bonnes réponses. À présent, occupons-nous de préparer les offrandes au génie du Nil.

Le Supérieur s'éloigna en grommelant.

— Il me déteste, constata Iker.

— Tout corps étranger à Abydos lui paraît indésirable. Néanmoins, tu l'as beaucoup impressionné. Il te prend au sérieux et n'entravera pas nos démarches.

— Comme ce « nous » est doux à entendre ! Seul, je courais à l'échec.

— Tu ne seras plus jamais seul, Iker.

Ensemble, ils parcoururent l'allée processionnelle bordée, de part et d'autre, de trois cent soixante-cinq petites tables d'offrandes, garnies de nourritures solides et liquides. Évoquant l'année visible et invisible, elles sacralisaient chacune de ses journées. Ainsi se célébrait un éternel banquet, offert au *ka* des puissances divines. En retour, elles chargeaient de *ka* les aliments.

Vu l'intensité de la tâche, plusieurs temporaires aidaient le permanent préposé à la libation quotidienne. L'entrain manquait, car circulaient d'inquiétantes rumeurs à propos de la crue. Certaines allaient jusqu'à prédire son absence totale. Le Chauve n'ayant opposé aucun démenti, ne fallait-il pas envisager le pire ?

Iker aurait aimé découvrir la totalité du site et de ses monuments, mais sa mission même risquait d'être remise en question si le flot fécondateur venait à manquer. Privés de l'apport des limons fertilisateurs, les champs seraient stériles.

— Pourquoi la constellation d'Orion tarde-t-elle ? demanda-t-il à Isis.

— La puissance du perturbateur touche à la fois le ciel et la terre.

— En ce cas, il ne s'agit pas d'un être humain !

Le silence d'Isis angoissa Iker. Quels que soient les pouvoirs des initiés d'Abydos, comment triompheraient-ils d'un tel adversaire ? L'arbre de vie ne connaissait qu'un répit, d'autres tempêtes se préparaient. L'Annonciateur disposait probablement d'un ou de plusieurs complices, tellement dissimulés qu'ils échappaient au regard du Chauve. Lui, le novice, devait les identifiei et les empêcher de nuire !

Isis le guida jusqu'au temple des millions d'années de Sésostris. Les permanents y psalmodiaient les litanies liant la résurrection d'Osiris à la montée des eaux. La jeune femme lui présenta les sept musiciennes chargées d'enchanter l'âme divine, le Serviteur du *ka* vénérant et entretenant l'énergie spirituelle de manière à renforcer les liens de la confrérie avec l'invisible, Celui qui versait la libation d'eau fraîche sur les tables d'offrandes, Celui veillant à l'intégrité du grand corps d'Osiris et le ritualiste capable de voir les secrets.

Non sans étonnement, chacun constata que le Fils royal détenait la palette en or. Vu l'attitude respectueuse du Chauve, le jeune Iker exerçait une autorité indiscutable.

Ignorant les regards tantôt admiratifs, tantôt suspicieux, l'envoyé du pharaon découvrait le sanctuaire. Éprouvant le curieux sentiment de l'avoir toujours connu, il franchit le pylône, passa entre des statues colossales du monarque en Osiris, pénétra dans une salle à colonnes au plafond couvert d'étoiles et se recueillit devant les scènes représentant le souverain communiquant avec les divinités.

Au terme d'une longue méditation, il s'adressa au collège des ritualistes.

— Nous sommes le deuxième jour du mois de Thot, Orion n'est pas encore apparu. Le caractère exceptionnel de cet événement souligne l'acharnement de notre adversaire majeur, l'Annonciateur. Aussi ne pouvons-nous pas nous contenter de patience et d'inertie.

— Que proposes-tu ? demanda le Chauve.

— Consultons la palette en or.

Iker écrivit : Quelle force peut déclencher la crue ?

La question s'effaça, la réponse s'inscrivit : Les larmes de la déesse Isis.

— Aux prêtresses permanentes d'intervenir, décida le Chauve. Qu'elles célèbrent les rites appropriés.

Reconnaissant Isis comme leur supérieure, les servantes d'Osiris montèrent sur le toit du temple. La fille de Sésostris prononça les premiers mots du poème d'amour à l'adresse du cosmos : « Orion, puisse ta splendeur illuminer les ténèbres. Je suis l'étoile Sothis, ta sœur, je te reste fidèle et ne t'abandonne pas. Éclaire la nuit, projette le fleuve d'en haut sur notre terre, apaise sa soif. »

Iker et les permanents se retirèrent.

Sur le parvis du temple, le Fils royal éprouva la sensation d'être épié. Épié, à Abydos, en ce monde de sérénité que seule la recherche du sacré aurait dû animer ? Iker se serait volontiers abandonné à la contemplation de ce site envoûtant, mais impossible de négliger sa mission.

Ne repérant personne de suspect, il leva les yeux vers le ciel. De sa décision dépendait le sort d'Abydos et de l'Égypte entière.

Au moment où Iker regardait dans sa direction, l'Annonciateur s'abrita derrière un mur. Au pire, le jeune homme n'aurait aperçu qu'un temporaire auquel il demanderait la raison de sa présence en ce lieu.

Le Fils royal se contenta d'observer le couchant.

Pister cette proie, l'isoler et la frapper ne s'annonçaient pas facile. En outrepassant les limites imposées, l'Annonciateur risquait d'être interpellé, voire expulsé d'Abydos. Aussi prendrait-il lentement et sûrement la mesure du vaste territoire d'Osiris.

Assassiner Iker ne suffisait pas. Sa mort devait ébranler les esprits au point de les décourager et de semer la désolation en ce royaume qui se croyait protégé d'un tel désastre.

Souple et rapide malgré sa taille, l'Annonciateur profita de la nuit naissante pour regagner son modeste dortoir. Shab le Tordu lui fournissait une quantité suffisante de sel, l'écume de Seth récoltée dans le désert de l'Ouest, lors des grandes chaleurs. Elle le désaltérait, le nourrissait et entretenait son énergie de prédateur.

Fasciné par la beauté des constellations ornant le corps immense de Nout, la déesse Ciel, Iker ne cédait pas au sommeil. Il songeait au combat acharné du soleil contre les puissances obscures, à son périlleux voyage nocturne dont l'issue demeurait incertaine. En parcourant le corps de Nout, il captait la lumière des étoiles et franchissait une à une les portes menant à la résurrection. Chaque existence ne menait-elle pas à ce périple ? S'y conformer ne lui donnait-il pas tout son sens ?

Depuis sa première mort, au sein d'une mer déchaînée, Iker avait vécu bien des épreuves, connu des doutes cruels et commis de graves erreurs. Mais il ne s'était pas arrêté en chemin, ce chemin menant à Abydos, à l'immense bonheur de vivre avec Isis.

À l'ultime frange de la nuit, sur la lisière de l'aube, le ciel changea brusquement d'aspect, comme si un nouveau monde naissait.

Un profond silence gagna la Grande Terre.

Les regards convergèrent vers l'étoile qui, après plus de soixante-dix jours d'une angoissante absence, venait de réapparaître en traversant le portail de flammes.

LE GRAND SECRET

Une fois encore, le miracle s'accomplissait.

À la hauteur d'Abydos, le fleuve prit de l'ampleur et le génie du Nil, Hâpy, bondit amoureusement à la rencontre des rives. Les larmes d'Isis provoquaient la crue et ressuscitaient Osiris.

3

Enfin, Memphis laissait éclater sa joie ! Malgré un léger retard, la crue serait abondante, mais non destructrice. Du plus fortuné au plus humble, les Égyptiens chantaient les louanges du pharaon, responsable du maintien de l'harmonie entre le ciel et la terre. La célébration des rites avait suscité la réapparition de la bonne étoile, et le cours normal des saisons se déroulerait selon l'ordre de Maât. Une fois encore, les Deux Terres échappaient au chaos.

Ces excellentes nouvelles ne redonnaient pas le sourire à Sobek, chef de toutes les polices du royaume. Impressionnant de puissance physique, autoritaire, détestant les courtisans, les diplomates et les mielleux, il vénérait Sésostris depuis le début de son règne. Le protéger demeurait son obsession. Malheureusement, le roi prenait des risques excessifs et n'écoutait guère les conseils de prudence. Aussi le Protecteur continuait-il à former lui-même les spécialistes chargés de la sécurité rapprochée du souverain. Quant au palais, sans devenir une forteresse, il constituait un abri que les terroristes, fussent-ils de première force, ne parviendraient pas à violer.

La venue du flot fécondant libérait la capitale d'une chape

d'angoisse. N'ayant douté à aucun instant de la capacité du roi à maintenir la prospérité, Sobek se souciait surtout de la cérémonie du nouvel an, au cours de laquelle les dignitaires et les corps de métiers offraient des cadeaux au pharaon. Assurer sa sauvegarde dans de telles circonstances présentait d'insurmontables difficultés. Si un assassin se mêlait à la foule et tentait de se ruer sur Sésostris, plusieurs gardes l'empêcheraient d'atteindre son but ; mais si l'un des invités de marque appartenait au réseau de l'Annonciateur, comment l'intercepter ? Proche du monarque lors de la remise de ses présents, il aurait le temps d'agir avant l'intervention du Protecteur.

Fouiller à corps la totalité des participants eût été une excellente solution. Hélas ! le protocole et la bienséance l'interdisaient. Il ne restait à Sobek qu'une extrême vigilance et un temps de réaction comparable à l'éclair.

Le premier à se présenter fut le vizir Khnoum-Hotep, âgé et corpulent. Du Premier ministre de l'Égypte, compétent et respecté, rien à redouter. Pas davantage du général en chef, le vieux et rugueux Nesmontou, du ministre de l'Économie Senânkh, au physique de bon vivant et au caractère intransigeant, et du Supérieur de tous les travaux du pharaon, l'élégant et raffiné Séhotep.

Aux pieds du couple royal, les hauts personnages déposèrent un collier large, symbole des neuf puissances créatrices, une épée en électrum, mélange d'or et d'argent, une chapelle d'or miniature et un vase en argent rempli d'eau nouvelle, dotée de vertus régénératrices. Leur succéda Médès, le Secrétaire de la Maison du Roi, porteur d'un coffret contenant de l'or, de l'argent, du lapis-lazuli et de la turquoise.

Sobek n'appréciait guère ce petit gros dont la bureaucratie memphite disait pourtant grand bien. Chargé de rédiger les décrets et de les diffuser à travers l'Égypte, la Nubie et le protectorat syro-palestinien, il s'acquittait de sa tâche avec une diligence exemplaire. Nombre de dignitaires lui promettaient une brillante carrière, tant Médès se dévouait à la cause publique.

Suivirent une bonne cinquantaine de courtisans, rivalisant d'obséquiosité.

Au fur et à mesure de la cérémonie, les nerfs de Sobek se tendaient. Le Protecteur observait chaque attitude et tentait de deviner chaque attention.

Un terroriste serait-il assez fou ou drogué pour agresser Sésostris, ce géant au visage sévère et au regard si intense qu'il clouait sur place n'importe quel interlocuteur? Ses paupières lourdes supportaient la souffrance et la médiocrité de l'humanité, ses grandes oreilles percevaient les paroles des dieux et les suppliques de son peuple.

Sésostris était né pharaon. Dépositaire d'une puissance surnaturelle, le *ka,* transmise de roi en roi, il ridiculisait, par sa seule présence, ambitieux et rivaux. Ne faisait-il pas des miracles, dont le contrôle de la crue, l'abolition des privilèges des chefs de province, la réunification des Deux Terres et la pacification de Canaan et de la Nubie? La légende du souverain ne cessait de s'enrichir, et l'on comparait déjà son règne à celui d'Osiris.

Indifférent aux louanges, détestant les flatteries, Sésostris ne se vantait jamais de ses succès et ne songeait qu'aux difficultés à résoudre. Gouverner le pays, le maintenir sur le chemin de Maât, conforter la solidarité, protéger le faible du fort, assurer la présence des divinités auraient suffi à épuiser un colosse. Mais le roi ne pouvait se reposer et devait agir en sorte que ses sujets, eux, puissent dormir tranquilles.

Et le pharaon affrontait un redoutable adversaire, l'Annonciateur, décidé à répandre le mal, la violence et le fanatisme. L'Égypte et la fonction pharaonique formaient les obstacles majeurs à son succès. et il avait tenté de les toucher au cœur en envoûtant l'arbre de vie, l'acacia d'Osiris à Abydos. Malgré sa guérison, Sésostris restait inquiet et ne croyait pas à la mort de l'Annonciateur dans un coin perdu de Nubie. Sa disparition ne cachait-elle pas une nouvelle manœuvre, prélude à un prochain assaut?

Certes, la construction d'une pyramide à Dachour, d'un temple des millions d'années et d'une demeure d'éternité à Abydos, et d'une barrière magique de forteresses entre Éléphantine et la deuxième cataracte contrecarrait les projets de l'Ennemi. Néanmoins, capable d'implanter de manière durable un réseau terroriste à Memphis, il savait s'adapter, corrompre, profiter des faiblesses et des zones d'ombre. Loin d'être vaincu, l'Annonciateur continuait à représenter une terrifiante menace.

Lorsque le chef sculpteur des artisans de Memphis se présenta à son tour devant le couple royal, Sobek ne baissa pas la garde. L'homme semblait digne de confiance, mais ce terme-là n'appartenait pas au vocabulaire du chef de la police.

— Majesté, déclara l'artisan en offrant au pharaon un petit sphinx d'albâtre à son effigie, cent statues symbolisant le *ka* royal sont maintenant à votre disposition.

Chaque province en posséderait au moins une, garante de l'unité du pays. La diorite, dont les teintes variaient du noir au vert foncé, conférait à ces sculptures puissance et austérité. Nulle vanité dans ces représentations d'un monarque âgé au visage grave et aux grandes oreilles, mais volonté d'intensifier le rayonnement du *ka*. Ainsi, une force surnaturelle continuerait à imprégner l'Égypte de ses bienfaits en repoussant les maléfices de l'Annonciateur.

La cérémonie touchait à sa fin.

Sobek s'essuya le front d'un revers de main. D'aucuns ironisaient en lui reprochant son pessimisme et ses excès sécuritaires. Peu lui importait, il ne modifierait pas sa ligne de conduite.

Dernier porteur de cadeaux, un maigrichon tenait à bout de bras un vase de granit.

Soudain, les braiments d'un âne, d'une surprenante intensité, le figèrent à moins de cinq pas de l'estrade où siégeait le couple royal.

Bousculant deux soldats, un énorme molosse bondit sur le

maigrichon et le fit tomber. Du vase jaillirent une dizaine de vipères qui semèrent la panique parmi les invités.

Sobek et les policiers d'élite tuèrent les reptiles à coups de bâton. Plusieurs fois mordu, le terroriste agonisait.

Sous la protection de sa garde rapprochée, le couple royal se retirait calmement.

Fier de son exploit, le molosse reçut les caresses d'un gaillard au visage carré, aux épais sourcils et au ventre rond.

Sobek s'approcha.

— Beau travail, Sékari.

— Félicite Vent du Nord et Sanguin. L'âne a donné l'alerte, le chien est intervenu. Ces deux proches d'Iker viennent de sauver Sa Majesté.

— Ils méritent promotion et décoration ! Connaissais-tu l'agresseur ?

— Jamais vu.

— Ses propres serpents ne lui ont laissé aucune chance. J'aurais aimé l'interroger, mais on jurerait que ces bandits prennent un malin plaisir à couper la moindre piste. Tes recherches souterraines progressent-elles ?

— Bien qu'elles soient grandes ouvertes, mes oreilles ne recueillent rien d'intéressant.

Agent spécial de Sésostris, Sékari s'infiltrait avec la même aisance dans n'importe quel milieu. Attirant les confidences, sachant se rendre presque invisible, il tentait de repérer des éléments du réseau terroriste. Depuis la disparition d'un porteur d'eau et l'arrestation de quelques sous-fifres, aucun succès notable. Méfiant, l'ennemi se terrait.

— Nous avons forcément réduit leurs possibilités de communiquer entre eux, déclara l'agent secret, donc amoindri leur capacité d'action. Cette tentative ne ressemble-t-elle pas à un coup d'éclat désespéré ?

— Peu probable, estima Sobek. Protéger le pharaon à ce moment-là et à cet endroit-là relevait de la gageure. Ce maigrichon possédait une bonne chance de réussir. Leur organisation a subi quelques coups durs mais demeure vivace !

— Je n'en doute pas un instant.

— Es-tu convaincu de la mort de l'Annonciateur ?

Sékari hésita.

— Certaines tribus nubiennes lui vouaient une haine féroce.

— Memphis a déjà beaucoup souffert, nombre d'innocents ont péri à cause de ce démon. Faire croire à son décès me semble une excellente stratégie. Que prépare-t-il de pire ?

— Je repars en chasse, annonça Sékari.

Médès fulminait. Pourquoi n'avait-il pas été averti de cette nouvelle tentative d'assassinat visant la personne du pharaon ? Robuste quadragénaire, enveloppé à cause de sa gourmandise, le visage lunaire, des cheveux noirs plaqués sur le crâne, les jambes courtes et les pieds potelés, haut fonctionnaire et travailleur infatigable, Médès donnait toute satisfaction au roi et au vizir. Chargé de mettre en forme les décrets promulgués par le pharaon et de les diffuser rapidement, il dirigeait une armée de scribes qualifiés et organisait les mouvements d'une flottille de bateaux rapides.

Qui le soupçonnerait de servir l'Annonciateur ? Comme son âme damnée, Gergou, et le prêtre permanent d'Abydos, Béga, il appartenait désormais à la conspiration du Mal. Au creux de la main des conjurés, une minuscule tête de Seth, profondément gravée, se mettait à rougeoyer en provoquant d'intolérables souffrances à la moindre velléité de trahison.

Pourquoi une telle dérive ? Les raisons ne manquaient pas. Depuis longtemps, la Maison du Roi aurait dû coopter un technicien de sa compétence. À l'évidence, le poste de Premier ministre lui était promis, simple étape avant l'obtention du pouvoir suprême. Gouverner l'Égypte... Médès s'en sentait capable. Ne possédait-il pas d'exceptionnelles qualités de gestionnaire et de meneur d'hommes ? Pourtant, on continuait à lui refuser l'accès du temple couvert et de la partie secrète des sanctuaires, notamment celle d'Abydos, où Sésostris puisait l'essentiel de sa force.

Seule solution : éliminer ce monarque.

Au-delà de cette légitime ambition, Médès devait l'avouer : le Mal le fascinait. Seul détenteur de l'éternité, ne terrassait-il pas n'importe quel adversaire ? Aussi la rencontre de l'Annonciateur, en dépit d'aspects terrifiants, comblait-elle ses espérances.

L'étrange personnage était doté de remarquables pouvoirs et, surtout, ne redoutait aucune attaque de l'adversité. Suivant une stratégie implacable, il calculait toujours un coup d'avance, prévoyait l'échec et l'intégrait aux succès futurs.

Non loin de sa somptueuse maison du centre de la ville, Médès se heurta à un personnage épais, visiblement aviné.

— Sésostris serait-il indemne ? demanda Gergou, inspecteur principal des greniers.

— Malheureusement oui.

— La rumeur était donc fausse ! Étiez-vous informé de cet attentat ?

— Malheureusement non.

Les grosses lèvres de Gergou blanchirent.

— L'Annonciateur nous lâche !

Ivrogne et consommateur de prostituées, Gergou devait sa carrière à Médès et, malgré quelques désaccords, suivait ses directives. Terrorisé par l'Annonciateur, il lui obéissait au doigt et à l'œil, craignant ses sanctions.

— Pas de conclusions hâtives. Il s'agit peut-être d'une initiative du Libanais.

— Nous sommes fichus !

— Tu restes en liberté, moi aussi. Si Sobek le Protecteur nous soupçonnait, nous serions déjà en salle d'interrogatoire.

L'argument rassura Gergou.

Quiétude de courte durée, car une bouffée d'angoisse l'envahit.

— L'Annonciateur est mort ! Pris de panique, ses disciples tentent l'impossible.

— Ne perds pas tes nerfs, recommanda Médès. Un chef de sa trempe ne disparaît pas comme un vulgaire malfaiteur. Cette agression n'avait rien d'improvisé. Son courageux auteur a failli réussir. Sans l'intervention d'un âne et d'un chien, les vipères auraient mordu le couple royal. Le réseau memphite prouve sa capacité d'action. Imagine la tête de Sobek le Protecteur ! Le voilà ridiculisé et taxé d'incompétence. Si le pharaon le démet de ses fonctions, nous serons débarrassés d'un gêneur.

— Je n'y crois pas ! Une tique s'accroche moins que ce policier.

— Un insecte... Bonne comparaison, mon cher Gergou ! Nous écraserons ce Protecteur sous nos sandales. Ses succès ? De misérables arrestations ! Notre réseau ne demeure-t-il pas intact ?

La langue sèche, Gergou éprouva une intense sensation de soif.

— Auriez-vous de la bière forte ?

Médès sourit.

— En manquer serait un crime ! Viens te réconforter.

Une lourde porte à deux battants fermait l'accès à la vaste maison du Secrétaire de la Maison du Roi. La jouxtait la guérite d'un gardien qui écartait brutalement les importuns.

Il s'inclina bien bas devant son maître.

Derrière les hauts murs, un jardin et un étang entouré de sycomores sur lequel s'ouvraient des portes-fenêtres composées de claires-voies en bois.

À peine Médès et Gergou s'asseyaient-ils à l'abri d'une pergola qu'un domestique leur servit de la bière fraîche.

Gergou but goulûment.

— Nous ignorons la véritable mission du Fils royal Iker à Abydos, souligna Médès, préoccupé.

— Vous avez rédigé le décret officiel ! s'étonna Gergou.

— Qu'il dispose des pleins pouvoirs ne manque pas de surprendre, mais à quoi lui serviront-ils ?

— Ne pourriez-vous en savoir davantage ?

— Attirer l'attention des membres de la Maison du Roi serait catastrophique. Et je ne supporte pas le flou. Rends-toi à Abydos, Gergou. Ta position de prêtre temporaire te permettra d'obtenir des informations sûres.

4

D'abord, les matériaux.

Pierre, bois et papyrus devaient être d'une qualité exceptionnelle. Chaque jour, Iker s'entretenait avec les artisans sans les prendre de haut. Aussi se taillait-il une réputation de responsable sérieux, intransigeant et respectueux d'autrui.

Observant le Fils royal d'un œil critique, le Chauve constatait son intégration progressive à Abydos. Redoutant précipitation et autoritarisme de la part du jeune homme, il appréciait son sens de l'œuvre à accomplir.

— Les artisans t'estiment, confia-t-il à Iker. Bel exploit, en vérité ! Ces gaillards plutôt rudes n'accordent pas aisément leur amitié. N'oublie surtout pas les délais : dans deux mois débute la célébration des mystères d'Osiris. Pas un objet ne doit manquer.

— Les sculpteurs travaillent à la création de la nouvelle statue d'Osiris, les charpentiers à celle de sa barque, et ils me rendent compte quotidiennement. De mon côté, je m'assure de la fabrication des nattes, des fauteuils, des paniers, des sandales et des pagnes. Quant aux papyrus, supports des textes rituels, ils traverseront les générations.

— Ne souhaitais-tu pas devenir écrivain ?

— D'autres tâches m'absorbent, mais le goût de l'écriture demeure intact. Les hiéroglyphes ne forment-ils pas l'art suprême ? En eux s'inscrivent les paroles de puissance transmises par les dieux. Aucun texte ne surpasse les rituels. Si je peux un jour participer à leur formulation, ma vocation s'accomplira.

— Puisque tu détiens la palette en or, ton but n'est-il pas atteint ?

— Je ne l'utilise qu'en cas de force majeure, jamais pour mon usage personnel. Elle appartient au pharaon, à Abydos et au Cercle d'or.

Le Chauve parut contrarié.

— Que sais-tu de ce Cercle ?

— N'incarne-t-il pas le sommet de notre spiritualité, seul capable d'entretenir les énergies créatrices et de préserver la sagesse des Anciens ?

— Désires-tu y appartenir ?

— Une succession de miracles jalonne mon existence. J'espère en celui-là.

— Ne deviens pas la proie des rêves et continue à travailler d'arrache-pied.

À la nuit tombante, Isis rejoignit Iker. Peu à peu, elle lui faisait découvrir les innombrables richesses du territoire d'Osiris. Ce soir-là, ils se recueillirent au bord du Lac de Vie.

— Il ne ressemble à aucun autre, révéla la jeune femme. Seuls les permanents sont autorisés à s'y purifier et à s'imprégner de la puissance du *Noun*. Liée aux effluves du dieu caché, elle atteint ici son maximum. Lors des fêtes majeures et pendant la période des grands mystères, Anubis utilise l'eau de ce lac. Il lave les viscères d'Osiris et les rend inaltérables. Nul profane ne saurait contempler ce mystère.

— Toi, tu l'as contemplé.

Isis ne répondit pas.

— Depuis ta première apparition, je sais que tu n'es pas

seulement une femme. L'autre monde anime ton regard, tu me montres un chemin dont j'ignore la nature. Je m'abandonne à toi, mon guide, mon amour.

Le plan d'eau brilla de mille reflets, allant de l'argent à l'or. Enlacés, les deux jeunes gens savourèrent un moment de bonheur d'une incroyable intensité.

Désormais, Iker appartenait à Abydos. Il retrouvait sa vraie patrie, la Grande Terre.

— Pourquoi ton inquiétude à propos de l'arbre de vie ? demanda-t-il à Isis.

— Cette embellie n'est pas définitive, une force obscure rôde autour de l'acacia. Les rituels quotidiens l'écartent, mais elle revient inlassablement. Si elle se renforce, parviendrons-nous à la repousser ?

— Le Chauve prend-il la menace au sérieux ?

— Ne réussissant pas à repérer l'origine de ces ondes négatives, il en perd le sommeil.

— Se situerait-elle... à Abydos ?

Le regard d'Isis s'assombrit.

— Impossible d'exclure cette hypothèse.

— Les craintes du roi se confirment ! L'un des émissaires de l'Annonciateur aurait donc franchi les barrages et préparerait le terrain en vue de la prochaine attaque de son maître.

La prêtresse n'émit aucune objection.

— Ne nous voilons pas la face, recommanda Iker. Je n'ai pas encore procédé aux interrogatoires, car il me fallait découvrir cet univers. Me voici contraint d'aborder chacun des permanents.

— Ne ménage personne et trouve la vérité.

Le commandant des forces de sécurité d'Abydos fouilla lui-même la jolie Bina. Docile, elle n'émit pas la moindre protestation.

— Désolé, ma belle. Les consignes sont les consignes.

— Je le comprends, commandant. Pourtant, tu commences à bien me connaître.

— La sécurité exige des tâches répétitives. Il en existe de plus ennuyeuses, je l'avoue.

Souriante et détendue, Bina se laissa faire.

— Que pourrais-je dissimuler dans ma jupe courte ? Quant à mon panier, il est vide.

Rouge de confusion, l'officier s'écarta. Tout en remplissant strictement sa fonction, il se défendait mal de son attirance envers cette magnifique brune, douce et soumise.

— Ton travail te plaît-il, Bina ?

— Servir les permanents m'honore au-delà de mes espérances. Pardonne-moi, je ne veux pas être en retard.

La reine de la nuit se rendit à l'une des annexes du temple de Sésostris. On lui remit du pain frais et une jarre de bière, à livrer au prêtre chargé de veiller à l'intégrité du grand corps d'Osiris et de vérifier les scellés apposés sur la porte de la tombe du dieu.

Aucun temporaire ne pouvait y accéder.

Comme les autres servantes responsables du confort des permanents, Bina se contentait de les rencontrer à leur domicile, un modeste logement soigneusement entretenu.

Le préposé aux scellés lisait un papyrus.

— Je vous apporte à manger et à boire, susurra Bina, timide.

— Merci.

— Où poser le pain et la cruche ?

— La petite table basse, à gauche de l'entrée.

— Quel plat désirez-vous pour le déjeuner ? Viande séchée, filets de perche ou côte de bœuf grillée ?

— Aujourd'hui, le pain frais me suffira.

— Seriez-vous souffrant ?

— Ça ne te regarde pas, petite.

Ce permanent se montrait aussi revêche que ses collègues. Le charme de Bina demeurait inopérant.

— J'aimerais tant vous aider !

— Rassure-toi, notre service médical fonctionne à merveille.

— Dois-je le prévenir ?

— Si nécessaire, je m'en chargerai moi-même.

Bina baissa les yeux.

— Votre tâche ne comporte-t-elle pas certains risques ?

— À quoi penses-tu ?

— La tombe d'Osiris n'émet-elle pas une énergie redoutable ?

Le visage du permanent se durcit.

— Chercherais-tu à violer des secrets, jeune fille ?

— Oh non ! Je suis simplement fascinée et un peu... effrayée. On raconte beaucoup de légendes à propos d'Osiris et de son tombeau ! Certaines évoquent de terrifiants fantômes. Ne pourchassent-ils pas leurs ennemis afin de boire leur sang ?

Le ritualiste se tut. Inutile de critiquer des croyances contribuant à la protection de la demeure du dieu.

— Je suis à votre entière disposition, affirma Bina en offrant au revêche son plus beau sourire.

Peine perdue, il ne leva pas les yeux.

— Retourne à la boulangerie et à la brasserie, jeune fille, et continue tes livraisons.

Les interrogatoires des prêtresses d'Hathor ne fournissaient à Iker aucun élément susceptible d'attiser ses soupçons. Devenue leur Supérieure à la suite du décès de la doyenne, Isis lui facilitait la tâche.

Nulle faute grave ne pouvait être reprochée à ses Sœurs, nul manquement à leur service quotidien.

Lors de ses longs entretiens avec chacune d'elles, le Fils

royal ne ressentit pas le moindre trouble. S'exprimant avec naturel, ses interlocutrices ne se dérobaient pas.

Aussi acquit-il la certitude que le suppôt de l'Annonciateur ne se cachait pas parmi les initiées. Tout en poursuivant son travail en compagnie des artisans, il s'intéressa de près aux permanents, lesquels ne masquèrent pas leur désapprobation.

Celui dont l'action est secrète et qui voit les secrets fut fidèle à l'intitulé de sa fonction. Il écouta les questions du Fils royal et refusa d'y répondre, puisqu'il ne parlerait qu'au Chauve. À son supérieur de choisir ce qu'il transmettrait à l'enquêteur.

Le Chauve ne se fit pas prier et répéta mot pour mot les déclarations de son subordonné. Une idée majeure les résumait : seuls les initiés aux mystères d'Osiris accédaient à ses secrets. Iker ne possédant pas cette qualité, les ritualistes devaient garder le silence.

— Ce refus de coopérer ne paraît-il pas suspect ? interrogea le jeune homme.

— Au contraire, jugea le Chauve. Ce vieux compagnon de route respecte strictement ses obligations, quelles que soient les circonstances. Seule lui importe la préservation du secret. Or aucun de ses aspects essentiels n'a été divulgué. Dans le cas inverse, et s'il nous trahissait au profit de l'Annonciateur, l'arbre de vie aurait péri et Abydos disparu.

L'argumentation convainquit Iker.

Le Serviteur du *ka*, chargé de vénérer et d'entretenir l'énergie spirituelle, invita le Fils royal à célébrer en sa compagnie la mémoire des ancêtres.

— Sans leur présence active, révéla-t-il, les liens avec l'invisible se distendraient peu à peu. Une fois rompus, nous deviendrions des morts vivants.

Ensemble, le vieillard et le jeune homme honorèrent les statues du *ka* de Sésostris où se concentrait la puissance née des étoiles. Lent, grave, le ritualiste prononça les formules d'animation des âmes royales et des justes de voix. Chaque jour, la précision de sa connaissance magique rendait sa démarche fructueuse.

— À l'instar de mes collègues, expliqua-t-il, je ne suis qu'un aspect de l'être universel de Pharaon. Seul, je n'existe pas. Relié à son esprit et aux autres permanents, je contribue au rayonnement d'Osiris, au-delà des multiples formes de mort.

Comment un tel homme serait-il complice de l'Annonciateur ?

Iker aborda Celui qui veillait à l'intégrité du grand corps d'Osiris.

— Acceptez-vous de me montrer la porte de son tombeau ?

— Non.

— Le roi m'a confié une mission délicate, je tente de ne vexer personne. Néanmoins, je dois m'assurer de la bonne exécution des devoirs sacrés. Les vôtres en font partie.

— Heureux de l'apprendre.

— Consentez-vous à revoir votre position ?

— Seuls les initiés aux mystères accèdent à la tombe d'Osiris. Douter de ma compétence, de mon sérieux et de ma probité reviendrait à m'injurier. En conséquence, ma parole suffira.

— Désolé, j'exige davantage. La vérification des scellés ne vous prend pas la journée entière. À quoi occupez-vous le reste de votre temps ?

Le ritualiste se raidit.

— Je suis à la disposition du Chauve, et la journée comporte plus de tâches que d'heures. S'il le désire, il vous les dévoilera. J'ai précisément l'une d'elles à accomplir.

— Je considère ce ritualiste comme mon bras droit, confirma le Chauve à Iker. Un peu revêche, peut-être, mais efficace et dévoué. Je contrôle moi-même la solidité magique et matérielle des sceaux, et n'y décèle pas de défauts. Là encore, imagines-tu le profit que l'Annonciateur aurait tiré d'une trahison ? Il ne te reste qu'à rencontrer Béga, responsable de la libation quotidienne versée sur les tables d'offrandes.

Grand, le visage ingrat, froid et austère, le ritualiste prit son visiteur de haut.

— La journée a été dure, j'aimerais me reposer.

— Nous nous reverrons donc demain, concéda Iker.

— Non, autant en finir rapidement ! Mes collègues et moi respectons votre dignité et aspirons à vous donner entière satisfaction. Cependant, vos procédés nous offusquent. Des prêtres permanents d'Abydos suspectés, quelle abomination !

— Prouver leur innocence ne serait-il pas souhaitable ?

— Personne ne la met en doute, Fils royal !

— Ma mission n'indique-t-elle pas le contraire ?

Béga parut troublé.

— Notre confrérie mécontenterait-elle le pharaon ?

— Il perçoit une certaine dysharmonie.

— Quelle en serait la cause ?

— La présence, sur le territoire d'Osiris, d'un complice de notre ennemi juré, l'Annonciateur.

— Impossible ! protesta Béga d'une voix éraillée. Si ce démon existe, Abydos saura le repousser. Nul ne saurait altérer la cohérence des permanents.

— Cette conviction me réconforte.

— Le Fils royal aurait-il cru, un seul instant, à la trahison de l'un d'entre nous ?

— J'étais obligé de l'envisager.

Une esquisse de sourire anima le visage fermé de Béga.

— La ruse de l'Annonciateur ne consiste-t-elle pas à nous

diviser en répandant de pareilles fables ? Manquer de lucidité nous conduirait au désastre. Combien le pharaon a eu raison de vous désigner ! Malgré votre jeune âge, vous manifestez une maturité impressionnante. Abydos vous en saura gré.

Cette phase de l'enquête d'Iker se terminait dans une impasse.

5

Parée d'un collier à quatre rangs, de fines boucles d'oreilles et de bracelets larges, vêtue d'une longue robe plissée et d'une cape laissant l'épaule droite découverte, la prêtresse d'Hathor s'inclina devant Isis, sa supérieure. À Nephtys, dont le nom signifiait « la souveraine du temple », la reine avait confié la direction de l'atelier des tisserandes de Memphis. Sur l'ordre de la souveraine, elle venait de le quitter pour se rendre d'urgence à Abydos.

— Notre doyenne est décédée, lui apprit Isis. Une autre initiée devait la remplacer au plus vite afin de compléter le Sept. Ta connaissance des rites t'a désignée.

— Votre confiance m'honore, je tâcherai de m'en montrer digne.

Nephtys ressemblait étrangement à Isis. Même âge, même taille, même forme du visage, même silhouette élancée. Entre elles, sympathie et communion de pensée furent immédiates. D'aucuns les considérèrent comme des sœurs, heureuses de se retrouver.

Isis initia Nephtys aux ultimes mystères. À sa suite, elle parcourut le chemin de feu et franchit les portes menant au secret d'Osiris. Puis la fille de Sésostris détailla les événements dramatiques qui avaient frappé Abydos et ne lui cacha rien de ses inquiétudes.

Chargée de préparer le futur linceul du dieu en vue des cérémonies à venir, Nephtys vérifia aussitôt la qualité du lin récolté à la fin du mois de mars. Seules les tiges très tendres servaient à la fabrication des beaux tissus. Trempées dans l'eau jusqu'à élimination des parties ligneuses, certaines fibres survivaient à la pourriture. Leur purification, qu'achevaient les rayons du soleil, permettait d'obtenir un matériau noble et sans défaut.

Isis et Nephtys filèrent et tissèrent. Ni ombre ni bigarrure ne souilleraient la tunique de lin blanc royale dont se vêtirait Osiris. Flamme et lumière, ce vêtement préservait le mystère.

Après avoir préparé des fils toronnés de bonne longueur, les deux femmes les nouèrent. Obtenant des pelotes, calées dans des pots en céramique, elles utilisèrent des quenouilles anciennes, réservées aux suivantes de la déesse Hathor, et observèrent un impératif : soixante-quatre fils de chaîne au centimètre carré pour quarante-huit de trame.

— Lorsque Râ éprouva une profonde fatigue, rappela Nephtys, sa sueur tomba à terre, germa et se transforma en lin. Imprégné de clarté solaire, nourri de rayonnement lunaire, il forme les langes du nouveau-né et le linceul du ressuscité.

Une chapelle du temple d'Osiris abrita le précieux vêtement.

— J'ai échoué, seigneur. Quel que soit le châtiment, je l'accepte.

Malgré son charme, sa feinte modestie et son total dévouement, Bina ne parvenait pas à percer la carapace des permanents. Ni son sourire, ni la meilleure bière, ni les plats succulents ne les déridaient. Elle passait de l'un à l'autre afin de ne pas éveiller l'attention du ritualiste chargé de vérifier les sceaux apposés sur la porte du tombeau d'Osiris. L'homme se refusait à bavarder et n'accordait pas la moindre attention au corps splendide de la servante. En dépit de son talent et de ses efforts, Bina n'atteindrait pas son but.

L'Annonciateur caressa ses cheveux.

— Nous résidons en territoire ennemi, ma douce, et rien ne sera facile. Ces prêtres ne se comportent pas comme des individus ordinaires. Ton expérience prouve qu'ils sont plus attachés à leur fonction qu'à leurs désirs. Inutile de courir des risques inconsidérés.

— Vous... vous me pardonnez ?

— Tu n'as commis aucune faute.

Bina embrassa les genoux de son seigneur. Bien qu'elle le préférât barbu et la tête couverte d'un turban, cette nouvelle apparence n'altérait nullement sa puissance. D'ici peu, l'Annonciateur briserait les fortifications spirituelles et matérielles des serviteurs d'Osiris.

— Violerons-nous bientôt les sanctuaires secrets ? demanda-t-elle, inquiète.

— Rassure-toi, nous réussirons.

Iker s'entretint longuement avec le commandant des forces de sécurité pour savoir comment fonctionnait l'organisation des temporaires. Gardiens, sculpteurs, peintres, dessinateurs, fabricants de vases, boulangers, brasseurs, fleuristes, porteurs d'offrandes, musiciennes, chanteuses et autres desservants étaient inscrits sur un tableau de service en fonction de leurs compétences et de leurs disponibilités, sans tenir compte de leur âge ni de leur position sociale. La durée du travail variait de quelques jours à quelques mois. Les temporaires animaient une véritable ville et les temples au service d'Osiris, de sorte qu'aucun détail matériel n'entachât l'harmonie du site.

Impossible de les convoquer tous et de vérifier leurs qualités. Mais le commandant se montrait affirmatif : nulle brebis galeuse n'accédait au domaine divin. Bien entendu, certains se révélaient moins efficaces que d'autres ; les chefs d'équipe intervenaient rapidement et ne ménageaient pas les médiocres. Toute plainte remontant jusqu'au Chauve se traduisait presque toujours par une exclusion définitive.

Iker tint à rencontrer les anciens et les assidus, et ces entrevues le rassurèrent. De fait, ces professionnels conscients de leurs devoirs ne transgressaient pas les frontières imposées.

Bina franchit le seuil de la pièce où le Fils royal recueillait les confidences d'un vieux temporaire qui souhaitait mourir à la tâche.

Voyant Iker de profil, elle le reconnut aussitôt et recula, au risque de faire tomber le panier qu'elle portait sur la tête. À cause d'un rayon de soleil oblique, le vieillard n'apercevait qu'une silhouette.

— Ne nous dérange pas, petite. Pose les victuailles à l'extérieur.

La servante obéit et s'éclipsa.

Ainsi, le Fils royal ne se contentait pas d'interroger les permanents ! Un pas de plus, et il l'aurait identifiée.

S'il voulait voir chaque temporaire, comment lui échapper ?

Quoique Abydos le fascinât, Gergou détestait cet endroit. Mal à l'aise, déstabilisé, il frôlait la dépression. Tant de risques le conduiraient-ils au succès ? L'inspecteur principal des greniers se serait volontiers contenté de son poste, de sa jarre de bière forte quotidienne et des meilleures prostituées de Memphis, mais Médès et l'Annonciateur exigeaient davantage de lui.

Quelle que fût son envie d'une existence moins aventureuse, Gergou ne percevait aucune issue. Il devait donner satisfaction en espérant la chute rapide du pharaon et l'avènement d'un nouveau régime dont il serait l'un des principaux dignitaires.

En attendant cette promotion, il acheminait à Abydos un cargo de marchandises destinées aux permanents. L'accostage s'effectua au mieux, et le commandant des forces de sécurité salua Gergou au bas de la passerelle.

— Toujours en forme, dirait-on.

— Je m'entretiens, commandant.

— Désolé, les consignes m'imposent d'inspecter ta cargaison.

— Vas-y, mais n'abîme rien. Les permanents se montrent plutôt maniaques.

— Ne t'inquiète pas, mes policiers sont des experts.

Gergou patienta en sirotant de la bière tiède, trop douce à son goût. Comme de coutume, rien de suspect ne fut découvert.

Le temporaire se rendit au local où il avait coutume de rencontrer Béga.

Glacé, le visage fermé, le permanent ne semblait pas ravi de revoir son complice.

— Pourquoi cette visite ?

— Livraison de routine. Changer nos habitudes n'apparaîtrait-il pas suspect ?

Béga hocha la tête.

— La vraie raison de ton voyage ?

— Médès déteste le flou et veut connaître la mission précise du Fils royal Iker.

— Le Secrétaire de la Maison du Roi n'est-il pas le mieux placé pour le savoir ?

— Normalement, oui. Cette fois, le décret officiel lui semble bien succinct. Toi, en revanche, tu détiens certainement l'information.

Béga réfléchit.

— Je vais te remettre une nouvelle liste de produits à nous procurer.

— Refuses-tu de répondre ?

— Rendons-nous à proximité de la terrasse du Grand Dieu.

— Reprendre le trafic de stèles ? Ça me paraît risqué !

Les deux hommes empruntèrent un chemin bordé de tables d'offrandes et de chapelles dont le nombre augmentait au fur et à mesure que l'on s'approchait de l'escalier d'Osiris.

Aucun corps ne reposait dans les petits sanctuaires, précédés de jardins. Ils abritaient des statues et des stèles associant leurs dédicataires, des justes de voix, à l'éternité d'Osiris. L'endroit était désert et paisible. De temps à autre, Béga faisait brûler de l'encens, « celui qui divinise ». L'âme des pierres vivantes l'utilisait afin de monter au ciel et de communier avec la lumière.

Béga pénétra à l'intérieur d'une chapelle entourée de saules. Leurs branches basses masquaient l'entrée.

« Nous en sortirons une ou deux petites stèles, pensa Gergou, et les vendrons au plus offrant. Encore une belle occasion de s'enrichir ! »

— Suis-moi, exigea Béga.

— J'aime autant rester dehors.

— Suis-moi.

Le pied hésitant, Gergou obéit. Même absents, les morts lui semblaient présents. Troubler ainsi leur repos ne provoquerait-il pas une colère dévastatrice ?

Au fond du petit monument, un fantôme !

Un prêtre de grande taille au crâne rasé et aux yeux rouges le fixait si intensément qu'il demeura cloué sur place.

— Non, pas possible... Vous n'êtes pas... ?

— Qui me trahit ne survit pas longtemps, Gergou.

Gravée au creux de sa main, la minuscule tête de Seth le brûla au point de lui arracher un cri de douleur.

— Ayez confiance en moi, seigneur !

— Tes déclarations m'indiffèrent. Seuls comptent les résultats. Pourquoi te trouves-tu ici ?

— Médès s'inquiète, avoua aussitôt Gergou. Il veut connaître les véritables objectifs d'Iker et pense que Béga pourra l'informer.

— Considères-tu cette démarche comme légitime ?

La gorge de Gergou se serra, il déglutit avec peine.

— À vous d'en décider, seigneur !

— Bonne réponse, estima la voix aigre de Shab le Tordu.

Attaquant toujours par-derrière, le rouquin piqua la nuque de Gergou de la pointe de son couteau.

Petit délinquant sans avenir, il avait découvert la vraie foi en écoutant les sermons de l'Annonciateur. Détestant les femmes et les Égyptiens, il n'hésitait jamais à supprimer un incroyant afin de satisfaire son maître.

— Dois-je exécuter ce renégat ?

— Je n'ai pas trahi ! affirma Gergou, paniqué.

— Je lui accorde mon pardon, décréta l'Annonciateur.

La pointe du couteau s'écarta, laissant une petite marque sanglante.

— L'heure ne se prête pas au trafic de stèles, indiqua le maître de la conspiration du Mal. Tu t'enrichiras plus tard, mon brave Gergou, à condition de me servir aveuglément. Béga, peux-tu répondre à la question de Médès ?

— Le Fils royal et Ami unique Iker est appelé à jouer un rôle majeur lors de la célébration des mystères osiriens. En lui confiant la palette en or, le roi le rend apte à diriger les confréries de permanents et de temporaires. De source sûre, Iker fait créer une nouvelle statue d'Osiris et restaurer sa barque. À lui de s'attirer la sympathie des artisans et de mener rapidement cette œuvre à terme. Autre aspect de sa mission : il a interrogé chacun des permanents et chacune des permanentes, car il soupçonne l'un d'eux ou l'une d'elles d'être complice de l'Annonciateur.

Gergou sursauta.

— Alors, nous sommes perdus !

— Certainement pas. Sur ce point, le Fils royal a échoué. Ses laborieuses investigations ne lui ont procuré aucun élément l'autorisant à formuler une accusation précise.

— Malheureusement, précisa l'Annonciateur, il s'intéresse aussi aux temporaires et a failli croiser le chemin de Bina. Et n'oublions pas son mariage avec Isis dont la perspicacité pourrait nous nuire.

— Que préconisez-vous ? demanda le prêtre au visage ingrat.

— Pas de précipitation et une meilleure connaissance des lieux secrets grâce à toi, mon ami.

Béga aurait préféré rester dans l'ombre et ne pas s'impliquer de manière aussi directe.

— Hésiterais-tu ?

— Certes pas, seigneur ! Il faudra nous montrer extrêmement prudents et n'agir qu'à coup sûr.

— Notre implantation à Abydos nous procure un avantage décisif. Plusieurs attaques seront portées en même temps, Sésostris ne s'en relèvera pas. Quand il admettra la mort définitive d'Osiris, son trône s'effondrera.

L'assurance tranquille de l'Annonciateur rassurait ses disciples.

— N'oublions pas notre autre objectif : Memphis. Que s'y passe-t-il, Gergou ?

— Un obstacle majeur se dresse devant nous, seigneur : Sobek le Protecteur. Je crains qu'il ne parvienne à frapper notre réseau. L'éliminer serait indispensable, mais comment procéder ?

— Voici la solution à ce problème.

L'Annonciateur exhiba le coffre en acacia qui avait contenu la reine des turquoises.

— Je te le confie, Gergou. Ne l'ouvre sous aucun prétexte. Sinon, tu mourras.

— Que dois-je en faire ?

— Ce coffre sortira d'Abydos par notre filière habituelle, et tu le déposeras dans la chambre de Sobek.

— Ce ne sera pas facile, et...

Les yeux de l'Annonciateur flamboyèrent.

— Tu n'as pas droit à l'échec, Gergou.

6

Dans la douceur de la nuit s'égrenait la mélodie que jouait Isis sur une grande harpe angulaire revêtue de cuir vert. Ses vingt et une cordes autorisaient de multiples variations, et la jeune supérieure des prêtresses d'Abydos utilisait à merveille les deux octaves.

Iker se laissait charmer. Pourquoi ce bonheur s'évanouirait-il, puisque son épouse et lui le construisaient et le renforçaient jour après jour, conscients de l'immense présent offert par les dieux ? À chaque instant, ils tentaient de percevoir l'étendue de leur chance. Partageant la moindre pensée, la moindre émotion, ils vivaient la plus intense des communions amoureuses.

Le paradis terrestre prenait la forme de la petite maison d'Isis. Quoique le Chauve la jugeât indigne d'un Fils royal et de la fille de Sésostris, ni l'un ni l'autre ne souhaitaient d'autre demeure. Sans doute devraient-ils la quitter tôt ou tard ; jusqu'à ce moment, ils tenaient à savourer le charme de ce lieu où ils s'étaient unis pour la première fois.

Iker appréciait les murs blancs, l'encadrement en calcaire de la porte d'entrée, les couleurs chaudes de la décoration intérieure et la simplicité du mobilier. Parfois, le jeune homme voulait croire qu'Isis et lui, formant un couple comme les autres, connaîtraient une paisible existence de ritualistes.

La gravité de la situation et la difficulté de sa mission le ramenaient vite à la réalité. Son bilan le rassurait et l'inquiétait en même temps. En apparence, rien ne prouvait que l'Annonciateur disposât d'un complice à l'intérieur du royaume d'Osiris, mais le jeune homme était peut-être incapable de le débusquer.

Une succession d'accords, de l'aigu au grave, conclut la mélodie. Abandonnant la harpe, Isis posa doucement sa tête sur l'épaule d'Iker.

— Tu sembles soucieux, remarqua-t-elle.

— J'éprouve une sorte de malaise, car on m'a sûrement menti. J'aurais dû voir et je suis resté aveugle.

La jeune femme ne contredit pas son mari. Elle aussi partageait ce trouble. Un vent mauvais agressait Abydos, des ondes négatives perturbaient la sérénité du quotidien.

— Un ou plusieurs séides de l'Annonciateur ? interrogea Iker. En tout cas, aucune faute de leur part. Ni toi ni le Chauve ne constatez de désordre rituel. Nul incident à signaler chez les temporaires. Pourtant, ma conviction s'établit : l'Ennemi s'est glissé parmi nous. Reprendre les interrogatoires ? Inutile. Il faut attendre qu'il agisse, donc faire courir un risque terrifiant à la Grande Terre ! Je revois l'île du *ka*, le grand serpent maître du pays de Pount, et j'entends son avertissement : « Je n'ai pu empêcher la fin de ce monde. Toi, sauveras-tu le tien ? » Je m'en estime incapable, Isis !

— Tu n'es plus un naufragé, Iker, et l'île des justes ne disparaîtra pas.

— Je songe à mon vieux maître, le scribe de Médamoud, mon village natal, et à son ultime message, au-delà du trépas : « Quelles que soient les épreuves, je... »

— « Je serai toujours à tes côtés, poursuivit Isis, pour t'aider à accomplir un destin que tu ignores encore.

Iker contempla son épouse avec stupéfaction.

— Le pharaon et toi... Comment pouvez-vous connaître ces paroles ?

— Beaucoup évoluent au gré des événements, d'autres répondent à l'appel d'un destin en déchiffrant la signification réelle de leur existence. Leur vocation consiste à vivre le mystère ici-bas sans le trahir et à transmettre l'intransmissible. Venant du temple d'Osiris, ton vieux maître identifiait ces êtres-là et les éveillait à eux-mêmes, grâce à l'apprentissage des hiéroglyphes.

Bouleversé, Iker constatait l'absence du hasard dans l'enchaînement inexorable de ses épreuves.

— Qui l'a tué ?

— L'Annonciateur, répondit Isis. Lui aussi te cherchait. En te sacrifiant au dieu de la mer, il renforçait ses pouvoirs. Les êtres maléfiques se nourrissent de leurs victimes, et jamais ils ne se rassasient.

— Ce vieux scribe, le pharaon et toi... Vous me guidiez, vous me protégiez !

— Tu as mal interprété certains événements, erré au sein des ténèbres, mais en recherchant toujours la lumière. Ainsi te façonnais-tu toi-même en donnant du chemin à tes pieds.

— Puisque je te serre dans mes bras, mon destin ne s'accomplit-il pas au-delà de toute espérance ?

— Notre amour demeure le socle inébranlable sur lequel tu te construis, et rien ne pourra le détruire. Crois-tu cependant avoir franchi toutes les portes d'Abydos ?

Le sourire d'Isis le désarma.

— Me pardonneras-tu ma suffisance ?

— Lorsque nous n'avons plus le choix, nous sommes libres. Encore faut-il rester sur le chemin de Maât.

— Aide-moi à progresser. Le roi m'a ouvert la demeure d'éternité des écrivains, à Saqqara, et je rêve de découvrir la bibliothèque d'Abydos.

— Elle ne ressemble à aucune autre.

— M'en jugerais-tu indigne ?

— À la gardienne du seuil de décider. Te sens-tu apte à l'affronter ?

— Si tu me guides, qu'ai-je à redouter ?

Iker suivit son épouse. Nulle femme ne se déplaçait avec autant de légèreté et d'élégance. Touchant à peine le sol, elle semblait survoler le monde des humains.

Les hauts murs de la Maison de Vie impressionnèrent Iker. Très étroite, l'entrée ne laissait passer qu'une seule personne.

— Voici le lieu où s'élabore la parole joyeuse, où l'on vit de la rectitude, où l'on sait distinguer les mots.

Sur l'autel des offrandes dressé devant l'accès, Isis préleva un pain rond.

— Inscris les mots « confédérés de Seth », ordonna-t-elle au Fils royal.

Utilisant un fin pinceau, Iker les traça à l'encre rouge.

— Maintenant, essaie d'entrer en oubliant ta peur.

À peine le seuil franchi, le jeune homme se figea. Un feulement menaçant lui glaça le sang.

Levant les yeux, il vit une panthère, incarnation de la déesse Mafdet, prête à bondir.

Iker lui offrit le pain des ennemis d'Osiris.

Le fauve hésita un instant, y planta ses crocs et disparut.

Le passage libéré, le scribe emprunta un couloir aboutissant à une vaste salle qu'éclairaient de nombreuses lampes à huile dont ne se dégageait aucune fumée.

Soigneusement rangés dans des casiers, des rouleaux de papyrus portaient des titres qui émerveillèrent le découvreur.

Enivré, il commença par le grand livre révélant les secrets du ciel, de la terre et du monde intermédiaire, puis consulta le livre pour préserver la barque sacrée et le manuel de sculpture.

Vision de réalités inconnues, chemins d'une connaissance inédite... Quand Isis lui posa la main sur l'épaule, Iker n'avait qu'effleuré le trésor.

— L'aube va se lever, rendons-nous auprès de l'arbre de vie. Le Chauve tient à t'associer au rituel.

Recueilli, Iker présenta à son épouse et au prêtre les vases contenant de l'eau et du lait. Ils en répandirent le contenu au pied de l'acacia, apparemment en excellente santé.

La jeune femme confia au Fils royal un miroir composé d'un épais disque d'argent et d'un manche en jaspe orné du visage de la déesse Hathor.

— Oriente-le vers le soleil et réfléchis son rayonnement vers le tronc.

L'acte rituel fut bref et intense.

— Cette nuit et ce matin, révéla Isis, tu as franchi de nombreuses étapes. En acceptant le contact de ta main, le miroir de la déesse te reconnaît comme serviteur de la lumière.

— Insuffisant, assena le Chauve. Ce soir, je t'attends au temple de Sésostris.

L'Annonciateur vit s'éloigner Isis, Iker et le Chauve. Grâce à l'intervention de Béga et malgré un retard dû à des lenteurs administratives, il venait enfin d'être transféré au temple des millions d'années de Sésostris. Préposé à l'entretien des vases et des coupes, tant ceux des divinités que des ritualistes, il se rapprochait des centres névralgiques du site.

Autorisé à dormir dans un local de service, l'Annonciateur disposait d'une excellente base de départ pour supprimer une à une les protections d'Osiris.

Son œil de rapace ne tarda pas à repérer les quatre jeunes acacias plantés selon les points cardinaux autour de l'arbre de vie. À sa grande surprise, ni garde, ni ritualiste, ni temporaire ne surveillaient l'endroit. Sa sécurité était donc si bien assurée qu'aucune présence humaine ne se révélait indispensable.

En s'avançant, l'Annonciateur aperçut un reliquaire composé de quatre lions, dos à dos. Au centre, une hampe au sommet couvert d'un cache, orné de deux plumes d'autruche, symbole de Maât.

Il s'assit en scribe, posture propice à la méditation. Les

Égyptiens savaient manier la pensée et adopter les attitudes corporelles favorables à son épanouissement. En s'y conformant, n'importe quel profane se serait senti attiré vers le sacré. L'Annonciateur, lui, ne subissait aucune influence. Seul et ultime dépositaire du message divin, il retournait contre l'adversaire ses propres armes.

Le reliquaire aux lions et les quatre acacias : de ce dispositif symbolique émanait un champ de forces.

Le traverser exigeait des formules précises. Quoiqu'il les ignorât, l'Annonciateur devait le rendre inopérant.

Où trouver des indications indispensables, sinon à l'intérieur du temple ? Sans doute les textes dictés par Sésostris lui fourniraient-ils de précieux renseignements. Correctement équipé, il s'attaquerait alors à l'arbre de vie.

L'Annonciateur regagna le sanctuaire auquel il était affecté et reçut les consignes de son supérieur. Ne rechignant pas à la tâche, il accepta de remplacer, pendant la nuit, un collègue souffrant.

Une nuit propice au déchiffrement des parois et à la recherche des paroles de puissance.

L'Annonciateur attendit d'être seul pour entreprendre son exploration, muni de deux vases d'albâtre. Si on le surprenait, son explication serait toute prête : il nettoyait les précieux objets avant de les déposer sur un autel.

L'intensité spirituelle régnant en ce lieu l'irrita. Chaque figure hiéroglyphique le repoussait, chaque étoile peinte au plafond projetait une lueur hostile. Ses pressentiments se confirmaient : n'accordant aucune confiance aux humains, les sages chargeaient les symboles de protéger l'édifice.

Un magicien ordinaire aurait pris la fuite. Meurtri, jugulé, l'Annonciateur sortit ses griffes et son bec de faucon. La magie des signes glissa le long de sa chair de rapace sans la brûler.

Demeurant sur ses gardes, l'Annonciateur scruta les scènes, étudia les paroles des divinités et du pharaon.

Des offrandes, encore des offrandes, toujours des offrandes...

Et une communion perpétuellement répétée entre l'au-delà et le roi. Aussi lui promettait-on des millions d'années et d'incessantes fêtes de régénération.

Le propagateur de la foi nouvelle briserait ces engagements. Son paradis n'accueillerait que des guerriers, capables de se sacrifier afin d'imposer leur croyance, fût-ce au prix de milliers de victimes. Les dieux quitteraient à jamais Abydos et la terre d'Égypte, laissant la place à un dieu unique et vengeur dont personne ne discuterait les volontés.

Encore fallait-il empêcher Osiris de ressusciter et faire mourir l'arbre de vie.

Malgré l'acuité de son regard, l'Annonciateur ne discernait aucun outil lui permettant de percer les défenses magiques.

Patient, il s'obstina.

S'immobilisant face aux colosses représentant le pharaon en Osiris, les bras croisés sur la poitrine et tenant deux sceptres caractéristiques, l'Annonciateur sourit.

Pourquoi ne pas y avoir songé plus tôt ? Tout, ici, était d'inspiration osirienne, tout partait du dieu et y revenait.

Les clés, il venait de les découvrir !

Une voix rugueuse l'alerta.

Dissimulé derrière la porte entrouverte d'une chapelle latérale, il vit le Chauve et Iker pénétrer dans la cour aux piliers osiriaques. S'ils le repéraient, l'issue du combat serait indécise. Momentanément affaibli par les hiéroglyphes, le faucon-homme ne disposait pas de sa force habituelle.

Tournant le dos à la chapelle, les deux hommes contemplèrent l'une des statues du pharaon transformé en Osiris.

Harassé au terme d'une journée de travail particulièrement rude, Iker ne pouvait se soustraire à l'invitation du Chauve.

— Aujourd'hui, les artisans furent plutôt désagréables, avança le vieux ritualiste.

— On ne saurait mieux dire. Pourtant, ils ne sont pas loin du but. Leur auriez-vous recommandé de me nuire ?

— Inutile, ils connaissent la Règle. Toi, tu l'ignores.

— Je suis disposé à l'apprendre et à la pratiquer.

— Memphis, paraît-il, est une ville plaisante où les jeunes gens de ton âge jouissent d'un maximum de distractions. Ne la regrettes-tu pas ?

— Espériez-vous vraiment une réponse positive ?

Le Chauve grommela une vague injure.

— Tu ne pourras pas accomplir ta mission sans franchir une nouvelle porte. Les artisans le savent et ne tolèrent aucun passe-droit.

— Je n'en sollicite pas.

— Regarde cette statue d'Osiris. Qui l'a créée, selon toi ?

— Les sculpteurs d'Abydos, je présume.

— Pas tous, Fils royal ! Bien qu'excellents techniciens, la plupart des artisans ne sont pas admis dans la Demeure de l'or. Là s'accomplit le travail secret donnant naissance à la statue et transformant la matière première, bois, pierre ou métal, en œuvre vivante. Devenus Serviteurs de Dieu, les véritables créateurs, fort peu nombreux, connaissent les paroles de puissance, les formules magiques et les rites efficaces. Aussi façonnent-ils des matériaux d'éternité qu'aucun feu ne consume. Ou bien ils t'acceptent parmi eux, ou bien tu quittes Abydos.

Puisque ses fonctions ne le dispenseraient pas de cette épreuve, Iker ne protesta pas. À l'idée de découvrir une nouvelle facette d'Abydos, l'enthousiasme le gagnait.

— L'or utilisé dans cette Demeure serait-il aussi celui du Cercle ?

— Pendant la célébration des mystères, lui seul permet la résurrection d'Osiris. C'est pourquoi, même quand tu l'ignorais, ton existence était consacrée à sa recherche. En rapportant ce métal à Abydos, tu t'obligeais toi-même à poursuivre ton chemin. Osiris révéla aux initiés les richesses des montagnes et du monde souterrain, il leur montra les richesses cachées sous la gangue et leur apprit à travailler les métaux. Sois conscient d'une réalité majeure : Osiris est l'accomplissement parfait de l'or[1].

---

1. *Nefer n noub* (Stèle de Turin, 1640).

7

Gergou avait hâte de quitter Abydos. Muni de la liste de denrées à fournir lors de son prochain voyage, il grimpait la passerelle lorsqu'une voix trop connue le figea sur place.

— Gergou ! J'ignorais ta présence ici.

L'inspecteur principal des greniers se retourna.

— Quelle joie de te revoir, Fils royal !

— Serais-tu parti sans me saluer ?

— Moi aussi, j'ignorais ta présence.

— Séjour agréable ? demanda Iker.

— Du travail, du travail et encore du travail ! Abydos n'est pas réputé pour sa fantaisie.

— Si tu me décrivais précisément tes fonctions ? Je pourrais peut-être te faciliter la tâche.

— Je dois rentrer à Memphis.

— Une urgence ?

Gergou se mordit les lèvres.

— Non, pas à ce point...

— Alors, viens boire une bière chez moi.

— Je ne voudrais pas te déranger, je...

— La journée s'achève, ce n'est pas le moment d'entreprendre un voyage. Tu partiras demain matin.

Gergou redoutait les questions du Fils royal. Au fil de ses réponses, il risquait de se trahir et de mettre le réseau en péril. Mais s'enfuir serait un aveu de culpabilité.

Flageolant, les yeux dans le vague, Gergou accompagna Iker. Plusieurs temporaires remarquèrent cette faveur et songèrent aussitôt à une promotion.

La cuisinière achevait de préparer le repas : cailles rôties, lentilles, laitue et purée de figues. Bien qu'attiré par d'appétissantes odeurs, Gergou demeura bouche bée devant Isis qui revenait du lac de vie où elle avait célébré un rite en compagnie des prêtresses permanentes.

Comment une femme pouvait-elle être aussi belle ?

S'il obtenait suffisamment de pouvoir, Gergou en ferait son esclave. Dès qu'il l'exigerait, elle satisferait ses pulsions les plus perverses. L'Annonciateur apprécierait sûrement cette humiliation.

— Ton ami dîne-t-il avec nous ? demanda Isis.

— Bien entendu ! répondit Iker.

Gergou eut un sourire stupide. Affamé et assoiffé, il se comporta en excellent convive, espérant que la conversation ne sortirait pas des banalités.

— Fréquentes-tu beaucoup de temporaires ? questionna le Fils royal.

— Non, très peu ! Je me contente de livrer les denrées destinées aux permanents.

— Les donneurs d'ordres varient-ils ?

— Non, il s'agit toujours de Béga.

— Un prêtre autoritaire et sévère... Il ne te pardonnera aucune erreur.

— C'est pourquoi je n'en commets pas !

— Connais-tu d'autres permanents, Gergou ?

— Sûrement pas ! Tu sais, Abydos m'effraie un peu.

— En ce cas, pourquoi continuer à remplir ce genre de mission ?

Gergou s'étrangla.

— Ma fonction, le besoin d'aider, enfin... tu me comprends. Je ne suis qu'un modeste temporaire, dépourvu de réelles responsabilités !

— Aurais-tu remarqué des détails insolites ou inquiétants ?

— Aucun, je t'assure ! Osiris ne protège-t-il pas ce site contre n'importe quel maléfice ?

— Béga aurait-il sollicité des services inattendus, voire choquants ?

— Jamais, au grand jamais ! Pour moi, il incarne l'honnêteté. Je compte partir à l'aube, et j'aimerais dormir tôt. Merci mille fois... Succulent repas !

En regagnant son bateau, Gergou prit conscience qu'Isis était restée muette. Peu importait, puisqu'il se sortait au mieux de ce piège.

À l'issue d'une nuit peuplée de cauchemars, Gergou fut ravi de voir apparaître la servante chargée de lui apporter du lait et des gâteaux.

Le visage irrité de Bina dissipa cette bouffée d'optimisme.

— Tu as dîné chez Iker, hier soir. Que te voulait-il ?

— Renouer nos liens d'amitié.

— Il t'a sûrement assailli de questions !

— Ne t'inquiète pas, je me suis parfaitement débrouillé. Iker ne conçoit aucun soupçon.

— Que t'a-t-il demandé et qu'as-tu répondu ?

Gergou résuma l'entretien en se donnant le beau rôle. Il aurait volontiers étranglé cette femelle suspicieuse, mais l'Annonciateur ne le lui pardonnerait pas.

— Hâte-toi de regagner Memphis et ne reviens plus ici sans l'ordre formel de notre seigneur.

Bina se prosterna et embrassa les genoux de l'Annonciateur.

— Le Fils royal soupçonne Gergou de tremper dans une affaire louche, déclara-t-elle. Il en ignore encore la nature et ne sait s'il faut la rattacher au combat central.

— Excellent, ma douce.

— Gergou ne devient-il pas un danger ?

— Au contraire, il attire nos adversaires vers Memphis, donc vers Médès. Ni lui ni son second ne ressentent la vraie foi. Ils ne songent qu'à obtenir davantage de privilèges et croient pouvoir nous utiliser.

Bina eut un sourire carnassier.

— Cette erreur ne leur coûtera-t-elle pas la vie ?

— Chaque chose en son temps.

La jolie brune se contracta de nouveau.

— Iker connaît les liens unissant Gergou à Béga ! S'il décrète l'arrestation du prêtre, ne serons-nous pas privés d'une pièce maîtresse ?

— En matière d'hypocrisie, nul ne surpasse Béga. Il saura apaiser Iker. Et puis le Fils royal ne vivra plus très longtemps.

Bina se lova contre la cuisse de son seigneur.

— Vous avez prévu chaque étape, n'est-ce pas ?

— Sinon, serais-je l'Annonciateur ?

Le jugement d'Isis obsédait Iker : « Gergou ressemble à un fruit pourri. »

Bien qu'il n'éprouvât nulle admiration excessive à l'égard de l'inspecteur principal des greniers, le Fils royal le considérait comme un bon vivant, plutôt sympathique.

Silencieuse tout au long du dîner, son épouse n'avait cessé d'observer son hôte, attentive à ses paroles et à ses attitudes.

Et son jugement brisait les illusions d'Iker.

Ne mettant pas en doute la lucidité de son épouse, le jeune homme se reprochait sa naïveté. Ainsi, Gergou ne cessait de le flatter afin de s'attirer ses bonnes grâces et de gravir la hiérarchie. Cette aspiration médiocre et banale cachait-elle de noirs desseins ? Ce rustaud était-il devenu disciple de l'Annonciateur ?

L'hypothèse étonnait Iker, précisément à cause du comportement de cet amateur de bonne chère, peu sensible aux arguties théologiques. Néanmoins, Gergou connaissait Béga, si froid, si raide, si engoncé dans son savoir, si différent de lui ! Simple rencontre de circonstance ou complot ?

Béga complice de l'Annonciateur... Impensable ! Son caractère abrupt et sa laideur ne justifiaient pas une telle accusation. Mais Gergou le fréquentait bel et bien !

Méditatif, Iker se dirigea vers l'escalier du Grand Dieu. La paix profonde de l'endroit lui permettrait peut-être de se forger une opinion définitive.

Dès que son instinct l'avertit d'un danger, Shab cessa de mastiquer un morceau de poisson séché.

Écartant l'une des branches basses du saule qui masquaient l'entrée de la chapelle où il se dissimulait, le Tordu aperçut Iker.

À pas lents, le scribe s'approchait.

Comment ce maudit fouineur l'avait-il repéré ? Apparemment, il venait seul et sans arme. Erreur fatale, occasion inespérée ! Puisque le Fils royal prenait de tels risques, il paierait sa stupidité au prix fort.

Shab saisit le manche de son couteau.

Iker s'assit sur le rebord d'un muret, à une vingtaine de pas de la chapelle.

Malheureusement, il ne tournait pas le dos au Tordu. Or Shab n'attaquait jamais de face, craignant les réactions de sa proie.

Le scribe déroula un papyrus et rédigea quelques lignes. Pensif, il ratura.

À l'évidence, il ne recherchait personne. Occupé à trier ses idées, le Fils royal semblait embarrassé avant de prendre une décision.

Shab hésita.

Tuer Iker en profitant de cette situation inattendue satisferait-il l'Annonciateur ? Il lui revenait, et non à son disciple, de choisir le moment de la mort du Fils royal.

Le Tordu se tapit au fond de son repaire.

Au terme de ses réflexions, l'envoyé de Sésostris s'éloigna.

Dans son ultime message, le vieux maître d'Iker évoquait un étranger venu à Médamoud et s'entendant à merveille avec le maire, ce corrompu qui voulait se débarrasser de l'apprenti scribe. Un étranger... À coup sûr, l'Annonciateur ! Manipulateur, assassin, il n'était pas seulement le chef d'une troupe de fanatiques mais aussi l'expression du Mal, de l'implacable tendance à la destruction que seule Maât, à la fois socle de la civilisation pharaonique et gouvernail des justes de voix, parvenait à combattre.

À présent, Iker percevait le sens de son existence et la raison des épreuves subies : participer à cette lutte de toutes ses forces sans jamais fléchir. Chaque jour, il fallait recommencer et regarder en face un monde fragile, proche du point de rupture.

L'amour d'Isis lui offrait une puissance inespérée. Grâce à elle, il ignorait le doute corrosif et la peur paralysante. En tuant le général Sépi, grand connaisseur des formules magiques capables de repousser n'importe quel monstre, l'Annonciateur avait démontré l'immense étendue de ses pouvoirs. D'où provenaient-ils, sinon d'*isefet*, l'opposée de Maât, nourrie en permanence d'innombrables vecteurs de pourriture et d'anéantissement ?

Impossible d'éliminer *isefet* du monde des humains. La

Grande Terre d'Abydos resterait-elle à l'abri de son flot ravageur ?

Le sourire d'Isis dissipa ces sombres pensées.

— Il est temps de te préparer à ta prochaine initiation, indiqua-t-elle. Tu ne dois plus rien ignorer d'Abydos.

Iker frissonna.

Au lieu de le remplir de joie, cette déclaration le terrifia.

— Préfères-tu l'ignorance ?

— Tout va si vite ! Auparavant, je me consumais d'impatience. Aujourd'hui, j'aimerais prendre du temps, beaucoup de temps, et savourer chaque étape.

— Le mois de khoiak approche, et tu devras diriger le rituel des mystères d'Osiris au nom du roi.

— En serai-je vraiment capable ?

— Tel se présente l'accomplissement de ta mission. Qu'importe le reste.

Une fois encore, elle le guida.

Sa connaissance des lieux secrets d'Abydos devint celle d'Iker qui parcourut, à son tour, les chemins de feu, d'eau et de terre, passa les sept portes et vit la barque de Maât.

Pendant ces heures bénies, ils ne formèrent réellement qu'un seul être, contemplèrent la même lumière d'un même regard et vécurent une vie unique.

Alors, Iker et Isis devinrent à jamais mari et femme, Frère et Sœur.

Leur pacte se scella à l'endroit le plus mystérieux d'Abydos, site de la tombe d'Osiris, surmontée d'une butte plantée d'acacias.

Quotidiennement vérifiés par le permanent préposé à cet office, les sceaux fermaient la porte de l'ultime sanctuaire où le dieu assassiné préparait sa résurrection.

Seul Pharaon pouvait les briser et pénétrer à l'intérieur de cette demeure d'éternité, matrice de toutes les autres.

LE GRAND SECRET

— Ici se trouve le vase primordial[1], révéla la jeune prêtresse. Il contient le secret de la vie inaltérable, au-delà de la mort. Les innombrables formes d'existence en proviennent. Aussi demeure-t-il auprès d'Osiris.

— Ne serait-il pas le secret du Cercle d'or ?

— Le but de ton voyage se rapproche, Iker. Bien qu'aucun humain ne puisse ni manipuler ni ouvrir ce vase, son mystère doit pourtant être révélé et transmis, tout en restant intact. Si la Demeure de l'or te reconnaît comme un véritable vivant, si elle t'ouvre les yeux, les oreilles et la bouche, si le vase de ton cœur est un réceptacle pur et sans tache, tu sauras.

Remplaçant la peur, un sentiment d'indignité. Lui, l'apprenti scribe de Médamoud, atteignait le centre de la spiritualité égyptienne, bénéficiait d'un bonheur impossible et réalisait son idéal. Grimperait-il la dernière marche, franchirait-il ce seuil ultime excédant sans doute ses capacités ?

Iker balaya ses angoisses, méprisables tentatives de fuite et de retour en arrière face au destin que traçait Isis.

C'était ici-bas et dès maintenant qu'il lui fallait vivre le mystère dont elle lui indiquait la source. Se montrer digne d'elle impliquait de s'élancer dans l'invisible, tel l'ibis de Thot aux ailes immenses, traversant le crépuscule pour gagner la lumière de l'aube future.

— Se sentir prêt ne signifie rien, estima-t-il. Je ne sais qu'avancer et te suivrai jusqu'au bout de la nuit.

D'étranges lueurs percèrent le crépuscule.

— La Demeure de l'or commence à rayonner, annonça Isis. Elle t'attend.

---

1. La *khetemet,* à l'origine du Graal.

8

Médès en était sûr : on le suivait.

Son épouse abrutie par un somnifère, ses domestiques endormis, il avait quitté son opulente villa du centre de la ville au milieu de la nuit afin de se rendre chez le Libanais. À chaque nouvelle visite, il empruntait un itinéraire différent, semblait se perdre, s'éloignait de sa destination au moment de l'atteindre, revenait sur ses pas et se retournait une bonne centaine de fois.

Jusqu'à présent, aucun incident.

Toujours méfiant, Médès s'habillait d'une tunique grossière et se couvrait la tête d'un capuchon. Dans cet accoutrement, nul ne reconnaîtrait le Secrétaire de la Maison du Roi.

Malgré les risques, il devait contacter le Libanais et faire le point.

Étant donné sa prudence et son luxe de précautions, une seule explication : Sobek le Protecteur le plaçait sous surveillance constante.

Mesure spéciale ou bien dispositif étendu à l'ensemble des dignitaires ? Ne disposant d'aucune information, Médès prévoyait le pire : ne devenait-il pas le principal suspect ?

Pourtant, il n'avait commis aucune erreur.

Hypothèse inquiétante : l'arrestation de Gergou à Abydos ! Parlant d'abondance, le peureux le vendrait.

Élément réconfortant : la marque de Seth au creux de sa main. En cas de trahison, l'Annonciateur ne l'anéantirait-il pas ?

Médès s'assit à l'angle d'une ruelle et feignit de s'endormir.

Du coin de l'œil, il vit passer son suiveur, un homme de taille moyenne, maigrichon, qu'il terrasserait aisément.

N'avouerait-il pas ainsi sa culpabilité ?

Contraint de se comporter comme un passant ordinaire, le policier s'éloigna.

Dès qu'il fut hors de vue, Médès fonça dans la ruelle opposée et courut à toutes jambes.

À bout de souffle, il se dissimula derrière un four à pain et patienta.

Personne.

Méfiant, Médès décrivit un vaste cercle autour de la demeure du Libanais avant d'atteindre enfin sa destination.

Au gardien extérieur, il présenta un petit morceau de cèdre. Suspicieux, le cerbère l'exposa à la lumière lunaire. Discernant le hiéroglyphe de l'arbre, profondément gravé, il ouvrit la lourde porte de bois.

Le gardien intérieur vérifia.

— Montez au premier.

Située au cœur d'un quartier populaire, invisible des rues adjacentes, la riche maison du Libanais ne payait pas de mine. Même un observateur attentif ne pouvait se douter des richesses que contenait cette bâtisse d'allure pataude.

Médès grimpa l'escalier quatre à quatre.

— Viens, mon ami, le convia la voix grasseyante du Libanais.

Affalé sur des coussins multicolores, l'obèse grignotait de délicieuses pâtisseries arrosées d'alcool de dattes. Ayant définitivement renoncé à suivre des régimes inefficaces, il continuait à grossir. Impossible de résister à l'admirable cuisine égyptienne, seule capable de calmer ses angoisses.

Volubile, charmeur, commerçant hors pair, parfumé à l'excès et vêtu de robes chamarrées, le Libanais grattait souvent l'horrible cicatrice barrant sa poitrine. Une fois, une seule, il s'était permis de mentir à l'Annonciateur, et les serres du faucon-homme avaient failli lui arracher le cœur. Depuis ce drame, il se comportait en serviteur zélé, certain d'obtenir un rôle de premier plan lors de la formation du nouveau gouvernement de l'Égypte.

La religion de l'Annonciateur exigerait de nombreuses exécutions, suivies d'une impitoyable épuration dont se chargerait le Libanais. Habitué aux manipulations obscures, il rêvait de diriger une police politique à laquelle personne n'échapperait.

— Où en sommes-nous ? demanda Médès, agressif.

— À cause des nouveaux contrôles, fort efficaces, nos relations commerciales avec le Liban sont momentanément interrompues. Souhaitons que cette déplorable situation prenne fin au plus tôt !

— Je ne suis pas venu parler de ça.

— Dommage, j'espérais une intervention de ta part.

— Quand déclencheras-tu la vague d'attentats ?

— Quand l'Annonciateur me l'ordonnera.

— S'il est encore en vie !

Le Libanais versa du vin rouge dans de larges coupes.

— Du calme, mon cher Médès, du calme ! Pourquoi perdre ton sang-froid ? Notre seigneur se porte à merveille et continue à gangrener Abydos. La précipitation serait nuisible.

— Connais-tu la véritable mission d'Iker ?

— Gergou ne nous ramènera-t-il pas l'information ?

— J'ignore s'il reviendra !

— Ne sois pas pessimiste. Certes, depuis la disparition de mon meilleur agent, les liaisons entre les différentes cellules implantées à Memphis se révèlent lentes et délicates. Néanmoins, les enquêteurs de Sobek stagnent, et aucun des combattants de la vraie foi n'a été arrêté.

— On m'a suivi, révéla Médès. Certainement un policier.

Le Libanais s'assombrit.

— As-tu été identifié ?

— Impossible.

— Es-tu certain d'avoir semé ce curieux ?

— Sinon, je serais rentré chez moi.

— Sobek te place donc sous surveillance, probablement comme l'ensemble des dignitaires. Il n'a confiance en personne et redouble d'efforts. Fâcheux, très fâcheux...

— Si nous ne le supprimons pas, nous échouerons !

— Un personnage fort encombrant, je l'admets, mais difficile à atteindre. Faut-il sacrifier une partie de nos hommes pour l'abattre ?

Nommé à la tête du réseau terroriste de Memphis, le Libanais commandait une petite armée de commerçants, de coiffeurs et de marchands ambulants parfaitement intégrés à la population égyptienne. Certains étaient mariés, avaient des enfants, et tous vivaient en parfaite harmonie avec le voisinage.

— Sobek doit disparaître, insista Médès.

— Je vais y réfléchir.

— Ne tarde pas trop. Ce maudit policier se rapproche peut-être plus vite que tu ne le supposes.

Le Libanais perdit son air de bon vivant, insouciant et guilleret. La soudaine férocité de son visage étonna Médès.

— Personne ne se mettra en travers de ma route, promit-il.

La colère de Sobek le Protecteur fit trembler les murs de son vaste bureau où, chaque matin, il écoutait les rapports de ses principaux subordonnés et des agents envoyés en mission spéciale. C'était précisément l'un d'eux qui subissait les foudres de son chef.

— Reprenons point par point, exigea le Protecteur. À quelle heure le suspect est-il sorti de chez Médès ?

— Au milieu de la nuit. La ville dormait.

— Ses vêtements ?

— Tunique grossière, capuchon rabattu sur la tête.

— À aucun moment, tu n'as vu son visage ?

— Hélas ! non.

— D'après son allure, un homme jeune ou âgé ?

— Plein d'énergie, en tout cas !

— Son itinéraire ?

— Incompréhensible. À mon avis, il errait.

— Il cherchait à te semer, et il a réussi !

— Quand il s'est assis, j'ai bien été obligé de poursuivre mon chemin. Le temps de me retourner, il avait disparu. Imparable, je vous assure.

— Retourne à la caserne. Tu balaieras la cour.

Trop heureux de ne pas être lourdement sanctionné, le policier s'éclipsa.

Malgré l'échec final, le bilan de cette mission ne manquait pas d'intérêt. En resserrant la surveillance autour d'un maximum de notables, Sobek obtenait un premier résultat qui le contraignait à prévenir aussitôt le vizir.

Après vérification du budget de plusieurs provinces en compagnie du ministre des Finances Senânkh, Khnoum-Hotep comptait prendre un peu de repos. Les jambes et le dos douloureux, il ne sortait plus lui-même ses chiens, désolés de cette triste innovation. Dormant mal, l'appétit en berne, le vieux vizir sentait sa vie filer entre ses doigts. En dépit de leur qualité, les traitements du docteur Goua ne parvenaient pas à la retenir.

Chaque matin, il remerciait Maât et les divinités de lui avoir accordé une fabuleuse existence et formulait une ultime requête : mourir au travail et non dans son lit.

— Le chef de la police désire vous voir d'urgence, lui annonça son secrétaire particulier.

Oublié le repos... Sobek le Protecteur ne le dérangeait jamais en vain.

— Vizir, tu sembles épuisé !

— Alors, cette urgence ?

— Elle présente deux aspects : l'un instructif, l'autre... délicat.

— Par lequel préfères-tu commencer ?

— Le délicat. Mener des enquêtes approfondies, surtout à propos de hauts personnages, implique parfois de franchir certaines bornes, et...

— Au fait, Sobek. Aurais-tu placé des dignitaires sous surveillance sans me prévenir et sans instructions officielles ?

— Formulation brutale, mais c'est à peu près ça. Vu le poisson que j'espère sortir du marais, j'aimerais n'avoir aucun ennui.

— Tu ne manques pas d'aplomb !

— Il n'existait pas de meilleure manière d'agir. Ainsi, pas de fuite.

— Le nom du poisson ?

— Je l'ignore encore.

— Si tu veux mon appui, ne joue pas au plus fin.

— Voici l'instructif : le Secrétaire de la Maison du Roi paraît mêlé à une affaire louche.

— Quel genre d'affaire ?

— Je l'ignore vraiment.

Sobek détailla les résultats de la filature.

— Étrange, reconnut le vizir, mais insuffisant pour soupçonner Médès d'être lié au réseau terroriste.

— M'accordes-tu cependant l'autorisation de poursuivre l'enquête ?

— Que tu l'obtiennes ou non, tu continueras. Sois très prudent, Sobek. Incriminer un innocent serait une faute grave.

Le Secrétaire de la Maison du Roi réagirait énergiquement et obtiendrait ta tête.

— Je cours le risque.

De quartier en quartier, de ruelle en ruelle, de maison en maison, Sékari arpentait Memphis et finissait sa journée dans une taverne où les langues se déliaient. Afin de recueillir un maximum d'informations, voire de contacter des sympathisants de l'Annonciateur, il était devenu vendeur d'eau, à l'instar du terroriste récemment éliminé. Vent du Nord portait les gourdes, Sanguin surveillait la marchandise.

Le modeste négoce rapportait bien, à condition de ne pas s'offrir de trop longues siestes. La difficulté consistait à sortir des griffes de certaines ménagères, les unes enjôleuses, les autres insatiables bavardes.

Hélas ! maigre récolte.

À croire que les terroristes avaient quitté la ville.

Persuadé du contraire, Sékari s'obstinait. Ébranlé, l'ennemi se terrait et se taisait, car la conquête de l'Égypte impliquait la prise de Memphis. La grande offensive débuterait ici, une bande de fanatiques et d'assassins sèmerait terreur et désolation.

Chaque matin, l'agent secret choisissait un barbier différent. Jovial, il attirait les confidences, et la conversation s'engageait aisément. Doléances, projets, histoires de famille, blagues égrillardes... Mais pas un dérapage, pas une critique de Sésostris, pas une louange, même voilée, de l'Annonciateur.

S'il existait encore des terroristes chez les coiffeurs, ils donnaient le change à la perfection.

Les autres marchands ambulants appréciaient Sékari. Colportant des dizaines de rumeurs, ils vantaient les mérites du roi, protecteur des faibles et garant de Maât. Encore traumatisés par les attentats qui avaient durement frappé Memphis, ils espéraient ne jamais revivre pareille tragédie.

Sékari parcourut les docks où travaillaient nombre d'étrangers. Aucun ne détestait le pharaon, bien au contraire. Grâce à lui, ils bénéficiaient d'un emploi correctement rémunéré, d'un logement décent et pouvaient fonder une famille. Quelques-uns protestaient contre la rudesse de certains patrons, un seul regrettait sa Syrie natale sans avoir envie de quitter l'Égypte.

Surmontant sa déception, Sékari proposa ses services aux habitants du faubourg nord, non loin du temple de Neith.

Constatant l'état déplorable de ses sandales, l'agent secret rechercha une échoppe proposant des articles solides et bon marché.

Alors qu'il s'approchait d'un vendeur endormi, Vent du Nord recula brusquement et Sanguin émit un grognement menaçant.

Sékari ne négligea pas les avertissements de ses deux collègues dont les exploits précédents prouvaient la compétence.

— Magasin douteux ? demanda-t-il à l'âne.

L'oreille droite de Vent du Nord se leva pour dire oui.

— Bonhomme suspect ?

L'oreille resta dressée à la verticale, Sanguin montra ses crocs, et Sékari considéra le dormeur d'un autre œil.

— Demi-tour, ordonna-t-il.

Soudain, l'atmosphère lui parut très lourde.

Si le commerçant appartenait au réseau terroriste, ses complices ne rôdaient-ils pas dans les parages ? Redoutant un piège, Sékari s'éloigna d'un pas tranquille.

Quand un passant lui réclama de l'eau, l'agent secret regarda autour de lui, prêt à se défendre. L'âne et le chien demeurèrent paisibles.

— Quartier tranquille, observa Sékari. On doit s'y plaire.

— On ne se plaint pas, approuva le buveur.

— Ce vendeur de sandales... Un résident de fraîche date ?

— Penses-tu, on le connaît depuis un bon bout de temps ! Un gaillard serviable. Il en faudrait beaucoup comme lui.

9

Iker avait passé la nuit en méditation devant la Demeure de l'or, aussi rayonnante qu'un soleil. Nimbé d'une clarté qui repoussait les ténèbres, il n'éprouvait aucune fatigue. Heure après heure, il se détachait de son passé, des événements, des malheurs et des bonheurs. Seule subsistait Isis, immuable et radieuse.

À l'aube, le Chauve s'assit en scribe face au Fils royal.

— Que faut-il connaître, Iker ?

— Le rayonnement de la lumière divine.

— Que t'apprend-il ?

— Les formules de transformation.

— Où te conduisent-elles ?

— Aux portes de l'au-delà et sur les chemins qu'emprunte le Grand Dieu.

— Quel langage parle-t-il ?

— Celui des âmes-oiseaux.

— Qui entend ses paroles ?

— L'équipage de la barque divine.

— Es-tu équipé ?

— Dépourvu de tous métaux, je manie la palette en or.

— Nul ne pénètre dans la Demeure de l'or s'il ne devient semblable au soleil d'orient, tel Osiris. Désires-tu connaître son feu au risque d'être brûlé ?

— Je le désire.

Deux artisans dévêtirent Iker et le lavèrent à grande eau.

— Nulle trace d'onguent ne doit subsister, indiqua le Chauve. Sois purifié quatre fois par Horus et Seth.

Deux ritualistes portant les masques des dieux empoignèrent chacun deux vases. De leur goulot sortit une énergie dont les parcelles scintillantes prirent la forme de la clé de vie.

— Sois ainsi délivré de ce qu'il y a de mauvais en toi et découvre la voie menant à la source.

Dieux et artisans disparurent.

Resté seul, le jeune homme hésita sur la conduite à suivre. Ne rien entreprendre serait sans doute une erreur fatale, s'aventurer au hasard également.

Aussi sollicita-t-il l'aide d'Isis. Ici comme ailleurs, elle le guiderait.

Sentant sa main prendre la sienne, il avança jusqu'à un bosquet d'acacias, écarta les branches et monta au sommet d'une butte.

— Contemple le mystère de « la première fois », enjoignit la voix rugueuse du Chauve, à savoir cette éminence issue de l'océan primordial. La création s'y produit à chaque instant. Être initié consiste à percevoir ce processus et à pratiquer la transmutation de la matière en esprit, et de l'esprit en matière. Si tu survis aux épreuves, tu verras le ciel sur la terre. Auparavant, les sculpteurs te dégrossiront, toi le minéral brut extrait des entrailles de la montagne.

Trois artisans halèrent un traîneau de bois au pied de la butte[1].

— Je suis le gardien du souffle, déclara le premier. L'embaumeur et le surveillant m'assistent. Travaillons la pierre

---

1. Sont évoqués ici les rites du *tikenou*.

afin que le voyage s'accomplisse vers le lieu qui renouvelle la vie.

Il agrippa la poitrine d'Iker.

— Que l'ancien cœur soit arraché, l'ancienne peau et les anciens cheveux brûlés. Puisse se former un nouveau cœur, capable d'accueillir les mutations. Sinon, le feu consumera l'indignité.

Le Chauve recouvrit le jeune homme d'une peau blanche et l'obligea à s'étendre sur le traîneau, en position fœtale.

Un long périple débuta.

Iker eut la sensation de devenir un matériau, amené en direction du chantier où s'élèverait un temple. Pierre parmi les pierres, il ne se souciait pas de son emplacement, trop heureux d'appartenir à la construction.

Le Fils royal n'avait plus d'âge. Redevenu embryon à l'abri de cette peau protectrice, il n'éprouvait aucune crainte.

Le traîneau s'immobilisa.

Le Chauve fit asseoir Iker sur ses talons.

Se déroula devant lui un immense papyrus couvert de hiéroglyphes disposés en colonnes. Au centre, une surprenante représentation : Osiris, de face, coiffé de la couronne de résurrection, tenant le sceptre Puissance et la clé de vie. Autour du Grand Dieu, des cercles de feu.

— Voici l'athanor, le fourneau des transmutations. Il contient la mort et la vie.

Iker se crut victime d'une hallucination. Jaillissant du texte, le général Sépi lui apparut.

— Déchiffre ces paroles et grave-les dans ton nouveau cœur, recommanda-t-il à son élève. Qui les connaît brillera au ciel à la manière de Râ, et la matrice stellaire le reconnaîtra comme un Osiris. Descends au sein des cercles de feu, atteins l'île embrasée.

La silhouette de Sépi s'estompa. L'être entier d'Iker, et non sa mémoire, préserva les formules. Il devint hiéroglyphe.

Le papyrus fut replié et scellé.

Surgirent trois artisans à l'allure hostile, un sculpteur, un dégrossisseur et un polisseur.

— Qu'on laisse agir ceux qui doivent frapper le père, ordonna le Chauve.

Incapable de se défendre, Iker vit se lever un ciseau, un maillet et une pierre ronde.

— Tu vas dormir, annonça le vieux ritualiste. Prions les ancêtres de te sortir du sommeil.

Après avoir franchi barrages et contrôles, Bina se rendit à l'annexe du temple où on lui remit du pain et du lait frais, à livrer au plus vite aux prêtres permanents.

— Dois-je commencer par le Chauve ?

— Non, il ne se trouve pas chez lui, répondit le temporaire chargé de distribuer les tâches.

— Aurait-il quitté Abydos ?

— Lui ? Jamais ! Il s'occupe de l'initiation du Fils royal, paraît-il.

Bina prit un air étonné.

— Le Fils royal... Ne dispose-t-il pas déjà de tous les pouvoirs ?

— Nous sommes à Abydos, petite ! Seule compte la Règle des mystères. Quel que soit son titre, chacun s'y soumet.

— Bon, je m'occupe des autres permanents. Ils sont chez eux, j'espère ?

— Tu verras bien ! Trêve de bavardages, ne perds pas ton temps. Ces vieux ritualistes n'aiment pas attendre leur petit déjeuner.

La jolie brune termina son service par Béga.

— Qu'arrive-t-il à Iker ?

— Le Chauve et les artisans lui dévoilent les secrets de la Demeure de l'or.

— Les connais-tu ?

— Je n'appartiens pas à la confrérie des sculpteurs, répondit sèchement Béga.

— Pourquoi Iker reçoit-il leur initiation ?

— Sans doute parce qu'elle se révèle indispensable à l'accomplissement de sa mission.

Bina dut attendre la fin de la matinée avant de croiser l'Annonciateur qui achevait de nettoyer de grands récipients. Une dizaine d'officiants les utilisaient lors de la purification des autels.

— Je suis inquiète, seigneur.

— Que redoutes-tu ?

— Iker obtient de nouveaux pouvoirs.

— Son initiation dans la Demeure de l'or ?

— Vous... vous le saviez ?

— Puisque ce scribe a survécu au naufrage du *Rapide* et à la disparition de l'île du *ka*, il ira au terme de sa destinée.

— Ne faut-il pas le tuer rapidement ? Bientôt, il sera hors d'atteinte !

— Il ne m'échappera pas, rassure-toi. Plus il s'élève au sein des mystères, plus il s'affirme comme un être irremplaçable, successeur de Sésostris. Éliminer des médiocres ne présente guère d'intérêt. En revanche, supprimer un personnage de cette importance brisera les reins de Sésostris, car Iker est son point faible. En voyant s'effondrer l'avenir de l'Égypte, si patiemment construit, le pharaon sera désemparé. Alors, il deviendra vulnérable.

La main du Chauve touchait son front.

Iker se réveilla.

— Tu étais étendu, endormi. Te voici parvenu au port des transformations, sain et sauf. La pierre peut être halée jusqu'au chantier.

Trois artisans tirèrent le traîneau.

Ni la nuit ni le jour, mais une douce pénombre. Ce nouveau voyage se déroulait sans à-coups, tel un heureux retour dans une patrie abandonnée depuis trop longtemps.

Le seuil d'une porte fermée.

— Redresse-toi et assieds-toi sur tes talons, ordonna le Chauve.

Lentement, Iker y parvint.

— Seul Osiris voit et entend, affirma le ritualiste. Pourtant, l'initié participe de cette vision et de cet entendement, si son œil devient celui du faucon d'Horus et son oreille celle de la vache d'Hathor. Cet œil-là agit et crée, cette oreille-là perçoit la voix de tous les êtres vivants, de l'étoile à la pierre. Telles sont les deux portes de la connaissance. Vois jusqu'aux confins des ténèbres, entends la parole de l'origine, traverse le firmament et monte vers le Grand Dieu. Sa terre sacrée absorbe les brasiers destructeurs. Sois lucide, froid et calme à l'exemple d'Osiris, va en paix vers la région de lumière où il vit à jamais.

La porte de la Demeure de l'or s'ouvrit.

— Façonne ton chemin, Iker.

Le jeune homme se releva, éprouvant l'irrésistible envie d'avancer. À pas lents, il franchit le seuil du sanctuaire.

— À présent, marche sur les eaux.

Le sol d'argent semblait liquide, le pied enfonçait. Celui qui marchait sur les eaux de son maître ne se comportait-il pas en parfait serviteur ? Iker continua.

La surface durcit. En jaillit un rayonnement argenté dont le scribe fut enveloppé.

— Sois introduit devant le Grand Dieu, déclara le Chauve en ceignant le front d'Iker d'un bandeau[1]. Tu es désormais pourvu du symbole capable de mettre au monde ton regard, d'extraire le vivant hors des ténèbres et de te donner l'illumination.

Le contact de l'étoffe raviva la puissance fulgurante du

1. Le *seshed*, évoqué dans les *Textes des Pyramides*.

crocodile animant le Fils royal depuis sa plongée au tréfonds d'un lac du Fayoum. L'union du bandeau et de cette force déclencha un éclair d'une formidable intensité.

Délivré de la peau blanche, Iker toucha le ciel, érafla le ventre des étoiles et dansa avec les constellations.

Lorsque l'éblouissement cessa, il discerna Séhotep, Supérieur de tous les travaux du roi et chef des artisans.

— Te voici successeur d'Osiris, annonça-t-il. À toi de le vénérer et de poursuivre son œuvre.

Séhotep revêtit le jeune homme d'une robe ornée d'étoiles à cinq branches.

— Les mains pures, tu deviens prêtre permanent d'Abydos et serviteur du Grand Dieu. Découvre le travail caché de la Demeure de l'or. Il fait naître la statue et transforme la matière en œuvre vivante.

— Comment se nomme Osiris ? interrogea le Chauve.

Les formules de connaissance traversèrent l'esprit d'Iker.

— Le lieu de la création, l'accomplissement de l'acte rituel et le siège de l'œil[1]. Source de vie, il établit Maât et gouverne les justes de voix.

— Construis le nouveau trône d'Osiris.

Iker éleva un à un les matériaux de l'œuvre : l'or, l'argent, le lapis-lazuli et le bois de caroubier. Ils s'assemblèrent d'eux-mêmes pour former le socle sur lequel Séhotep dressa une statue d'Osiris.

— Décore le buste du maître d'Abydos avec du lapis-lazuli, de la turquoise et de l'électrum, éléments protecteurs de son corps[2].

Les mains du Fils royal ne tremblèrent pas, et le pectoral mit la poitrine d'Osiris à l'abri du danger.

— En ta qualité de Supérieur des secrets, équipe le dieu de

---

1. Telles sont les principales interprétations du mot *Ousir* (Osiris).
2. Ces précisions sont fournies par la stèle d'Iker-nofret, témoignage majeur de ses fonctions à Abydos.

sa couronne. Encadrée de plumes d'autruche, recouverte d'une feuille d'or, elle perce le ciel et se mêle aux étoiles.

Iker couronna la statue.

Puis il plaça les deux sceptres dans ses mains, le fléau de l'agriculteur, symbole de la triple naissance, et la houlette du berger, servant à rassembler les animaux.

— La première partie de la mission du Fils royal s'accomplit, jugea le Chauve. La nouvelle statue d'Osiris animera la prochaine célébration des mystères. Reste à réveiller la Dame d'Abydos.

Trois lampes illuminèrent une chapelle abritant l'ancienne barque du Grand Dieu.

— À cause du maléfice, elle ne circule plus librement. Aussi doit-elle être restaurée et ranimée.

Utilisant de l'or, de l'argent, du lapis-lazuli, du cèdre, du santal et du bois d'ébène, Iker bâtit un naos qu'il inséra au centre de la barque portative.

Les étoiles présentes au plafond de la Demeure de l'or scintillèrent, aucune zone d'ombre ne subsista.

— Râ a construit la barque d'Osiris, révéla Séhotep, le Verbe édifie la résurrection. Râ éclaire le jour, Osiris la nuit. Ensemble, ils constituent l'âme réunie. Osiris est le lieu d'où jaillit la lumière, matériau essentiel des mystères.

— Elle circule à nouveau, constata le Chauve. Le passeur rétablit la jonction entre l'au-delà et l'ici-bas. L'esprit des initiés peut franchir les portes du ciel. La seconde partie de la mission du Fils royal s'achève. Ainsi devient-il digne de diriger le rituel des mystères.

Le Chauve donna l'accolade au jeune homme.

Pour la première fois, Iker ressentit l'émotion profonde du vieux ritualiste.

10

Sobek le Protecteur reçut Médès à la première heure du jour. Le Secrétaire de la Maison du Roi maîtrisait mal sa colère.

— J'exige une enquête approfondie ! On est venu me voler chez moi et l'on m'a dérobé plusieurs objets de valeur !

— Je te croyais bien protégé.

— Mon portier dormait, l'imbécile ! Particulièrement habile, le bandit pourrait recommencer. Aussi ai-je engagé deux gardiens. Ils surveilleront ma maison jour et nuit.

— Excellente initiative.

— Il faut arrêter ce malfaiteur, Sobek.

— Sans la moindre indication, ce ne sera pas facile.

— Je dispose d'un signalement.

— Qui te l'a fourni ?

— Un domestique souffrant d'insomnie. Observant distraitement le jardin, il a vu passer un homme de taille moyenne, agile, vêtu d'une tunique grossière et la tête couverte d'un capuchon.

— A-t-il quand même aperçu son visage ?

— Malheureusement non. Lance de bons policiers à sa recherche.

— Compte sur moi, Médès.

Le Secrétaire de la Maison du Roi s'assombrit.

— J'ai le sentiment que ce voleur n'était pas un bandit ordinaire.

Sobek fronça les sourcils.

— Puis-je solliciter davantage de précisions ?

— Simple hypothèse, peut-être à prendre en considération : les terroristes ne veulent-ils pas supprimer les principaux dignitaires, y compris les membres de la Maison du Roi ? En ce cas, ce monte-en-l'air serait un émissaire chargé de repérer les lieux afin de préparer une agression. Le vol, un trompe-l'œil !

— Je prends l'idée au sérieux, reconnut Sobek, car d'autres tentatives de cambriolage ont eu lieu chez Séhotep et Senânkh.

Médès parut atterré.

— L'offensive s'annonce donc imminente !

Le Protecteur serra les poings.

— La Maison du Roi demeurera intacte, je te le promets.

— Tu formes notre dernier rempart, Sobek.

— Compte sur ma solidité.

Le Protecteur resta seul un long moment.

En soupçonnant Médès, ne s'égarait-il pas ? Une fois encore, ce rude travailleur prouvait lucidité et attachement à la Couronne. Si ses prévisions se révélaient exactes, le réseau terroriste s'apprêtait à frapper.

Les hurlements de son épouse réveillèrent Médès, en proie à un cauchemar où il se voyait poursuivi par une dizaine de Sobek, plus féroces les uns que les autres.

Trempé de sueur, il fit irruption dans la chambre de l'hystérique et la gifla.

— Appelle vite le docteur Goua, supplia-t-elle. Sinon, je vais mourir, et tu seras responsable !

Médès songeait souvent à étrangler son épouse mais, en

raison des circonstances, il ne tenait pas à attirer davantage l'attention. Dès qu'il gouvernerait l'Égypte, il se débarrasserait de ce fardeau.

— Le docteur Goua, vite !

— Je m'en occupe immédiatement. En attendant, ta coiffeuse et ta maquilleuse te rendront présentable.

Médès envoya son intendant chercher le célèbre praticien. Inutile de lui promettre une énorme rémunération, puisque Goua, malgré sa notoriété, demeurait incorruptible. Il différait souvent l'auscultation d'un haut dignitaire pour soigner une personne modeste dont le cas lui semblait urgent. Aucune pression ne modifiait sa manière d'agir, et mieux valait ne pas l'importuner.

Bichonnée, l'épouse de Médès restait cependant la proie de crises de larmes qui obligeaient sa coiffeuse à recommencer son travail sans émettre la moindre protestation, sous peine de renvoi immédiat et de vengeances sournoises. Chaque membre de son personnel craignait la méchanceté de l'hystérique.

À l'étonnement de Médès, le docteur Goua arriva avant le déjeuner avec son éternelle sacoche en cuir. Indifférent au jardin de la luxueuse villa, il se dirigea d'un pas alerte vers la chambre de sa patiente.

— Merci de votre promptitude, lui dit Médès, chaleureux. Je suppose qu'il va falloir doubler les doses.

— Le médecin, c'est vous ou moi ?

— Je ne voulais pas...

— Écartez-vous et laissez-moi entrer. Surtout, que personne ne nous dérange.

Goua se posait deux questions.

D'abord, pourquoi Médès, fonctionnaire consciencieux, intègre, jovial, franc et jouissant d'une parfaite réputation, souffrait-il d'un foie ne correspondant pas à cette description ? Siège du caractère, cet organe ne mentait pas. Médès, lui, simulait. Simple stratégie d'homme politique ou motivations inavouables ?

Ensuite, quelle était la véritable cause de la maladie de son épouse ? Égoïste, agressive, tordue, hypernerveuse, elle cumulait un nombre impressionnant de défauts, mais le traitement aurait dû améliorer son état et supprimer ses crises.

Cet échec thérapeutique irritait Goua.

— Docteur, enfin ! J'ai cru mourir mille fois.

— Vous me paraissez bien vivante et encore trop grosse.

Elle rougit et prit une voix de petite fille.

— À cause de mes angoisses, je n'ai pas résisté aux pâtisseries et aux plats en sauce. Pardonnez-moi, je vous en supplie !

— Allongez-vous et donnez-moi vos poignets. Je vais écouter les canaux du cœur.

Enfin détendue, elle lui sourit. Quoique ces minauderies l'exaspérassent, Goua continua l'examen.

— Rien d'alarmant, conclut-il. De sérieux drainages maintiendront un bon état général.

— Et mes nerfs ?

— Je n'ai plus envie de les soigner.

Elle se redressa d'un bond.

— Vous... vous n'allez pas m'abandonner ?

— Les remèdes devraient agir. Tel n'est pas le cas. Donc, il convient de poser un nouveau diagnostic et de comprendre pourquoi vos maux résistent aux médicaments.

— Je ne sais pas, moi...

— Vous le savez.

— Docteur, je souffre !

— Quelque chose vous obsède, quelque chose de si intense et de si profond qu'aucun traitement n'agit. Fouillez votre conscience, soulagez-la et vous guérirez.

— Ce sont mes nerfs, juste mes nerfs !

— Certainement pas.

Elle s'agrippa au bras du médecin.

— Ne me repoussez pas, je vous en conjure !

Il se détacha aussitôt.

— Le pharmacien Renséneb préparera des pilules extrêmement puissantes, capables d'apaiser une hystérie maximale.

En cas de résultats négatifs, je serai sûr de mon diagnostic. Vous dissimulez au fond de vous-même une faute grave, elle vous ronge et vous mène à la folie. Avouez et vous serez libérée.

Reprenant sa sacoche, le docteur Goua quitta la demeure de Médès. Une gamine souffrant des bronches l'attendait.

— De quoi avez-vous parlé ? demanda Médès à son épouse.

— De mon état... Je ne survivrai peut-être pas longtemps, mon chéri !

« Excellente nouvelle », pensa le Secrétaire de la Maison du Roi.

— Le docteur Goua préconise un traitement de choc, poursuivit-elle, anxieuse.

— Faisons-lui confiance.

Elle se blottit contre lui.

— Quel merveilleux mari je possède ! J'ai besoin de parfums, d'onguents et de robes. Et puis changeons de cuisinier. De coiffeuse, aussi ! Ces gens m'ennuient et me servent mal. À cause d'eux, ma santé se dégrade.

À la dévotion de son patron, grassement payé, l'intendant de Médès subissait parfois des humiliations difficiles à supporter, telles ces insultes de l'inspecteur principal des greniers Gergou. Complètement soûl, il exigeait de voir immédiatement son patron.

L'intendant avertit Médès.

— Je vous préviens : haleine pestilentielle et vêtements puants.

— Qu'il soit douché, parfumé et vêtu d'une tunique neuve. Ensuite, qu'il me rejoigne sous la pergola.

Chancelant, mais présentable, Gergou se laissa tomber dans un fauteuil.

— Tu sembles épuisé.

— Un voyage interminable, des étapes trop longues, des...

— Tu t'arrêtais pour boire et tu rêvais de disparaître. Comme le signe de Seth te rappelait à l'ordre, tu as poursuivi ta route vers Memphis.

Gergou baissa les yeux.

— Oublions ces enfantillages et préoccupons-nous de l'essentiel : les véritables intentions d'Iker.

— D'après Béga, il doit restaurer la barque d'Osiris et créer une nouvelle statue du dieu. En raison de son initiation à la Demeure de l'or, le Fils royal deviendra probablement prêtre permanent, dirigera le rituel des mystères et ne quittera plus Abydos. Une sorte d'exil doré et définitif.

— Qu'en pense l'Annonciateur ?

— Il reste certain de son succès final.

— Donc, il supprimera Iker et brisera les défenses d'Abydos !

— Probable.

— Tu manques singulièrement d'enthousiasme, Gergou. Aurais-tu commis une erreur grave ?

— Non, rassurez-vous !

— Alors, l'Annonciateur t'a confié une mission qui t'effraie.

— Ne faut-il pas s'arrêter à temps ? Un pas supplémentaire, et nous chutons !

Médès remplit une coupe d'un vin blanc fruité, long en bouche, et l'offrit à son adjoint.

— La meilleure médecine. Elle te ramènera à la réalité et te redonnera confiance.

Gergou but goulûment.

— Fameux ! Au moins dix ans d'amphore.

— Douze.

— Une seule coupe ne lui rend pas hommage.

— Tu reboiras après m'avoir transmis les directives de l'Annonciateur.

— Croyez-moi, elles sont complètement insensées.

— Laisse-m'en juge.

Sachant qu'il n'échapperait pas à Médès, Gergou s'exécuta.

— L'Annonciateur veut supprimer Sobek.

— De quelle manière ?

— Il m'a remis un coffre à n'ouvrir sous aucun prétexte.

Médès eut un regard noir.

— Tu as jugulé ta curiosité, j'espère ?

— Cet objet me terrorise ! Ne contient-il pas mille et un maléfices ?

— Où se trouve-t-il ?

— Je l'ai apporté ici, bien entendu, enveloppé d'un drap de lin grossier.

— Les ordres de l'Annonciateur ?

— Le déposer dans la chambre de Sobek.

— Rien d'autre ?

— Ça me paraît impossible !

— N'exagère pas, Gergou.

— Ce maudit fouineur ne bénéficie-t-il pas d'une protection constante ? Se sentant menacé, il s'entoure de quelques policiers d'élite, capables d'intercepter n'importe quel agresseur.

— Montre-moi cette arme inattendue.

Gergou alla chercher le coffre, Médès ôta le drap.

— Un petit chef-d'œuvre ! De l'acacia de première qualité et la main d'un menuisier exceptionnel.

— N'y touchez pas, il pourrait nous foudroyer !

— L'Annonciateur ne le souhaite sûrement pas. La cible, c'est Sobek.

— Si je lui apporte ce meuble, il se méfiera.

— Je ne te demande pas de prendre ce risque, mon ami. Nul ne doit nous soupçonner de l'élimination du Protecteur. Imagines-tu le paysage enfin débarrassé de cet encombrant limier ? Voilà trop longtemps qu'il gêne notre progression ! Je crains même qu'il ne se rapproche de nous, puisqu'il me fait suivre et surveiller.

Gergou blêmit.

— Redoutez-vous... une arrestation ?

— Sobek l'a probablement envisagée. Je suis parvenu à ébranler ses convictions et à le rassurer sur mon absolue loyauté. Néanmoins, il continuera à me traquer.

— Pendant qu'il en est encore temps, préconisa Gergou, quittons l'Égypte avec un maximum de richesses.

— Pourquoi perdre notre sang-froid ? Il suffit d'obéir à l'Annonciateur en préparant correctement notre intervention.

— Ni vous ni moi ne pouvons apporter ce coffre à Sobek, insista l'inspecteur principal des greniers.

— Ce sera donc quelqu'un d'autre.

— Je ne vois pas qui !

Médès ne réfléchit pas longtemps. La solution lui parut évidente.

— Nous disposons d'un allié dont nous ne solliciterons même pas l'avis, indiqua-t-il, car je vais utiliser une seconde fois la seule qualité de ma chère épouse.

11

Une nuit durant, Sékari observa les allées et venues autour de la boutique suspecte. D'abord, il fut déçu. Quelques badauds, des conversations plus ou moins animées, des traînards avinés, des chiens à la recherche de compagnes en chaleur, des chats en chasse... Bref, l'existence ordinaire d'un quartier populaire.

L'œil exercé de l'agent secret nota cependant un détail insolite : une sentinelle dissimulée à l'angle d'une terrasse, surveillant la place et les rues adjacentes.

Il ne s'agissait pas d'un résident désireux de prendre le frais mais d'un guetteur attentif. À intervalles réguliers, il adressait un signe de la main à un complice que Sékari eut beaucoup de peine à repérer. Et il y en avait certainement d'autres.

Quadrillage efficace, dispositif remarquable. Ce n'étaient pas des amateurs qui surveillaient l'endroit.

Sékari se sentit en danger.

Un terroriste l'aurait-il remarqué ?

Au lieu de courir, il se dirigea d'un pas traînant vers le centre de la place et s'adressa à un groupe de couche-tard en pleine discussion.

— Belle nuit, les gars. Moi, je n'ai pas sommeil. Vous ne connaîtriez pas une fille sympathique, à proximité ?

— T'habites pas ici, lança un bougon.

— Je le connais, objecta un bouclé. C'est le nouveau porteur d'eau, il fait de bons prix. Des filles sympathiques, ça ne manque pas.

Du coin de l'œil, Sékari aperçut l'un des guetteurs s'agiter. La manœuvre de l'intrus troublait la quiétude habituelle.

— Toute peine mérite salaire, l'ami. Si tu me conduis auprès d'une professionnelle accueillante, tu ne le regretteras pas.

Le Bouclé passa une langue gourmande sur ses lèvres.

— Une Syrienne, ça te convient ?

— Toi, elle te satisfait ?

— Moi, je viens de me fiancer ! Les habitués en disent grand bien.

— Alors, allons-y.

Sékari se sentait observé par plusieurs paires d'yeux. Le Bouclé s'engagea dans une ruelle obscure et silencieuse.

Et le Bougon les suivit.

À la suite de son guide, l'agent secret franchit le seuil d'une coquette maison à deux étages.

— Le Bougon, il nous accompagne ?

— Non, il rentre chez lui.

— Il réside donc près d'ici ?

— Montons au premier, je vais te présenter.

Il referma soigneusement la porte.

Pas de parfum capiteux, aucune décoration évoquant les jeux de l'amour, pas de pièce d'accueil meublée de nattes et de coussins, pas de coupe de bière offerte au nouveau client. L'endroit ne semblait guère voué au plaisir.

— Tu ne seras pas déçu, tu verras ! prédit le Bouclé en montant lentement l'escalier.

Sékari le bouscula et fonça.

Au premier palier l'attendait un tueur muni d'un gourdin.

D'un coup de tête dans le ventre, l'agent secret le renversa et grimpa quatre à quatre au second étage.

La lame d'un poignard frôla sa joue au moment où il débouchait sur la terrasse. Unique possibilité d'échapper aux terroristes : bondir de toit en toit, au risque de se rompre le cou.

En bas, le Bougon donnait l'alerte. Sortant des ténèbres, des silhouettes convergèrent vers le fuyard.

L'agilité de Sékari surprit ses poursuivants. Le plus rapide rata son saut et tomba entre deux maisons. Échaudés, ses acolytes reculèrent.

Le Bouclé ordonna à ses hommes de regagner leurs tanières. Trop d'agitation provoquerait l'intervention de la police.

Sobek mangeait une côte de bœuf grillée, une salade, des fruits frais, et buvait une coupe de vin en étudiant les rapports de ses principaux subordonnés. Propice à la réflexion, la nuit permettait de prendre du recul et de séparer l'essentiel du secondaire.

Élément nouveau, peut-être décisif . Sékari croyait tenir une piste sérieuse. Prudent, il effectuait une ultime vérification. Dès son retour, le Protecteur adopterait les mesures nécessaires.

On frappa à sa porte.

— Entre.

— Navré de vous déranger, chef, s'excusa le planton. On vous envoie ce coffre et un message portant la mention « urgent ».

Sobek brisa le sceau et déroula un petit papyrus d'excellente qualité.

Voici un meuble de rangement pour tes archives confidentielles, œuvre d'un de nos meilleurs artisans. Tu apprécieras sa robustesse, comme les autres responsables auxquels Sa Majesté offre ce cadeau. À demain, au grand conseil. Séhotep.

« Superbe objet », reconnut le Protecteur en soulevant le couvercle.

À sa grande surprise, le coffre n'était pas vide !

Il contenait six petites figurines ressemblant aux « répondants[1] » chargés, dans l'autre monde, d'effectuer divers travaux à la place des justes de voix, notamment l'irrigation, le transport du limon fertile de l'orient à l'occident et la culture des champs.

En terre cuite, ces personnages-là présentaient de surprenantes particularités : au lieu de tenir des houes et des herminettes, ils brandissaient des poignards ! Barbu et menaçant, leur visage n'avait rien d'égyptien.

— Ça, un cadeau du pharaon ? Une sinistre plaisanterie !

À l'instant où le chef de la police empoignait l'une des statuettes, elle lui planta son arme dans la main avec violence.

Pris au dépourvu, il la relâcha.

Les six figurines se ruèrent ensemble sur lui, le frappèrent et le frappèrent encore.

Bien qu'incapable de parer la totalité des coups, Sobek crut pouvoir vaincre cette horde miniature, mais les statuettes virevoltaient à une telle vitesse que le Protecteur ne parvenait même pas à les endommager.

Souffrant de dizaines de blessures, il perdait ses forces.

Inlassablement, la pointe des poignards perçait sa chair. Ne lui accordant aucun répit, les agresseurs semblaient sourire à l'idée de détruire ce colosse.

Sobek buta contre le coffre et chuta lourdement.

Surexcitées, les figurines s'attaquèrent à son cou et à sa tête. Proche de l'évanouissement, leur victime se protégea les yeux.

Furieux de mourir ainsi, le Protecteur poussa un hurlement de bête fauve, si puissant et si désespéré que le planton osa pénétrer dans le bureau.

1. Les *ouchebtis* ou *shaouabtis*.

— Chef, ça ne va pas ? Chef !

Sidéré, le policier flanqua des coups de pied aux figurines et tenta de dégager Sobek. Incassables, elles revenaient à l'assaut.

Voulant sortir le Protecteur de cet enfer, il tenta de le tirer par les bras. En reculant, le planton heurta une lampe et la renversa.

L'huile brûlante se répandit sur une statuette, qui s'enflamma aussitôt.

— À l'aide ! cria-t-il.

Plusieurs collègues accoururent et découvrirent l'incroyable spectacle.

Couvert de sang, Sobek ne bougeait plus.

— Brûlez ces horreurs ! recommanda le planton.

Les flammes embrasèrent les agresseurs. En se craquelant, les terres cuites émirent d'atroces gémissements.

Le planton n'osait pas toucher le corps martyrisé de son chef.

— Appelons le docteur Goua !

Hors de danger, Sékari ferma les yeux et respira à fond. Cette fois, il avait frôlé la catastrophe. Jamais encore il ne s'était heurté à un gang aussi bien organisé dont la capacité de réaction démontrait la cohérence.

L'agent secret comprenait pourquoi la police ne parvenait pas à débusquer les terroristes. Profondément implantés dans ce quartier, et sans doute ailleurs, ils travaillaient, fondaient une famille, nouaient des amitiés et ne se distinguaient en rien des Égyptiens de souche. Personne ne les traitait d'étrangers, personne ne les soupçonnait.

Inquiétante conclusion : l'Annonciateur appliquait un plan conçu de longue date.

Depuis combien d'années ses tueurs résidaient-ils à Memphis ? Dix, vingt, peut-être trente ! Oubliés, anonymes, devenus de braves gens appréciés de leurs voisins, ils attendaient les ordres de leur maître et ne frappaient qu'à coup sûr.

Aucune enquête n'aboutirait. Certains indicateurs de police n'appartenaient-ils pas aux troupes de l'Annonciateur ? Ils mentaient, rassuraient et procuraient des informations dérisoires permettant d'arrêter de petits délinquants, jamais un fanatique.

Mis en coupe réglée, chacun de leurs quartiers se révélait aussi sûr qu'une forteresse. Repérant immédiatement un curieux, les guetteurs alertaient le réseau.

En franchissant certaines bornes, Sékari se condamnait. Vu son comportement, l'ennemi ne le prenait pas pour un simple badaud et devait l'éliminer.

« Quel imbécile je fais, pensa l'agent secret. Ils n'ameutent pas le voisinage et restent discrets, mais ne renoncent pas à me supprimer ! Plus de meute à mes trousses, seulement un exécuteur des basses œuvres, rapide et discret. »

Le tueur sauta du premier étage d'une maisonnette et plaqua Sékari au sol.

À moitié assommé, l'agent secret réagit avec retard et ne parvint pas à se dégager.

Le terroriste lui passa un épais lacet de cuir autour du cou et serra de toutes ses forces.

L'ultime sursaut de sa victime l'amusa. Le larynx broyé, l'Égyptien mourrait étouffé.

La violence de l'impact obligea l'assassin à lâcher le lacet.

D'abord, il ne comprit pas ce qui lui arrivait ; puis il sentit les crocs d'un molosse se planter dans son crâne et le broyer.

Sa besogne accomplie, Sanguin lécha les mains d'un Sékari peinant à reprendre son souffle.

— Tu as le sens du moment juste, camarade !

Il caressa longuement son sauveur, aux yeux brillant de satisfaction.

— Je dois alerter Sobek.

Encore chancelant, Sékari récupérait rapidement. Une

angoisse l'étreignit : l'ennemi n'avait-il mandaté qu'un seul tueur ?

Pressant le pas, il sortit de l'entrelacement de ruelles et déboucha sur une esplanade où l'attendait Vent du Nord, équipé de plusieurs gourdes.

L'eau fraîche calma la brûlure de sa gorge.

À bonne allure, le trio se dirigea vers le palais.

Non loin du bureau de Sobek, une agitation inhabituelle. De la fumée s'en dégageait, des porteurs d'eau se ruaient à l'intérieur du bâtiment.

— Que se passe-t-il ? demanda Sékari à un policier en faction.

— Début d'incendie. Rentre chez toi, on s'en occupe.

— Le chef Sobek est-il sain et sauf ?

— En quoi ça te regarde, l'ami ?

— J'ai un message à lui transmettre.

L'urgence de la situation contraignait Sékari à violer sa règle d'absolue discrétion.

Le policier le dévisagea de près.

— Bizarre, cette marque sur ton cou... On t'a agressé ?

— Rien de grave.

— J'aimerais davantage de détails.

— Je les fournirai à Sobek.

— Ne bouge surtout pas, mon bonhomme !

Le policier menaça Sékari d'un gourdin. Aussitôt, Vent du Nord et Sanguin l'encadrèrent. L'âne gratta le sol de ses sabots, le molosse émit un grognement menaçant.

— Du calme, mes amis. Celui-là ne me veut aucun mal.

Prudent, le policier recula.

— Retiens tes deux monstres !

Plusieurs collègues volèrent à son secours.

— Des problèmes ? demanda un gradé.

— Je souhaiterais voir le chef Sobek, sollicita humblement Sékari.

— Motif ?

— Personnel et confidentiel.

Le gradé hésitait. Ou bien il jetait cet excentrique en prison, ou bien il le conduisait auprès d'un des membres de la garde rapprochée du Protecteur qui vérifierait le sérieux de cette démarche.

Au terme d'une longue hésitation, il choisit la seconde solution.

L'officier de sécurité reconnut l'agent secret et l'entraîna à l'écart.

— Il faut prévenir Sobek immédiatement, déclara Sékari. Nous devons investir un quartier au nord du temple de Neith.

— Que crains-tu ?

— L'endroit abrite un nid de terroristes.

L'officier s'exprima d'une voix brisée.

— Sobek ne peut plus donner d'ordres.

— Des ennuis administratifs ?

— Si ce n'était que ça !

— Tu ne veux pas dire...

— Suis-moi.

Sobek reposait sur une natte.

Sous sa tête, un coussin. Le docteur Goua désinfectait les innombrables plaies.

Sékari s'approcha.

— Est-il encore vivant ?

— À peine. Je n'ai jamais vu un homme atteint d'autant de blessures.

— Le sauverez-vous ?

— À ce stade-là, au destin de décider.

— Sait-on qui l'a agressé ?

L'officier appela le planton. En phrases hachées, il décrivit l'horrible spectacle auquel il avait assisté.

L'officier montra à Sékari un petit papyrus maculé de sang.

— Nous connaissons le nom du coupable. Il a fabriqué les statuettes, envoyé le coffre et signé son crime.

12

Connaissant tout du temple des millions d'années de Sésostris, l'Annonciateur ne jugeait pas nécessaire de détruire des textes, de souiller des objets ou d'envoûter des statues. L'ensemble de ce mécanisme rituel, en constant état de marche, ne servait qu'à entretenir le *ka* du pharaon et à produire une énergie réservée à Abydos. La réduire produirait de médiocres résultats. Or, il fallait à présent terrasser l'adversaire.

Comme d'habitude, l'Annonciateur remplit son service matinal à la perfection, puis céda la place à d'autres temporaires chargés de l'entretien du sanctuaire. Il fit mine de regagner son domicile, vérifia qu'on ne l'observait pas et se dirigea vers l'arbre de vie.

Ni prêtre ni gardien.

Le cérémonial de l'aube accompli, l'acacia d'Osiris demeurait seul, baigné de soleil. Le champ de forces produit par les quatre arbustes suffisait à le protéger.

De la poche de sa tunique, l'Annonciateur sortit quatre fioles de poison. Pendant les nuits passées au temple, il avait pénétré dans le laboratoire sans laisser de traces d'effraction et composé une mixture mortelle, à moyen terme. Paraissant en bonne santé, les végétaux se dessécheraient de l'intérieur et cesseraient d'agir. Lorsque le Chauve s'en apercevrait, il serait trop tard.

D'abord, l'orient.

L'Annonciateur versa au pied du jeune acacia le contenu de la fiole, un liquide incolore et inodore.

— Que la lumière renaissante ne te réchauffe plus et qu'elle te meurtrisse, tel le vent glacé de l'hiver.

Ensuite, l'occident et la deuxième fiole.

— Que les lueurs du couchant t'accablent d'une mauvaise mort et t'enveloppent de ténèbres.

Puis le midi et la troisième fiole.

— Que les rayons du zénith te brûlent et anéantissent ta sève.

Enfin, le nord et la quatrième fiole.

— Voici le froid du néant. Qu'il t'accable et te ronge.

Dès le lendemain, l'Annonciateur constaterait les effets du poison. S'il se montrait à la hauteur de ses espérances, le champ de forces protectrices disparaîtrait.

Alors, il s'attaquerait aux quatre lions.

Iker revivait chaque instant du rituel d'initiation à la Demeure de l'or dont l'ampleur continuait à l'éblouir. Comment un simple individu pouvait-il percevoir tant de dimensions et saisir les multiples significations des symboles ? Peut-être en ne disséquant pas, en ne cherchant pas à analyser, mais en développant une intelligence du cœur et en pénétrant vigoureusement au centre du mystère.

L'univers ne s'expliquait pas. Pourtant, il avait un sens. Un sens éternel, jaillissant sans cesse de lui-même et conduisant au-delà des limites de l'espèce humaine. Née des étoiles, la vie rendue consciente y retournait grâce à l'initiation. Et lui, l'apprenti scribe de Médamoud, venait de franchir une porte s'ouvrant sur de fabuleux paysages.

Levée très tôt, Isis célébrait un rituel avec les servantes d'Hathor. Depuis sa sortie de la Demeure de l'or où la statue et la barque d'Osiris se chargeaient d'énergie, elle restait silencieuse. Pour avoir affronté des épreuves analogues à celles d'Iker, elle connaissait l'importance du recueillement, à la suite de moments d'une telle intensité. En l'initié se rassemblaient des forces éparses, présidant à la naissance d'un nouveau regard.

Iker revenait progressivement sur terre et n'oubliait rien de son voyage au-delà du temps et de l'espace. Sortant de la modeste maison blanche, il contempla longuement le ciel qu'il ne regarderait plus jamais de la même manière. De cette matrice provenaient des œuvres pétries d'immortalité, rendues visibles par les artisans.

Il existait malheureusement d'autres réalités, beaucoup moins enthousiasmantes. Au Fils royal, Ami unique et envoyé du pharaon, de les affronter.

— Lait infect et pain médiocre, estima Béga. Surveille davantage les produits que tu apportes aux permanents. Si l'un d'eux se plaint, tu seras renvoyée.

La jolie Bina se cabra.

— Ton goût sert-il de critère ?

— Ici, personne ne le néglige.

— Voilà peut-être pourquoi Abydos pourrit !

— Ne dépasse pas les bornes, petite, et fais correctement ton travail.

Béga haïssait les femmes. Frivoles, insolentes, aguicheuses, perverses, elles souffraient de mille défauts incurables. Dès son accession au pouvoir suprême, il les chasserait d'Abydos et leur interdirait de participer aux rites et aux cultes. Plus aucune prêtresse ne souillerait les temples d'Égypte, réservés aux hommes. Eux seuls étaient dignes de s'adresser au divin et d'en recueillir les faveurs. La doctrine de l'Annonciateur lui paraissait excellente : écarter les femelles de toute fonction religieuse, les exclure des écoles, recouvrir entièrement leur corps afin qu'elles ne tentent plus le sexe opposé et les confiner dans la demeure familiale, au service de leur mari. La civilisation pharaonique leur octroyait tellement de libertés qu'elles se comportaient en êtres indépendants et pouvaient même régner !

Ironique, Bina fixait le ritualiste.

— Tu bois et tu manges, ou bien dois-je remporter ce lait et ce pain ?

— Cette fois, ça ira. Demain, j'exige meilleur et... Va-t'en vite, Iker arrive !

Vive, elle s'éclipsa.

Le dos voûté, Béga se concentra sur la nourriture.

— Pardonnez-moi de vous importuner à une heure aussi matinale.

— Nous sommes tous à la disposition du Fils royal. Avez-vous pris votre petit déjeuner ?

— Pas encore.

— Partagez le mien.

— Merci, je n'ai pas faim.

— Ne tombez quand même pas malade !

— Rassurez-vous, les épreuves renforcent ma santé.

— Félicitations pour votre initiation à la Demeure de l'or. Rarement accordé, un tel privilège vous confère d'immenses responsabilités. Et nous serons fiers de vous voir diriger les rites du mois de khoiak.

— La date me paraît fort proche, et moi fort incompétent !

— L'ensemble des permanents, à commencer par moi, vous aidera à préparer ce grand événement. Ne vous faites aucun souci, vous maîtriserez la situation. Votre mission se déroule-t-elle au mieux ?

— La Demeure de l'or met au monde une nouvelle statue d'Osiris et sa nouvelle barque, et j'espère qu'il ne subsiste aucun trouble dans la hiérarchie des prêtres. Mon enquête vous a choqués, vous et vos collègues, mais elle était indispensable.

— Incidents oubliés, assura Béga. Nous apprécions votre discrétion et votre comportement dépourvu d'arrogance. Il fallait que vous constatiez la rigueur des permanents et leur profond attachement aux rites osiriens. Centre spirituel de l'Égypte, Abydos ne doit souffrir d'aucune tache. Aussi convient-il, à intervalles réguliers, de s'en assurer. Sa Majesté prouve sa lucidité en procédant à cet examen et en choisissant l'homme capable de le mener à bien.

Béga restait glacial, sa voix éraillée, mais son discours réconfortait Iker. Le rugueux ritualiste n'accordait pas souvent de satisfecit et se montrait avare de compliments. Écho de l'ensemble des permanents, son jugement manifestait leur approbation et dissipait les tensions.

— Confier la palette en or à un si jeune dignitaire, ignorant nos rites et nos mystères, nous a surpris, avoua Béga, et j'ai rarement vu le Chauve aussi mécontent. Trop refermés sur nous-mêmes, nous commettions l'erreur de sous-estimer l'ampleur de la vision royale. Méprisable vanité, faute inexcusable ! L'âge et l'expérience nous endorment. Chaque jour, l'œuvre de Dieu s'accomplit, et notre devoir consiste à la prolonger humblement en oubliant nos ridicules ambitions. Votre venue, Iker, nous donne une bonne leçon. Il n'existait pas de meilleur moyen pour ranimer notre vigilance et nous rappeler fermement les exigences de nos fonctions. Un pharaon s'éloigne-t-il d'Abydos, l'Égypte risque de disparaître ; s'en rapproche-t-il, l'héritage des ancêtres dispense d'innombrables bienfaits et les Deux Terres connaissent la prospérité. Les choix de Sésostris sont exemplaires, sa réputation et sa popularité méritées. Vous et nous avons la chance de servir un monarque exceptionnel dont les décisions éclairent notre chemin.

Ne s'attendant pas à de telles confidences de la part de ce ritualiste austère et rébarbatif, Iker apprécia sa sincérité, témoignage de l'engagement irréversible des permanents d'Abydos.

Cependant, il n'omit pas de poser les questions qui le hantaient, à la suite de l'affirmation d'Isis : « Gergou ressemble à un fruit pourri. »

— Les permanents ne sortent pas souvent d'Abydos, me semble-t-il.

— Presque jamais. Pourtant, la Règle ne nous impose nullement la réclusion. Qu'irions-nous chercher à l'extérieur ? Nous adoptons librement notre mode d'existence, aimons le domaine d'Osiris et touchons à l'essentiel de la vie. Que réclamer de plus ?

— Un détail m'intrigue : comment avez-vous connu Gergou ?

Béga se renfrogna.

— Le hasard. Je supervise l'approvisionnement des permanents et la livraison des divers objets nécessaires à leur confort. Gergou s'étant proposé, j'ai testé ses compétences.

— Qui l'a envoyé à Abydos ?

— Je l'ignore.

— Auriez-vous omis de le lui demander ?

— Je ne suis pas curieux de nature. Puisqu'il passait les contrôles, pourquoi le considérer d'un œil suspicieux ? Je lui réclame ponctualité et sérieux, Gergou ne me déçoit pas.

— Ne vous pose-t-il pas des questions... déplacées ?

— En ce cas, je l'aurais fait expulser d'Abydos ! Non, il se contente de recevoir mes listes de produits et de les livrer dans les meilleurs délais.

— À chaque fois, se déplace-t-il lui-même ?

— Gergou est un fonctionnaire très scrupuleux. Il ne laisse à personne le soin de vérifier les chargements et de les acheminer à bon port. En raison de ses bons et loyaux services, il a été nommé temporaire. Son caractère plutôt fruste ne l'empêche pas d'admirer Abydos et de tenir à son poste.

Béga se racla la gorge.

— Pourquoi ces questions ? Soupçonneriez-vous Gergou d'un quelconque méfait ?

— Je ne dispose d'aucune preuve.

— Néanmoins, vous vous méfiez de lui !

— Son poste d'inspecteur général des greniers ne devrait-il pas lui prendre tout son temps ?

— Des responsables de haut rang viennent souvent de Memphis, de Thèbes ou d'Éléphantine ! Vu l'importance d'Abydos, la distance ne compte pas. Certains n'y séjournent qu'une ou deux semaines, d'autres davantage. Aucun ne renoncerait à ses tâches, si modestes soient-elles. Gergou appartient à cette communauté des temporaires, fidèles et dévoués.

— Merci de votre aide, Béga.

— Vous êtes aujourd'hui notre Supérieur. N'hésitez pas à me solliciter.

En regardant s'éloigner le Fils royal, le confédéré de Seth mâcha nerveusement un morceau de pain. Il regrettait d'avoir défendu Gergou, mais le charger ou l'accuser aurait déclenché une enquête approfondie d'Iker qui rejaillirait fatalement sur lui, Béga.

Ses déclarations persuaderaient-elles le Fils royal de l'innocence de Gergou ?

Sans doute pas.

Cet Iker devenait très dangereux. Désormais investi de pouvoirs majeurs, reconnu digne des mystères d'Osiris, l'envoyé de Sésostris prenait une dimension inattendue. En croyant qu'Abydos le rejetterait, Béga s'était lourdement trompé.

Une étrange lumière animait ce jeune homme, et les rites osiriens la nourrissaient.

Un instant, un bref instant, Béga se demanda s'il ne valait pas mieux renoncer au complot et à la trahison, redevenir un authentique permanent et suivre le chemin d'Iker.

Irrité, il se frotta les paupières.

La pureté d'Iker, son idéal, son respect des valeurs traditionnelles menaient à l'impasse ! Seul l'Annonciateur représentait l'avenir.

Et puis Béga était allé trop loin.

En reniant son passé et son serment, en participant à la conspiration du Mal, le ritualiste ne pouvait plus revenir en arrière. Ce choix libérait des pulsions longtemps contenues, le désir de s'enrichir et la volonté de puissance. Des êtres de la nature d'Iker devaient disparaître.

À l'Annonciateur d'intervenir rapidement.

Shab le Tordu rencontra son maître près de l'escalier du Grand Dieu, hors de la vue des soldats qui patrouillaient dans le désert, à l'extérieur du site. Les rituels du couchant terminés, les lampes s'allumaient chez les permanents et les temporaires autorisés à dormir à Abydos. Après le dîner, les spécialistes de l'observation du ciel monteraient sur le toit du temple de Sésostris, noteraient la position des astres et tenteraient de déchiffrer le message de la déesse Nout.

— As-tu réussi à t'approcher de la tombe d'Osiris ?

— Aucune protection apparente, répondit le Tordu. Un vieux ritualiste vérifie les scellés et prononce des formules.

— Pas de gardes ?

— Pas le moindre. Selon votre conseil, je me suis tenu à une trentaine de pas de la porte du tombeau. Il existe certainement un dispositif de sécurité invisible. Impossible qu'un monument de cette importance soit facilement accessible.

— Le caractère sacré de l'endroit et le rayonnement d'Osiris suffisent à dissuader les curieux, estima l'Annonciateur Ils redoutent la colère du dieu.

— Les prêtres n'ont-ils pas installé une barrière magique ?

— Elle ne m'arrêtera pas, mon brave ami. Peu à peu, je brise les murailles d'Abydos.

— Dois-je encore me cacher dans cette chapelle, seigneur ?

— Plus très longtemps.

Le Tordu eut un sourire mauvais.

— Obtiendrai-je le privilège de tuer Iker ?

Les yeux de l'Annonciateur devinrent rouge vif. De son corps émana une chaleur semblable à celle d'un brasier.

Effrayé, Shab recula.

— Mes figurines sortent du coffre, dit-il d'une voix menaçante. En l'ouvrant, Sobek le Protecteur vient de commettre sa dernière erreur. Ce soir, nous serons débarrassés de lui, et notre réseau de Memphis pourra lancer son offensive.

13

Sésostris se réjouissait de l'heureuse issue de l'initiation d'Iker à la Demeure de l'or. D'après le Chauve, le jeune homme se comportait de manière remarquable et remplissait sa mission avec rigueur et compétence. Sans le savoir, il avait franchi la première porte du Cercle d'or d'Abydos et devenait donc, peu à peu, un Osiris. Bientôt, tout en dirigeant le rituel du mois de khoiak, il en serait également le centre et pénétrerait, en pleine conscience, au cœur de la confrérie la plus secrète d'Égypte.

Ainsi Iker se construisait-il comme la pierre de lumière d'où naissaient chaque pyramide, chaque temple, chaque demeure d'éternité. Et sur cette pierre, Pharaon affermissait son royaume, non pour sa propre gloire, mais pour celle d'Osiris. Tant que les Deux Terres prolongeraient son œuvre, la mort ne tuerait pas les vivants.

Selon une rumeur persistante, Sésostris nommerait bientôt Iker corégent et l'associerait au trône afin de le préparer à régner. Mais la vision du monarque, qui n'excluait pas cette éventualité, la dépassait. À l'exemple de ses prédécesseurs, il devait transmettre le *ka* osirien à un être digne de l'accueillir, de le préserver, de le faire croître, puis de le transmettre à son tour. Créateur de la barque et de la statue du dieu, Iker jouerait ce rôle essentiel. En atteignant la connaissance des mystères, il les célébrerait. Dans son cas, si exceptionnel, nulle différence entre la contemplation et l'action, la découverte et la mise en œuvre. L'écoulement des heures aboli, le Fils royal vivrait le temps d'Osiris, à l'origine de la durée surnaturelle des symboles, pétris de matière et d'esprit. Il rejoindrait Isis au-delà du chemin de feu et verrait l'intérieur de l'arbre de vie.

Les menaces de l'Annonciateur rendaient primordial le rôle du jeune couple. À sa doctrine de fanatique et à sa volonté d'imposer violemment sa sinistre croyance, Isis et Iker opposaient une spiritualité joyeuse, sans dogme, formée de mutations et de reformulations incessantes, nourrie d'une lumière créatrice.

Or, la victoire n'était pas acquise.

Sésostris ne croyait pas à la disparition de l'Annonciateur. Telle une vipère des sables, il savait se dissimuler avant de frapper.

Percevait-il la réelle importance d'Iker ou s'acharnerait-il seulement à lutter contre le pharaon en déclenchant de nouveaux attentats à Memphis ? Malgré quelques succès, Sobek redoutait la faculté de nuisance du réseau terroriste, tellement bien implanté que même Sékari peinait à découvrir les bonnes pistes.

Au milieu de la nuit, le général Nesmontou interrompit les réflexions du roi.

— Une très mauvaise nouvelle, Majesté. Sobek a été victime d'un attentat. Des figurines magiques transportées dans un coffre livré au Protecteur lui ont infligé une incroyable quantité de blessures. Seul le feu les a vaincues. Le docteur Goua tente de le sauver. Pronostic pessimiste. Et nos malheurs ne s'arrêtent pas là ! Quand on l'a appelé, le médecin se trouvait au chevet du vizir, victime d'un grave malaise. D'après Goua, Khnoum-Hotep est à bout de forces.

— Intervenons immédiatement, insista Sékari. Si nous tardons trop, les terroristes déguerpiront.

Chargés de la protection de Sobek, les policiers d'élite étaient effondrés.

— Lui seul pouvait prendre une telle décision, rappela son adjoint.

— Regarde la réalité en face ! Sobek agonise. Il connaissait le détail de mes investigations et attendait mon rapport. Il tient en un mot : agissons. Le Protecteur aurait utilisé les grands moyens, sois-en sûr !

Brisé, le gradé semblait incapable de réagir.

— Seul Sobek savait coordonner l'ensemble de nos forces et monter une opération de cette envergure. Sans lui, nous sommes perdus. Il ne déléguait pas, étudiait à fond l'ensemble des dossiers et tranchait. En l'éliminant, l'ennemi nous cloue au sol. Jamais on ne retrouvera un chef de cette trempe.

— Une aussi belle occasion ne se reproduira pas avant longtemps. J'insiste, procure-moi un maximum de gaillards bien entraînés. Il subsiste une petite chance de détruire l'une des branches du réseau de l'Annonciateur.

Le docteur Goua sortit du bureau de Sobek.

— Allez me chercher une jarre de sang de bœuf !

— Il vit... il vit encore ? interrogea l'adjoint.

— Dépêchez-vous !

On réveilla le maître boucher du temple de Sésostris, il sacrifia deux bœufs gras et fournit au médecin le précieux liquide, qu'il fit absorber au blessé à petites gorgées.

— Le sauverez-vous ? demanda Sékari.

— La science n'accomplit pas de miracles, et je ne suis pas Pharaon.

— Je peux t'aider, affirma le monarque en pénétrant dans la pièce.

Aussitôt, il magnétisa longuement le Protecteur, éloignant ainsi les griffes du trépas.

Le blessé reprit conscience.

— Majesté...

— Ton travail n'est pas terminé, Sobek. Laisse-toi soigner, dors et rétablis-toi.

Le docteur Goua n'en croyait pas ses yeux. Sans l'intervention du monarque, le Protecteur, en dépit de sa robuste constitution, se serait éteint. Magnétisme et sang de bœuf lui redonnaient déjà quelques couleurs.

— Que le pharmacien Renséneb me fournisse ses meilleurs fortifiants, réclama le médecin.

Le roi et Sékari se retirèrent.

— La police semble désorganisée, Majesté. J'ai besoin de Nesmontou pour investir un quartier de Memphis où se cachent des terroristes.

— Rejoins-le et guide ses soldats.

L'adjoint de Sobek s'approcha du souverain.

— Majesté, nous connaissons le responsable de l'agression.

— Ne s'agit-il pas de l'Annonciateur ?

— Non, Majesté.

— Pourquoi cette certitude ?

— Le crime est signé.

— La preuve ?

— Ce papyrus, écrit de la main de l'assassin qui a envoyé le coffre à Sobek en prétendant agir de votre part.

Sésostris lut le document.

Il accusait formellement Séhotep.

Rajeuni à l'idée d'arrêter une bande de terroristes, Nesmontou dirigeait la manœuvre tambour battant. Il avait lui-même réveillé les soldats de la caserne principale de Memphis et pris la tête de plusieurs régiments, déployés en fonction des indications de l'agent secret.

En pleine nuit, les ruelles et les places étaient désertes.

— Méfions-nous d'un éventuel guet-apens, recommanda Sékari à son Frère du Cercle d'or.

— Ces malfaisants ne me joueront pas le tour que je leur ai joué à Sichem, promit Nesmontou. D'abord, on boucle l'endroit ; ensuite, de petits groupes de fantassins fouilleront chaque maison. Postés sur les toits, des archers les couvriront.

Les ordres du général furent exécutés avec rapidité et méthode.

Le quartier se mit à bouillonner. Des protestations fusèrent, des enfants pleurèrent, mais aucune bagarre n'éclata et personne ne tenta de s'enfuir.

Accompagné d'une dizaine de fantassins, Sékari fouilla la demeure dont il s'était échappé de justesse.

Des restes de nourriture, des lampes usées, de vieilles nattes... Le repaire avait été abandonné à la hâte. Pas le moindre indice significatif.

Restait la boutique suspecte du vendeur de sandales.

En compagnie de son épouse et de son gamin apeuré, le commerçant protestait de son innocence.

— Perquisition, ordonna Nesmontou.

— Sur l'ordre de qui ? demanda le suspect.

— Affaire d'État.

— Je me plaindrai au vizir ! En Égypte, on ne traite pas les gens ainsi. Tu dois respecter les lois.

Nesmontou planta son regard dans celui du protestataire.

— Je suis le général en chef de l'armée égyptienne et je n'ai pas de leçon à recevoir d'un complice de l'Annonciateur.

— Complice... Annonciateur... Je ne comprends pas !

— Tu souhaites peut-être des explications ?

— Je les exige !

— Nous te soupçonnons d'être un terroriste et de vouloir assassiner des Égyptiens.

— Tu... tu racontes n'importe quoi !

— Un peu de respect, mon gaillard ! Des spécialistes vont s'occuper de toi pendant que je fouillerai ta tanière de fond en comble.

Malgré ses vociférations, des soldats entraînèrent le braillard.

Participant à la perquisition, Sékari chercha désespérément la preuve de la culpabilité du commerçant.

Des cuirs de qualité moyenne, des dizaines de paires de sandales en stock, des papyrus comptables et quantité d'objets nécessaires au quotidien d'une petite famille...

— Nous ne trouverons rien, déplora-t-il.

— Il existe peut-être des caches d'armes, avança Nesmontou.

— Les disciples de l'Annonciateur ont eu le temps de les déménager.

— Nous interrogerons chacun des habitants de ce quartier. Et ils parleront, crois-moi !

— Non, général. S'il demeure des terroristes, ils se sont volontairement laissé prendre. Préparés à l'éventualité d'une capture, ils se tairont ou ils mentiront.

Le vieux général ne donna pas tort à l'agent secret. Néanmoins, il conduisit l'opération à son terme.

Échec cuisant.

Ni Bougon ni Bouclé. Et l'on dut libérer le marchand de sandales en lui présentant des excuses.

À la fin du rite de l'aube, Sésostris s'entretint avec le docteur Goua.

— Sobek se remettra, prédit le thérapeute. Ma médication conviendrait à un taureau sauvage dont, heureusement, il possède la constitution ! Problème délicat : l'obliger à rester couché jusqu'à la cicatrisation des plaies profondes. Aucun organe n'étant gravement atteint, il recouvrera toute sa vigueur.

— Et Khnoum-Hotep ?

Le docteur ne dissimula pas la vérité.

— Il n'y a plus d'espoir, Majesté. À force de surmenage, le

cœur du vizir cessera bientôt de battre. Seul but de mes ultimes prescriptions : l'empêcher de souffrir.

— Occupe-toi de lui en priorité, exigea Sésostris.

Le général Nesmontou fit au roi un compte rendu désabusé de ses investigations nocturnes. À la police d'étudier en profondeur le passé de chaque habitant du quartier incriminé et de vérifier ses déclarations. Une tâche longue, fastidieuse, aux résultats incertains. Les terroristes s'étaient tellement bien mêlés à la population qu'ils en devenaient invisibles.

— L'adjoint de Sobek réclame l'arrestation de Séhotep, indiqua le souverain.

— Ni Sékari ni moi-même ne croyons à sa culpabilité ! protesta le général. Un membre du Cercle d'or d'Abydos ne saurait songer à supprimer le chef de la police.

— Un document l'accuse.

— Un faux ! Une fois de plus, on tente de discréditer la Maison du Roi.

— Le grand conseil ne se réunira pas ce matin, décida le monarque. Je dois entendre Séhotep.

— Il ne veut pas dire son nom, général, mais prétend que c'est grave et urgent.

— Occupe-t'en, dit Nesmontou à son aide de camp.

— Il ne parlera qu'à vous. La sécurité du pharaon serait en jeu.

S'il s'agissait d'un farfelu, il comparaîtrait devant un tribunal pour injure à l'armée et propagation de fausses nouvelles.

Trentenaire, grand, une cicatrice striant son avant-bras gauche, l'homme paraissait pondéré et inquiet. Il s'exprima d'une voix posée.

— Sur l'ordre de Sobek, révéla-t-il, je me suis infiltré dans le service administratif que dirige Médès. Ma mission consiste à observer ses agissements et ceux de son personnel.

Nesmontou émit une sorte de grognement.

— Le Protecteur n'a vraiment confiance en personne ! Dispose-t-il d'un observateur au sein de chaque administration ?

— Je l'ignore, général. Au premier incident notable, je devais prévenir immédiatement mon chef. Le cas venant de se produire, et Sobek ne pouvant me recevoir, je crois nécessaire de vous exposer ma découverte.

— Excellente initiative, je t'écoute.

— J'occupe un poste de responsabilité et peux donc consulter la plupart des documents traités par Médès et ses principaux collaborateurs. Obtenir sa confiance et la conserver présentent de sérieuses difficultés. Il se comporte en véritable tyran, exige un travail considérable et ne tolère pas la moindre erreur.

— Voilà pourquoi son service fonctionne à merveille, estima Nesmontou. Jamais le Secrétariat de la Maison du Roi ne fut aussi efficace.

— Médès montre l'exemple, précisa le policier. Professionnellement, rien à lui reprocher. Jusqu'à hier, rien d'anormal ou de suspect. Étant chargé de fermer les locaux, j'ai examiné les dossiers qu'aurait à consulter Médès ce matin. Parmi eux, une lettre anonyme. En voici le contenu : « Un traître manipule la Maison du Roi. Il a inventé la légende de l'Annonciateur, un révolté syrien mort depuis longtemps. Ce monstre froid et déterminé dirige le réseau terroriste de Memphis, auteur de crimes abominables, et projette de tuer le chef de la police. Ensuite, il organisera un nouvel attentat contre le pharaon. Un assassin insoupçonnable : Séhotep. »

— T'es-tu emparé de ce document ?

— Non, car la réaction de Médès sera instructive. En parlera-t-il ou se taira-t-il ? Cela ne me concerne plus, puisque j'ai remis ma démission pour raisons de santé. Je préfère réintégrer mon unité avant d'être identifié.

Nesmontou courut chez le monarque.

14

Depuis la disparition du porteur d'eau, son meilleur agent, le Libanais se plaignait de la lenteur des communications entre les cellules terroristes implantées à Memphis. Sous l'apparence de livreurs, leurs délégués contactaient son portier et recueillaient les directives.

Le Libanais aurait dû engager un remplaçant, mais il se méfiait des adeptes de l'Annonciateur et n'accueillerait chez lui qu'un homme sûr, au sang-froid éprouvé. Seul Médès bénéficiait de ce privilège car le Secrétaire de la Maison du Roi, marqué du signe de Seth, ne pouvait plus reculer.

Le portier lui apporta un message codé dont le texte le réjouit : vidé de son sang à la suite de blessures infligées par des figurines magiques, Sobek le Protecteur agonisait !

L'Annonciateur venait de porter un coup décisif. Décapitée, la police de Memphis perdrait sa cohésion et l'organisation des attentats en serait facilitée.

Ravi, le Libanais avala coup sur coup trois gâteaux crémeux.

Le portier réapparut.

— Le Bouclé souhaite vous voir d'urgence au marché.

Le chef du réseau memphite sortait rarement de son antre. Une telle sollicitation impliquait des faits graves, voire inquiétants.

Son poids gênait ses déplacements, et le trajet lui parut long.

Il s'immobilisa devant un étal couvert de figues. Le vendeur appartenait au réseau.

Le Bouclé vint à la hauteur de l'obèse.

— Pas de policiers à proximité ?

— Deux à l'entrée du marché, deux autres mêlés aux badauds. On les surveille. S'ils s'approchent, nous serons prévenus.

— Que se passe-t-il ?

— Un espion égyptien nous a repérés. Deux tentatives d'élimination ont échoué. Persuadés de l'imminence d'une descente de police, moi et mes adjoints avons quitté aussitôt le quartier en prenant soin de ne pas laisser de traces derrière nous. À notre grande surprise, c'est l'armée qui a envahi les ruelles et fouillé les maisons !

— Résultat ?

— Échec total des militaires et vigoureuses protestations des résidents, y compris de nos braves restés sur place. Le vendeur de sandales a même reçu des excuses officielles ! En Égypte, on ne plaisante pas avec la loi et l'on ne traite pas les sujets de Pharaon de manière arbitraire. Cette faiblesse causera la perte du régime.

— Aucune arrestation d'un des nôtres ?

— Aucune. Les rumeurs propageant la mort de Sobek semblent fondées, puisque le pouvoir a dû utiliser l'armée et non la police, complètement désorganisée. J'imagine le désarroi des autorités ! Déploiement de forces, tentatives d'infiltration, enquêtes approfondies, rien n'aboutit ! Nous restons insaisissables. Grâce en soit rendue à notre maître suprême, l'Annonciateur. Sa protection nous rend invulnérables.

— Bien sûr, bien sûr, approuva le Libanais, mais le cloisonnement et la prudence continuent à s'imposer.

— L'élimination de Sobek ne nous procure-t-elle pas un avantage décisif ?

— Ne négligeons pas le général Nesmontou.

— Ce vieillard ne sait que haranguer ses troupes ! Elles seront incapables de réprimer une guérilla urbaine.

— Où comptez-vous vous cacher, toi et tes commandos ?

— Là où personne ne songera à nous rechercher : dans le quartier qui vient d'être fouillé de fond en comble ! Vu notre nouveau dispositif, impossible de nous repérer.

La récente idée du Libanais garantissait, en effet, une sécurité absolue aux terroristes chargés de lancer les premières attaques.

— Ne nous faites pas languir. Ce genre de logement est plutôt inconfortable.

— J'attends l'ordre de l'Annonciateur.

La réponse combla le Bouclé. Parfois, il doutait de l'engagement spirituel du Libanais, trop esclave de la bonne chère, et se demandait si sa position de chef du réseau ne lui montait pas à la tête. Cette attitude le rassura.

— Le moment venu, mes hommes et ceux de mes homologues frapperont au nom de l'Annonciateur et de la nouvelle doctrine. Nous exterminerons les incroyants, seuls les convertis auront la vie sauve. La loi de Dieu s'imposera, les tribunaux religieux pourchasseront les impies et les femelles impudiques.

— Prendre Memphis ne s'annonce pas facile, tempéra le Libanais. La coordination de nos diverses cellules me pose encore de sérieux problèmes.

— Résous-les ! Quoi qu'il en soit, l'Annonciateur choisira le moment juste. Les Égyptiens aiment tellement le bonheur et les plaisirs de l'existence qu'ils seront désarmés face à notre vague purificatrice. Des centaines de policiers et de soldats s'agenouilleront et nous supplieront de les épargner. Quand nous exhiberons leurs têtes tranchées à la pointe de nos lances, leurs officiers s'enfuiront et abandonneront le pharaon à sa solitude. Sésostris, nous l'offrirons vivant à l'Annonciateur !

Tout en appréciant ces magnifiques perspectives, le Libanais ne sous-estimait pas l'adversaire et se méfiait de ses propres troupes. En cas de victoire, et dès sa nomination comme chef de la police religieuse, il ferait exécuter le Bouclé et ses semblables en les accusant de dépravation. Fort utile pendant les phases de conquête, ce genre d'exalté se transformait ensuite en créature incontrôlable et nuisible.

Deux pilules le matin, une à midi, trois le soir, plusieurs infusions au cours de la journée : l'épouse de Médès suivait à la lettre l'ordonnance du docteur Goua. Sitôt absorbés les médicaments préparés par le pharmacien Renséneb, elle s'était sentie légère et détendue. Un sommeil presque paisible, pas de crises d'hystérie, de longues périodes de calme. Sa nouvelle coiffeuse et son nouveau cuisinier satisfaisaient ses moindres caprices. Ce dernier préparait des plats d'une extrême finesse et d'admirables desserts dont elle se gavait.

Dotée d'une énergie inattendue, elle s'occupa à nouveau de sa demeure. Dès l'aube, elle convoqua une armée d'artisans auxquels elle fixa plusieurs objectifs : repeindre les murs extérieurs, nettoyer la pièce d'eau, élaguer les arbres et vérifier les conduits d'évacuation des eaux usées. Cette débauche d'énergie lui fit oublier les fautes graves qui l'obsédaient. Elle n'aurait donc pas à les confesser au docteur Goua en brisant le silence que lui imposait son mari.

— Quelle éclatante santé ! constata-t-il, étonné.

— Le docteur Goua est mon bon génie. Tu seras fière de moi, j'espère ! Cette maison exigeait de nombreuses améliorations, et je m'en occupe enfin.

— Félicitations, ma chérie. Exerce ton autorité et ne te

laisse surtout pas marcher sur les pieds. Les ouvriers ne songent qu'à nous voler.

Le sourire aux lèvres, Médès se rendit chez le vizir.

Le faux scribe, agent de Sobek infiltré dans son administration, avait dû lire la lettre anonyme glissée au milieu de ses dossiers confidentiels. Dernier à quitter les lieux, le policier fouinait partout. Une découverte de cette importance récompensait sa patience !

Bien entendu, il attendait la réaction de Médès.

En cas de dissimulation et de silence, le Secrétaire de la Maison du Roi ne prouverait-il pas sa complicité avec Séhotep et sa participation à un complot d'une exceptionnelle gravité ?

Dans les bureaux du vizirat, une atmosphère sinistre.

— La santé de Khnoum-Hotep nous inquiète, confia à Médès l'un de ses proches collaborateurs. Nous avons cru le perdre à la suite d'un sérieux malaise. Heureusement, le docteur Goua l'a ranimé.

— Le vizir prend-il enfin un peu de repos ?

— Malheureusement non. Entrez, il vous attend.

Comme chaque matin, Médès venait chercher les instructions du Premier ministre.

L'altération physique de l'imposant personnage l'étonna. Amaigri, les traits creusés, le teint terreux, il respirait mal.

— Je n'ai pas de conseil à vous donner, déclara Médès, affligé, mais ne serait-il pas raisonnable d'alléger un peu vos tâches écrasantes ?

— Oublies-tu que le travail se dit *kat* et nous offre du *ka*, l'énergie indispensable à la vie ? Mourir en travaillant est la plus belle manière de disparaître.

— Ne parlez pas de malheur !

— Ne fardons pas la réalité. Le docteur Goua lui-même renonce à me guérir. Un autre fidèle de Sésostris me remplacera et servira au mieux notre pays.

Le Secrétaire de la Maison du Roi prit un air embarrassé.

— Un étrange document m'a été adressé. À l'évidence, un tissu de mensonges non signé. Cette lettre anonyme salit l'un des membres de la Maison du Roi. J'ai hésité à la détruire, tant elle m'indignait, mais je crois préférable de la porter à votre connaissance.

Médès remit le texte au vizir.

— En effet, mieux valait m'avertir.

Séhotep avait passé une nuit merveilleuse en compagnie d'une jeune femme experte en jeux amoureux. Amusante, adorant plaisanter, elle ne s'embarrassait d'aucun tabou. Farouchement opposée au mariage, elle comptait profiter au maximum de sa jeunesse avant de succéder à son père et de gérer le domaine familial.

D'excellente humeur, les deux amants s'étaient séparés après un copieux petit déjeuner. Se confiant aux mains précises de son barbier, Séhotep songea à son intervention au grand conseil. Il y préciserait l'état d'avancement des différents chantiers répartis sur l'ensemble du territoire.

Dès son arrivée au palais, un officier de sécurité le conduisit au bureau de Sésostris et non à la salle où se réunissaient les membres de la Maison du Roi.

Lors de chacune de leurs rencontres, l'élégant Séhotep éprouvait davantage d'admiration envers ce géant qui défiait les limites de la fatigue et ne reculait devant aucun obstacle. De sa haute taille, il dominait son époque et ses sujets, vivant pleinement sa fonction.

— N'aurais-tu rien à me confier, Séhotep ?

Le Supérieur de tous les travaux du pharaon fut pris au dépourvu.

— Dois-je vous faire mon rapport en privé ?

— Ne désapprouves-tu pas le comportement de Sobek ?

— Bien qu'il se soit naguère trompé à propos d'Iker, je le considère comme un excellent chef de la police.

— Ne viens-tu pas, en mon nom, de lui envoyer un coffre en acacia contenant des figurines magiques ?

Malgré sa vivacité d'esprit, Séhotep demeura un instant bouche bée.

— Certes pas, Majesté ! Quel est l'auteur de cette sinistre plaisanterie ?

— Animées par un esprit pervers, ces statuettes ont tenté de tuer Sobek. Souffrant de nombreuses blessures, il s'est vidé de son sang. Nous le croyons hors de danger, mais il faut identifier et châtier son assassin. Or il a signé son crime. Et cette signature, c'est la tienne.

— Impossible, Majesté !

— Regarde ce papyrus.

Troublé, Séhotep lut le texte taché de sang, retrouvé près du corps de Sobek.

— Je n'ai pas rédigé ces lignes.

— Reconnais-tu ton écriture ?

— La ressemblance me stupéfie ! Qui a pu fabriquer un faux aussi parfait ?

— Un autre document t'accuse, ajouta le roi. D'après une lettre anonyme, tu serais le chef du réseau terroriste de Memphis, décidé à me supprimer. Afin d'éloigner de toi les soupçons, tu aurais inventé le spectre de l'Annonciateur en t'inspirant d'un bandit aujourd'hui décédé.

Séhotep paraissait abasourdi au point de ne pas trouver une seule réplique.

— L'adjoint de Sobek et la hiérarchie policière réclament ton arrestation, révéla Sésostris. Ce papyrus leur suffit pour déposer une plainte auprès du vizir.

— L'offensive ne vous semble-t-elle pas grossière ? Si j'étais le monstre incriminé, je n'aurais pas eu la stupidité de signer mon forfait ! Et une lettre anonyme ne possède pas de valeur aux yeux de notre justice.

— Khnoum-Hotep se voit pourtant contraint d'ouvrir un

dossier, d'instruire la plainte te concernant et de te suspendre de tes fonctions.

— Majesté... doutez-vous de moi ?

— Te parlerais-je ainsi ?

Une joie intense anima le regard de Séhotep. Tant qu'il bénéficierait de la confiance du roi, il se battrait. Mais comment découvrir l'auteur du faux ?

— À cause de ton inculpation, poursuivit Sésostris, je dois renoncer à réunir tous les initiés du Cercle d'or. Ton siège demeurera vide jusqu'à la proclamation de ton innocence.

— Mon pire ennemi sera la rumeur. Les mauvaises langues vont se déchaîner ! Et l'hostilité de la police ne nous facilitera pas la tâche. Cette attaque ne me paraît plus aussi grossière... Le vizir, Senânkh et Nesmontou sont forcément les prochaines cibles de l'Annonciateur.

— La santé de Khnoum-Hotep se dégrade de manière irréversible, indiqua le monarque.

— Le docteur Goua...

— Cette fois, il s'avoue vaincu.

Optimiste de nature, Séhotep vacilla.

— C'est vous que le Mal veut frapper, Majesté ! En vous isolant, en écartant vos fidèles, en désorganisant un à un les services de l'État, en touchant à l'intégrité du Cercle d'or, il tente de vous fragiliser. Pas d'action massive, pas de lutte frontale, mais un poison savamment distillé, à l'efficacité redoutable. L'urgence impose de me remplacer, car la réputation de la Maison du Roi ne doit pas être souillée. Il faut aussi poursuivre les chantiers en cours.

— Je ne remplacerai personne, décréta le pharaon, et chacun restera à son poste. Te démettre serait avouer ta culpabilité avant même que le tribunal du vizir se prononce. Nous suivrons donc la procédure normale, applicable aux grands comme aux petits.

— Et si mon innocence n'était pas reconnue ? À supposer

qu'une partie de la police soit manipulée et se déchaîne contre moi, mes chances de succès s'annoncent bien faibles !

— Continuons à suivre le chemin de Maât, et la vérité éclatera.

Séhotep frissonna. Un vent mauvais soufflait sur le pays et menaçait de le ravager.

Imperturbable, le pharaon se préparait à un combat dont l'ampleur et l'intensité auraient effrayé le plus courageux.

15

Le commandant des forces spéciales d'Abydos arrêta Bina.

— Où vas-tu si vite ?

Elle lui sourit.

— Comme d'habitude, chercher au temple les nourritures que je dois apporter aux permanents.

— Plutôt fastidieux, non ?

— J'apprécie beaucoup mon travail et n'aimerais pas en changer.

— À ton âge, on ne parle pas ainsi ! Continue à donner satisfaction, et tu obtiendras une promotion.

— Je désire seulement me rendre utile.

— Allons, allons, ne joue pas les effarouchées ! J'ai bien envie de te fouiller à corps.

— Pour quelle raison ?

— Tu ne devines pas ? Une aussi belle fille ne saurait se contenter de servir leur petit déjeuner à de vieux prêtres uniquement préoccupés de rites et de symboles. À mon avis, tu rejoins un amoureux. Vu ma fonction, je veux connaître son nom.

— Désolée de te décevoir, je ne fréquente personne.

— Difficile à croire, ma jolie ! Que tu cherches à protéger l'heureux élu, je le comprends. Moi, je dois être informé de tout ce qui se passe à Abydos.

— Comment te convaincre de ton erreur ?

Le commandant croisa les bras.

— Admettons... En ce cas, tu envisages forcément de te marier.

— Rien ne presse.

— Détrompe-toi, Bina ! Ne te jette surtout pas dans les bras de n'importe quel coquin et prends conseil auprès d'un homme d'expérience.

— Toi, par exemple ?

— Beaucoup de séduisantes jeunes femmes me tournent autour. Je ne tiens bon qu'à cause de toi.

Bina fit mine de s'émouvoir.

— Je suis très touchée. Malheureusement, je ne perçois qu'un petit salaire et ne saurais me montrer digne d'un personnage de ton importance.

— Certains dignitaires n'épousent-ils pas des filles du peuple ?

La jolie brune baissa les yeux.

— Tu me prends au dépourvu ! Je ne peux te répondre.

Il lui caressa l'épaule.

— Ne te précipite pas, ma douce. Nous aurons tout le temps d'être heureux.

— Tu crois vraiment ?

— Fais-moi confiance, tu ne seras pas déçue !

— M'accordes-tu le droit de réfléchir ?

Le commandant eut un sourire béat.

— Décide-toi librement, petite caille. J'espère ne pas trop languir.

Bina s'échappa en se dandinant.

La situation se dégradait. Elle ne parviendrait pas à repousser très longtemps cet amateur de filles faciles. À chacune, il tenait un discours identique. Vite lassé, il passait de l'une à l'autre sans cesser de proposer le mariage le soir et d'oublier ses promesses au matin.

Bina espérait une intervention rapide de l'Annonciateur. Quand il lancerait l'attaque décisive contre Abydos, elle tuerait le commandant de sa main.

Empoisonnés, les quatre jeunes acacias n'émettaient qu'un faible champ de forces, incapable de gêner l'Annonciateur. La sensation de piqûres d'épingles, le long de ses jambes, l'amusa.

Ultime protection de l'arbre de vie : les quatre lions dont les yeux ne se fermaient jamais. Veilleurs infatigables, ils foudroyaient quiconque tentait de blesser l'acacia d'Osiris. Une hampe au sommet recouvert d'un cache, symbole de la Grande Terre, leur procurait une force redoutable.

L'Annonciateur se garda d'y toucher. Tant qu'il n'aurait pas tué Osiris, ce fétiche diffuserait une énergie dangereuse.

En revanche, pour avoir transformé Bina en lionne terrifiante, il ne craignait pas d'affronter les fauves. Sa seule incertitude concernait la stratégie à observer.

Chaque gardien arborait une expression différente. L'Annonciateur choisit le plus austère, au nord, et passa sur ses paupières un liquide rougeâtre composé d'ivraie, de sable de Nubie, de sel du désert et de sang de Bina. Il frotta patiemment le calcaire jusqu'à ce que la substance pénètre et rende aveugle le premier lion.

Les trois autres subirent le même sort. Sud, est et ouest perdirent la vue.

Bientôt, crocs et griffes seraient inopérants, et les gardiens réduits à l'état de pierres inertes.

Porteur de la palette en or, Iker célébra le rite du matin, assisté du Chauve. En sa compagnie, il vérifia le travail des permanents, puis les deux hommes méditèrent devant le tombeau d'Osiris.

— Tu n'as commis aucune erreur, remarqua le vieux ritualiste, et tu es vraiment devenu le Supérieur de notre confrérie.

— Je ne suis que l'envoyé du roi. C'est vous qui dirigez la hiérarchie.

— Plus maintenant, Iker. En un temps très court, tu as parcouru un immense chemin, évité mille et un écueils, écarté quantité d'obstacles et rempli une délicate mission. L'âge importe peu. Les permanents te reconnaissent désormais comme mon successeur, et je ne pouvais rêver mieux.

— Cette décision ne vous paraît-elle pas prématurée ?

— Certains êtres ont le loisir de se préparer à leurs tâches futures, d'autres apprennent à les maîtriser en les pratiquant. Ton destin t'impose de créer ton chemin en avançant. Tu désirais Abydos, Abydos te répond.

— Le Cercle d'or...

— Tu te trouves déjà à l'intérieur. Une ultime porte reste à franchir, lors de la célébration des mystères. Aussi leur préparation doit-elle être rigoureuse. Dès ce soir, nous procéderons à l'inventaire des objets indispensables. Ensuite, nous examinerons les phases du rituel.

Lorsque Iker regagna la petite maison blanche, Isis l'accueillit avec un merveilleux sourire, et ils s'enlacèrent aussitôt.

— Serai-je à la hauteur de ma tâche ? interrogea-t-il, inquiet.

— La question ne se pose pas. Qui pourrait se croire digne des grands mystères ? L'esprit d'Abydos nous appelle, notre cœur s'ouvre à sa lumière et nous accomplissons les rites en mettant nos pas dans les pas des ancêtres. Face à ce devoir essentiel, qu'importent nos états d'âme ?

Ils montèrent sur la terrasse, protégée du soleil par une toile de lin fixée à quatre colonnettes en bois.

Le bonheur, la parfaite réunion du quotidien et du sacré, de l'idéal et de son accomplissement.

Vivant du même regard et du même souffle, Isis et Iker remercièrent les divinités de leur accorder une telle chance.

— Ma Sœur du Cercle d'or m'accueille-t-elle vraiment sans réticence ?

— J'ai beaucoup réfléchi, s'amusa-t-elle, et beaucoup hésité. Comme tu semblais être le moins mauvais des postulants...

Il adorait le rire léger de sa voix et la douceur de ses yeux. L'amour né lors de leur première rencontre ne cessait de croître et de s'amplifier. L'un et l'autre savaient que le temps ne l'altérerait pas, au contraire.

De sournoises inquiétudes rattrapèrent le Fils royal.

— Béga m'a fait l'éloge de Gergou. Je ne lui ai pourtant rien caché de mes soupçons, en raison de ton jugement péremptoire.

— Surprenante réaction. Il ne fait jamais l'éloge de quiconque.

— Sa froideur ne le rend guère agréable, mais il me paraît sincère. Les livraisons de l'inspecteur principal des greniers respectent les exigences de Béga et lui donnent toute satisfaction. Subsiste cependant une zone d'ombre : Gergou est-il venu de lui-même à Abydos ou quelqu'un l'a-t-il mandaté ?

— L'opinion de Béga ?

— Il s'en moque, puisque Gergou travaille au mieux et passe les contrôles sans s'attirer la moindre critique.

— De la part d'un homme si pointilleux, une attitude étrange.

— Irais-tu jusqu'à dire : suspecte ?

— Non, je n'ai aucun reproche à lui adresser, sinon sa sécheresse de cœur.

— Apparence ou réalité ?

— Béga ne fréquente guère les prêtresses, précisa Isis. Il a néanmoins tenté d'acquérir ma sympathie, en pure perte.

— Étant donné ton rang, ne remâche-t-il pas sa rancœur ?

— Vu sa morosité chronique, difficile à diagnostiquer !

Rigueur personnelle et respect de la Règle ne devraient pas provoquer une telle absence de joie. Même le Chauve, en dépit de son caractère abrupt, ne manque ni de chaleur ni de gaieté.

— Béga me promet son aide. Il admet que mon arrivée et mon enquête ont provoqué de sérieux remous, aujourd'hui estompés.

— Souhaitons-le.

— Ton scepticisme m'intrigue !

— Tu méconnais ta puissance, Iker. Des ritualistes expérimentés s'inclinent devant toi parce qu'elle s'impose à eux. Ils se savent incapables de t'affronter, malgré ton jeune âge. Résignation chez les uns, frustration chez les autres. Et n'oublions pas la mise en garde du roi. Pas un instant ne relâchons notre vigilance.

— Je vais demander à Sobek le Protecteur de mener une enquête approfondie sur les agissements et les relations de Gergou. S'il trempe dans des affaires louches, nous le saurons. Quant à Béga, je lui accorderai une attention particulière. Tout au long de la préparation du rituel des mystères, je solliciterai ses conseils. La Supérieure des prêtresses d'Hathor consentira-t-elle à m'assister ?

— La Règle me l'impose, rappela-t-elle en souriant.

Depuis son arrivée à Abydos, la belle Nephtys dormait peu. Participation aux rites de sa communauté, préparation de nombreuses étoffes indispensables à la célébration des mystères, vérification du matériel symbolique en compagnie des permanents... Elle ne voyait pas les journées s'écouler et vivait des heures inoubliables, au-delà de ses espérances.

La rencontre d'Isis était une sorte de miracle. Elle la guidait, lui évitait des faux pas et lui facilitait la tâche en toutes circonstances. Entre les deux Sœurs régnait une telle communion de pensées qu'elles éprouvaient à peine le besoin de se parler.

Nephtys se rendit au temple des millions d'années de Sésostris afin d'y vérifier l'état des coupes et des vases dont certains seraient utilisés pendant le mois de khoiak. Elle s'adressa au superviseur des temporaires et demanda à voir le responsable.

Il la conduisit jusqu'à une chapelle où travaillait un bel homme de grande taille, distingué et hautain. De sa forte personnalité émanait un charme étrange auquel la jeune prêtresse fut immédiatement sensible. Soigneusement rasé, parfumé avec goût, vêtu d'un long pagne de lin immaculé, il avait des gestes doux et méticuleux.

Il achevait le nettoyage d'un admirable vase d'albâtre, datant de la première dynastie.

— Puis-je t'importuner ?

Le temporaire leva lentement les yeux, d'une surprenante et envoûtante couleur orangée.

— Je suis à votre disposition, répondit-il d'une voix suave.

— De combien de chefs-d'œuvre aussi anciens dispose le trésor de ce temple ?

— Une bonne centaine, la plupart en granit.

— En bon état ?

— Excellent.

— Donc utilisables lors d'un rituel ?

— À l'exception d'un seul que j'ai remis au maître sculpteur en vue d'une restauration. Pardonnez ma curiosité... Ne seriez-vous pas la sœur jumelle de la Supérieure des prêtresses d'Hathor ?

La jeune femme sourit.

— Nous nous ressemblons beaucoup. Je m'appelle Nephtys, et la reine m'a accordé l'immense privilège de remplacer une ritualiste décédée.

— Viviez-vous à Memphis ?

— En effet, et je ne regrette pas cette ville superbe. Abydos comble tous mes désirs.

— Je ne connais pas la capitale, mentit l'Annonciateur. Originaire d'un hameau voisin, j'ai toujours rêvé de servir la Grande Terre.

— Souhaites-tu devenir permanent ?

— Il faut des qualités que je ne possède pas. Je gagne ma vie en forant des vases. Deux ou trois mois chaque année, j'ai le bonheur de travailler ici. Peu importent les tâches que l'on me confie. L'essentiel consiste à se sentir proche du Grand Dieu.

— Je parlerai de toi au Chauve. Peut-être acceptera-t-il de t'employer plus longtemps.

— Un rêve ! Merci de votre aide.

— Comment t'appelles-tu ?

— Asher.

« Asher, "le bouillant". Un nom qui lui convenait, malgré son calme », pensa Nephtys. Ce séducteur devait déclencher bien des passions.

— À mon tour de me montrer indiscrète : es-tu marié ?

— Ma profession me rapporte trop peu pour nourrir une épouse et des enfants. Les rendre malheureux me désespérerait.

— Cet altruisme t'honore. Et si tu rencontrais une femme indépendante exerçant un métier, voire une temporaire d'Abydos ?

L'Annonciateur parut étonné, presque choqué.

— Je me concentre sur mon labeur et...

— Je t'en félicite, Asher. La technique du forage des vases de pierre dure me passionne. Acceptes-tu de m'en parler lors d'un dîner ?

L'impudence de cette femme était typiquement égyptienne. Sous le règne du vrai Dieu, une faute aussi grave serait immédiatement punie de coups de fouet, suivis d'une bastonnade et d'une lapidation. L'Annonciateur contint sa rage et demeura onctueux.

— Vous êtes une prêtresse, moi un simple temporaire, et je ne voudrais pas vous importuner.

— Demain soir te convient-il ?

Tout en décidant de châtier cette femelle, l'Annonciateur la trouvait très séduisante.

Il acquiesça

16

— Je n'y crois pas, déclara Sobek le Protecteur à son adjoint. Redonne-moi du faux-filet et une coupe de vin.

Bien qu'alité et officiellement proche du trépas, le chef de la police retrouvait son énergie à une vitesse incroyable. Le sang de bœuf et les fortifiants du pharmacien Renséneb lui réussissaient.

— Sauf votre respect, chef, vous vous trompez ! Les preuves sont criantes. Ne disposons-nous pas de la signature de Séhotep ?

— Le prends-tu pour un imbécile ? Il n'est pas homme à se comporter d'une manière aussi stupide !

— Si le coffre ne vous avait pas été envoyé par un ami sûr, vous vous seriez méfié. Les figurines devaient vous assassiner et détruire le papyrus. Ainsi, plus aucune trace du coupable.

Le raisonnement ne manquait pas d'intérêt.

— Les dieux vous protègent, chef, mais ne titillez pas trop le destin ! Il vous offre l'occasion de mettre hors d'état de nuire le criminel caché au cœur de la Maison du Roi.

— Séhotep, chef du réseau terroriste de Memphis... Impensable !

— Au contraire ! Voilà pourquoi nous ne parvenons pas à le démanteler. Premier informé des projets du pharaon, Séhotep prévenait ses complices en cas de danger. Vous supprimer devenait indispensable parce que vous vous rapprochiez de lui. À cause des enquêtes menées sur chaque dignitaire, il s'est affolé. En vous éliminant, il décapitait la police et stoppait net ses investigations. Un membre de la Maison du Roi ne sait-il pas manier la magie et animer des statuettes tueuses ?

Troublé, Sobek reprit de la viande saignante.

— Tes intentions ?

— Moi et mes camarades du corps d'élite de la police déposons plainte auprès du vizir Khnoum-Hotep. Faits établis, preuve matérielle, dossier clair et solide. Nous réclamons la mise sous contrôle judiciaire de Séhotep et sa comparution devant le tribunal, au grief de tentative d'assassinat avec préméditation.

— Sanction applicable : la peine de mort.

— Ne s'agit-il pas du juste châtiment d'un criminel de cette envergure ?

La Maison du Roi déshonorée, Sésostris affaibli, les fondations du pays ébranlées... Les conséquences d'une telle condamnation s'annonçaient désastreuses. Perspective réjouissante : privé de sa tête pensante, le réseau terroriste de Memphis serait contraint soit à la dispersion, soit à des réactions désordonnées, faciles à enrayer.

Et le cauchemar disparaîtrait.

Aucun doute possible : le dispositif de surveillance autour de la propriété de Médès avait été levé ! Grâce aux talents d'imitatrice de sa femme et à la lettre anonyme, les soupçons convergeaient vers Séhotep. La police se concentrait sur le haut dignitaire dont l'inculpation rendait inutiles filatures et enquêtes.

Médès triomphait. Séhotep n'offrait-il pas aux autorités un superbe bouc émissaire et une magnifique fausse piste ?

Désireux de venger le Protecteur, ses collègues ne lâcheraient pas leur proie.

Médès, lui, continuait à apparaître comme un fonctionnaire irréprochable et un parfait serviteur du monarque.

Méfiant, il fit procéder à plusieurs vérifications afin de s'assurer qu'aucun policier ne rôdait dans les parages, y compris à la nuit tombée.

Tranquillisé, il attendit que la maisonnée fût endormie, revêtit une tunique brune différente de celle qu'il utilisait d'ordinaire et se couvrit la tête d'un capuchon. En dépit des risques, un entretien avec le Libanais s'imposait.

Memphis dormait.

Soudain, des bruits de pas. Une patrouille !

Médès se plaqua contre la porte d'un entrepôt, en retrait des habitations. Les soldats passeraient peut-être près de lui sans le voir.

Il ferma les yeux, songeant aux explications à fournir en cas d'interpellation.

D'interminables minutes s'écoulèrent.

La patrouille avait fait demi-tour.

Médès changea dix fois d'itinéraire, jusqu'à obtenir la certitude de n'être pas suivi. Rasséréné, il se rendit chez le Libanais et respecta la procédure d'identification.

Le seuil passé, trois personnages rébarbatifs l'encadrèrent.

— Le patron ordonne de fouiller chaque visiteur, précisa un barbu.

— Hors de question !

— Dissimules-tu une arme ?

— Bien sûr que non.

— Alors, ne résiste pas. Sinon, on te bousculera.

L'apparition du Libanais rassura Médès.

— Que ces brutes s'écartent ! réclama le Secrétaire de la Maison du Roi.

— Qu'ils respectent mes instructions, exigea l'obèse.

Stupéfait, Médès se résigna.

En pénétrant dans le salon où ne figuraient ni pâtisseries ni grands crus, il apostropha son hôte.

— Serais-tu devenu fou ? Me traiter, moi, comme un suspect !

— Les circonstances m'imposent une prudence absolue.

Pour la première fois depuis qu'ils se connaissaient, Médès jugea le Libanais bien nerveux.

— L'action s'annonce-t-elle imminente ?

— À l'Annonciateur de décider. Moi, je suis prêt. Non sans difficulté, j'ai enfin réussi à relier mes divers groupes d'intervention.

— Grâce à mon stratagème, la police se braque contre Séhotep, accusé de diriger le réseau terroriste et d'avoir tenté d'assassiner Sobek le Protecteur.

— Aurait-il survécu ?

— Il est gravement blessé. La colère de ses proches collaborateurs nous servira. Inculper Séhotep revient à saper les fondations de la Maison du Roi. Même si Sésostris croit à l'innocence de son ami, le vizir appliquera la loi et paralysera ainsi une partie de l'exécutif.

Le Libanais s'apaisa.

— Un moment idéal... Pourvu que l'ordre de l'Annonciateur ne tarde pas trop ! Il faut m'aider davantage, Médès.

— De quelle manière ?

— Mon réseau a besoin d'armes. Des poignards, des épées et des lances en grande quantité.

— Difficile. Très difficile.

— Nous approchons du but, la tiédeur est exclue.

— J'étudierai le problème, sans garantie de résultat.

— Il s'agit d'un ordre, déclara sèchement le Libanais. Ne pas l'exécuter équivaudrait à une défection.

Les deux hommes se défièrent du regard.

Médès ne prit pas la menace à la légère. Pour l'heure, il devait accepter de perdre la face.

La victoire acquise, il se vengerait.

— Soudoyer les sentinelles de l'armurerie principale me paraît impossible. Je propose un raid sur l'entrepôt du port où transite la production des ateliers avant livraison à l'armée. Gergou recrutera des malfrats, ils attireront l'attention des sentinelles. Ensuite, à tes hommes d'intervenir.

— Trop voyant. Cherche une autre solution.

— Détourner un chargement destiné à une ville de province... Pas impossible. Substitution de bordereaux, donc modification de la nature de la cargaison. N'espérons pas réitérer ce genre de manipulation ! L'erreur sera forcément découverte, les responsables sanctionnés. Une fois, une seule fois, je parviendrai à me dédouaner en faisant accuser des innocents.

— Débrouille-toi et réussis. Ce n'est pas la police qui a menacé l'une de mes cellules, mais l'armée. Puisque Sobek le Protecteur ne nous gêne plus, il ne nous reste qu'un obstacle majeur à éliminer afin de démanteler la protection de Memphis. Privés de leur général légendaire, les officiers supérieurs s'entre-déchireront.

— Oserais-tu t'en prendre à Nesmontou ?

— Admirerais-tu l'un de nos pires ennemis ?

— Il bénéficie d'un degré de protection maximum !

— Justement pas. Se croyant invulnérable, le vieux Nesmontou se comporte comme un homme de troupe. Sa disparition ressemblera à un tremblement de terre. Armée et police en crise... Peut-on rêver mieux ?

Fidèle à ses habitudes, Nesmontou offrit un dîner de gala aux jeunes recrues. Vin rouge, bœuf en daube, purée de légumes, fromage de chèvre et pâtisseries arrosées d'alcool figuraient au menu. Le général raconta quelques souvenirs de batailles et vanta les mérites de la discipline, ferment des victoires. Assailli de questions, il y répondit volontiers et promit une exaltante carrière à ceux qui s'entraîneraient dur et ne rechigneraient devant aucun exercice, si éprouvant soit-il.

Des chansons à ne pas mettre dans toutes les oreilles clôturèrent ce banquet bien arrosé.

— Lever à l'aube et douche froide, annonça Nesmontou. Ensuite, course à pied et maniement d'armes.

Un jeune aux larges épaules s'approcha.

— Mon général, m'accorderiez-vous une immense faveur ?

— Je t'écoute.

— Mon épouse vient d'accoucher. Accepteriez-vous d'être le parrain de mon garçon ?

— Un vieux bonhomme comme moi ?

— Justement, ma femme pense que votre longévité sera une bénédiction pour le bambin. Elle aimerait tellement vous présenter notre fils ! Nous habitons tout près de la caserne, vous ne perdrez pas beaucoup de temps.

— Entendu, faisons vite.

Marchant d'un bon pas, la nouvelle recrue précéda le général.

Une première ruelle, une deuxième à droite, une troisième en biais, très étroite.

Lorsqu'un craquement sinistre déchira le silence, le jeune soldat détala.

— Attention ! hurla Sékari qui suivait les deux hommes, redoutant un attentat contre Nesmontou.

Entre poursuivre le terroriste et reculer, l'hésitation du général lui fut fatale. Les poutres d'un échafaudage désarticulé par les complices du faux soldat tombèrent sur Nesmontou, enseveli sous ce linceul de bois.

Sékari tenta de le dégager.

— Nesmontou... tu m'entends ? C'est moi, Sékari ! Réponds !

Poutre après poutre, l'agent secret redoublait d'efforts.

Enfin, le corps du général.

Nesmontou avait les yeux ouverts.

— Tu perds la main, mon garçon, marmonna-t-il. Cette petite ordure s'est enfuie. De mon côté, bras gauche cassé, hématomes et contusions multiples. Je peux me relever seul.

— Attentat bien préparé, jugea Sékari. Tu aurais dû y rester.

— Officiellement, j'y suis resté. Puisque les terroristes voulaient me tuer, donnons-leur satisfaction. La nouvelle de ma mort les incitera à sortir de leur tanière.

Signer l'acte d'inculpation de Séhotep, son Frère du Cercle d'or d'Abydos, était un déchirement pour le vizir Khnoum-Hotep, mais il devait appliquer la loi sans indulgence ni préférence personnelle. Et le dossier de l'accusation ne lui permettait pas de classer l'affaire.

Pourtant, l'innocence de Séhotep ne faisait aucun doute.

Suprême habileté de l'ennemi : manipuler la police et utiliser le système judiciaire égyptien afin de fissurer la Maison du Roi et de rendre Sésostris vulnérable. Cette défaite-là, le vizir ne la supportait pas. Aussi tenterait-il de convaincre Sobek que son adjoint et ses collègues, en portant plainte, prêtaient main-forte à l'Annonciateur.

Khnoum-Hotep eut un éblouissement. Pendant quelques instants, il perdit conscience.

Revenant à lui, il marcha en direction d'une fenêtre, s'y accouda et essaya vainement de respirer à fond.

Au milieu de sa poitrine, une douleur insupportable. Elle l'obligea à se rasseoir. Privé d'air, incapable d'appeler à l'aide, il sut qu'il ne se remettrait pas de ce malaise-là.

Les ultimes pensées du vizir s'envolèrent vers Sésostris, le priant de ne pas abandonner la lutte et le remerciant de lui avoir accordé tant de bonheurs.

Ensemble, ses chiens hurlèrent à la mort.

Bâtie à une cinquantaine de mètres au nord de la pyramide de Dachour, la splendide demeure d'éternité de Khnoum-Hotep accueillit la momie du vizir en présence de tous les membres de la Maison du Roi, de Médès et de Sobek le Protecteur.

Une chaleur lourde pesait sur le site. Préparée rapidement mais avec grand soin, la momie fut descendue au fond d'un puits et déposée dans un sarcophage.

Le roi en personne célébra les rites de funérailles. Après l'ouverture de la bouche, des yeux et des oreilles de la momie, il anima les scènes et les textes hiéroglyphiques de la chapelle où un prêtre du *ka* garderait vivante la mémoire de Khnoum-Hotep.

Ce décès offrait à Médès un formidable espoir. Séhotep hors jeu, Senânkh très attaché à son ministère et jugé irremplaçable, il n'avait plus de concurrent pour le poste de vizir. Considérant le Secrétaire de la Maison du Roi comme un travailleur infatigable et un dignitaire modèle, Sésostris élèverait à la dignité de Premier ministre un complice de l'Annonciateur !

La mort accidentelle du général Nesmontou ajoutait encore à la profonde tristesse de l'assemblée. Peinant à garder un visage de circonstance, Médès s'étonnait de la présence de Sobek. Mal en point, il s'appuyait sur une canne.

Quand il sortit de la chapelle, Sésostris contempla longuement la tombe de Khnoum-Hotep. Puis il s'adressa aux dignitaires.

— Je dois me rendre immédiatement à Abydos. Après tant d'événements tragiques, nous sommes tous conscients des périls qui menacent Memphis. En mon absence, le nouveau vizir assurera la sécurité des habitants et manifestera une extrême fermeté face à d'éventuels troubles. Puisse le successeur de Khnoum-Hotep se montrer digne de cet être d'exception. Toi, Sobek le Protecteur, inspire-toi de son exemple et remplis cette fonction aussi amère que le fiel.

17

Sirotant un vin doux et sucré, le Libanais se félicitait d'avoir traité Médès avec la rudesse nécessaire. Le Secrétaire de la Maison du Roi, trop habitué à son confort, ne s'assoupissait-il pas ? En enfonçant un aiguillon dans son incommensurable vanité, le chef du réseau terroriste de Memphis l'obligeait à démontrer l'ampleur réelle de son engagement et sa capacité d'action.

Et le résultat ne décevait pas le Libanais.

De quartier en quartier, la nouvelle stupéfiait Memphis : Nesmontou était mort. Attentat selon les uns, accident selon les autres. Décès de Khnoum-Hotep, mise en accusation de Séhotep, disparition du vieux général ! Le destin s'acharnait sur les proches de Sésostris, isolé et fragilisé. La nomination de Sobek le Protecteur au poste de vizir ne rassurait personne. Même s'il guérissait de ses blessures physiques et psychiques, ce dont beaucoup doutaient, il serait incapable d'assumer l'étendue de cette redoutable fonction. Un policier restait un policier, il ne s'occuperait que de sécurité et de répression, oubliant le social et l'économique.

Le régime se délitait.

Ce choix absurde prouvait l'affolement du roi qui, en temps

normal, aurait appelé soit Senânkh, soit Médès. Acculé à se défendre contre un ennemi insaisissable, le monarque abandonnait le pouvoir réel à un homme diminué qu'il croyait capable d'empêcher le pire.

Le Bouclé et ses commandos avaient regagné leur base du quartier situé au nord du temple de Neith. Patrouilles habituelles, indicateurs en maraude identifiés depuis longtemps, mais plus aucune présence militaire. Les émissaires de Sobek pouvaient fouiller et fouiller encore les maisons et les boutiques, ils ne trouveraient rien.

Sachant les porteurs d'eau, les coiffeurs et les vendeurs de sandales étroitement surveillés, le Libanais faisait circuler l'information et ses directives par l'intermédiaire des ménagères discutant au marché.

Ainsi s'établissait une liaison rapide entre les cellules, déjà sur pied de guerre. Impatients d'en découdre, les fidèles de l'Annonciateur rêvaient de conquérir Memphis en tuant un maximum d'impies. Le massacre des femmes et des enfants sèmerait une terreur telle que soldats et policiers ne parviendraient pas à endiguer le flot destructeur des tenants de la vraie croyance.

Le Libanais, lui aussi, commençait à s'impatienter. L'Annonciateur ne tardait-il pas à lancer l'offensive ? Son désir de frapper au cœur d'Abydos se heurtait forcément à de sérieuses difficultés, si sérieuses qu'elles le contraignaient peut-être à l'inertie.

La cicatrice barrant sa poitrine le brûla.

Dès qu'il doutait du chef suprême, elle devenait douloureuse.

Le Libanais vida sa coupe d'un trait.

Abydos, Memphis, la cité sacrée d'Osiris et la capitale, les centres de la spiritualité et de la prospérité : touchés à mort, ils entraîneraient l'effondrement du pays entier.

L'Annonciateur connaissait le jour et l'heure, lui, l'envoyé de Dieu. Ne pas le suivre aveuglément déclencherait sa colère.

Pour le Grand Trésorier Senânkh, directeur de la Double Maison blanche, un seul motif de satisfaction : l'économie de l'Égypte se portait à merveille. Fonctionnaires rémunérés au mérite, aucun avantage définitivement acquis, accent mis sur les devoirs et non sur les droits, artisanat et agriculture florissants, solidarité entre les métiers et les classes d'âge, volonté de respecter la Règle de Maât aux divers échelons de la hiérarchie et de sanctionner fraudeurs, corrupteurs et corrompus : le programme du pharaon s'appliquait peu à peu et produisait de bons résultats.

Senânkh ne s'en satisfaisait pas, car de nombreux problèmes subsistaient. Pourfendeur du laxisme et de la paresse, le ministre réveillait les énergies endormies.

Comment se réjouir de ses succès, au moment où l'on accusait son Frère et ami Séhotep de tentative de meurtre avec préméditation ? Et sa victime, Sobek, était à présent le vizir chargé de présider le tribunal ! Tenu de respecter la loi, il pourrait diriger les débats et prononcer la sentence. Invoquer un vice de forme ou le taxer de partialité exigerait une faute majeure du nouveau vizir.

Senânkh n'abandonnerait pas Séhotep à un sort injuste. En dépit de l'évidence de la manipulation, la machine judiciaire risquait de broyer le Supérieur de tous les travaux du roi.

Un seul recours possible : Sékari.

Les deux hommes se rencontrèrent dans une maison de bière du quartier sud. Personne ne leur prêta attention.

— Il faut sortir Séhotep de ce piège infernal. Tu as sûrement une idée, Sékari !

— Malheureusement non.

— Si tu renonces, toi, il est perdu !

— Je ne renonce pas, d'autres priorités m'appellent. J'espère démanteler d'ici peu une partie du réseau terroriste.

— En oubliant Séhotep ?

— L'accusation ne tiendra pas.

— Détrompe-toi, le vizir Sobek s'acharnera ! Menons une enquête parallèle.

— Sans l'aide de la police, difficile. Or, elle restera unie derrière le Protecteur.

— Nous n'allons pas demeurer inactifs !

— Un faux pas aggraverait la situation. Le départ du roi laisse le champ libre à Sobek.

Médès ne décolérait pas.

En raison de ses compétences et de ses qualités, le poste de vizir lui revenait. Une fois encore, omettant de reconnaître ses mérites, Sésostris lui infligeait une insupportable humiliation. Ce serait donc avec un immense plaisir qu'il assisterait à sa chute et à la naissance d'un nouveau régime dont il occuperait le centre.

L'élimination du Libanais ne poserait guère de problèmes. Celle de l'Annonciateur, en revanche, apparaissait délicate. Malgré l'étendue de ses pouvoirs, il avait forcément des faiblesses. Peut-être sortirait-il diminué du combat mené à Abydos et de la lutte finale contre Sésostris.

Médès se savait taillé pour un grand destin. Et personne ne l'empêcherait d'acquérir le pouvoir suprême.

En attendant, il s'acquittait de sa nouvelle mission : fournir davantage d'armes aux terroristes. L'annonce de la mort de Nesmontou lui facilitait la tâche, car les officiers supérieurs, démoralisés, commençaient à donner des ordres contradictoires. De nombreux soldats, assurant des missions de sécurité, venaient d'être rappelés à la caserne centrale. Et l'un des ateliers de remise en état des épées et des poignards, momentanément fermé, demeurait sans surveillance.

Profitant de l'aubaine, Médès confia à Gergou le soin de payer grassement des dockers peu regardants afin de vider le local et de déposer le matériel dans un entrepôt abandonné où les terroristes le récupéreraient. Le Secrétaire de la Maison du

Roi prouverait ainsi au Libanais sa capacité d'action, omettant de lui dire qu'il conservait une partie du stock, destinée à l'équipement de sa propre milice.

Cette opportunité évitait à Médès d'organiser l'opération complexe décrite au Libanais.

Décidément, la chance le servait.

Privé d'activité et assigné à résidence dans sa superbe villa, Séhotep ne se laissait pas aller. Chaque matin, il se livrait aux mains expertes de son barbier, prenait une douche, se parfumait et choisissait des vêtements élégants.

Plus de dîners en galante compagnie, plus de réceptions servant à recueillir les doléances instructives du Tout-Memphis, plus de voyages en province, de restaurations d'édifices anciens et d'ouvertures de nouveaux chantiers. L'érudit se plaisait à relire les classiques en y découvrant mille et une merveilles oubliées. Jamais le style des grands auteurs ne prenait le pas sur la pensée, jamais la forme ne devenait un artifice. La grammaire elle-même servait l'expression d'une spiritualité transmise depuis l'âge d'or des pyramides et sans cesse reformulée.

Ce trésor procurait à Séhotep la force d'affronter l'adversité. Et il gardait en mémoire l'enseignement du Cercle d'or d'Abydos qui l'avait emmené vers l'autre côté du réel. Au regard de l'initiation à la résurrection osirienne, qu'importaient ses malheurs ? Lors du rite de l'inversion des lumières, sa part d'humanité et sa part céleste s'étaient à la fois mariées et échangées. L'humain ne se restreignait pas à ses plaisirs et à ses souffrances, le divin ne se confinait pas à l'indicible. Le temporel devenait le petit côté de l'existence, l'éternel le grand côté de la vie. Quelles que soient les épreuves, il tenterait de les affronter avec détachement, comme si elles ne le concernaient pas.

Un rayon de soleil illumina un coffre en acacia décoré de fleurs de lotus finement ciselées. Séhotep sourit en songeant qu'un meuble semblable causait sa perte. Ce modeste chef-d'œuvre témoignait pourtant de la civilisation pharaonique, attachée à l'incarnation de l'esprit sous de multiples formes, d'un simple hiéroglyphe à une pyramide géante.

— Le vizir Sobek désire vous voir, le prévint son intendant.

— Fais-le monter sur la terrasse et sers-nous du vin blanc frais de l'an un de Sésostris.

Le Protecteur aurait pu convoquer Séhotep à son bureau, mais il préférait l'interroger chez lui en le poussant dans ses derniers retranchements.

Sobek percevait mal ce trentenaire racé au visage fin et aux yeux pétillants d'intelligence. Un autre élément le troublait : pourquoi Khnoum-Hotep n'avait-il pas signé l'acte d'inculpation ? Explication simple : les affres de l'agonie. Une main qui se contracte, incapable de concrétiser la volonté.

Autre hypothèse : le vizir ne croyait pas à la culpabilité de Séhotep et souhaitait poursuivre l'instruction avant de déférer un membre de la Maison du Roi devant le tribunal suprême de l'Égypte.

— Le juge interroge-t-il un coupable condamné d'avance, interrogea Séhotep, ou reste-t-il une fraction de doute ?

Renfrogné, Sobek fit les cent pas.

— Profite au moins de la vue, recommanda son hôte. De cette terrasse, on découvre le Mur blanc de Ménès, unificateur de la Haute et de la Basse-Égypte, et les nombreux temples de cette cité au charme inégalable.

Tournant le dos à Séhotep, Sobek s'immobilisa.

— J'admirerai le paysage une autre fois.

— Ne faut-il pas savoir profiter de l'instant ?

— Suis-je ou non face au chef du réseau terroriste de Memphis, coupable d'un nombre élevé de morts abominables ? Voilà ma seule question.

— Pour s'imposer, le nouveau vizir doit faire un exemple. Mon sort étant réglé d'avance, je jouis de mes dernières heures de liberté relative.

— Tu me connais mal, Séhotep !

— N'as-tu pas emprisonné Iker en l'accusant de traîtrise ?

— Regrettable erreur, je l'admets. Mes nouvelles fonctions m'incitent à davantage de prudence et réclament un maximum de lucidité.

Séhotep présenta ses poignets.

— Passe-moi les menottes.

— Tu avoues ?

— Quand la peine de mort sera prononcée, tu devras me tuer de tes mains, Sobek. Car je refuserai de me suicider et affirmerai mon innocence jusqu'à l'ultime seconde.

— Ta position me paraît intenable ! Oublies-tu les faits ?

— En termes de maquillage et de falsification, nos ennemis sont remarquables. Soumis à notre système judiciaire, nous en devenons les victimes !

— Nos lois te semblent-elles injustes ?

— Toute législation présente des points faibles. Aux juges, et particulièrement au vizir, de les minimiser en recherchant la vérité au-delà des apparences.

— Tu voulais m'assassiner, Séhotep !

— Non.

— Tu as fabriqué toi-même des figurines magiques, destinées à me tuer.

— Non.

— Après mon élimination, tu aurais supprimé Sa Majesté.

— Non.

— Depuis des mois, tu informais tes complices des décisions de la Maison du Roi et tu leur permettais d'échapper à la police.

— Non.

— Réponses un peu courtes, ne crois-tu pas ?

— Non.

— Ton intelligence ne te met pas à l'abri du châtiment suprême. Et les preuves sont accablantes.

— Quelles preuves ?

— La lettre anonyme me gêne, je te le concède. Elle respecte néanmoins une logique certaine, en accord avec les intentions des terroristes.

Séhotep se contenta de fixer le vizir droit dans les yeux.

Des regards appuyés, francs et directs s'affrontèrent.

— Tu as signé ta tentative de meurtre, et ma survie ne change rien à l'affaire. L'intention vaut l'action, et le tribunal ne montrera aucune indulgence. Mieux vaudrait avouer et me donner les noms de tes complices.

— Désolé de te décevoir, je suis fidèle au pharaon et n'ai commis aucun délit.

— Comment expliques-tu la présence de ton écriture sur le document que les figurines auraient dû détruire ?

— Combien de fois faudra-t-il le répéter ? L'ennemi utilise les talents d'un remarquable faussaire qui connaît bien les membres de la Maison du Roi. Il croit nous porter un coup fatal. Puisse le vizir ne pas se laisser abuser.

La sérénité de Séhotep surprit le Protecteur. Ne possédait-il pas une exceptionnelle capacité de dissimulation ?

— Pour efficace qu'elle soit, reprit l'accusé, cette manipulation est peut-être une erreur. N'oublie pas de scruter le comportement de tous mes proches. Seul l'un d'eux a pu disposer de mon écriture.

— Y compris tes maîtresses ?

— Je vais te procurer une liste exhaustive.

— Soupçonnes-tu aussi des dignitaires ?

— Au vizir d'appliquer la loi de Maât en privilégiant la vérité, quelles que soient les conséquences.

18

Les quatre jeunes acacias et les quatre lions annihilés, deux protections majeures subsistaient : le « fétiche » d'Abydos et l'or recouvrant le tronc de l'arbre de vie. Provenant de Nubie et du pays de Pount, le précieux métal perdrait son efficacité dès que l'Annonciateur aurait ôté le voile recouvrant le sommet de la hampe plantée au centre du reliquaire.

Impossible d'accomplir cette profanation avant d'avoir supprimé le nouvel Osiris désigné par les rites, à savoir le Fils royal et Ami unique Iker. Le jeune homme l'ignorait encore mais l'Annonciateur, lui, préparait ce moment depuis de longues années.

En choisissant ce garçon solitaire, attaché à l'étude de la langue sacrée, indifférent aux honneurs et capable de subir mille et une épreuves sans perdre rigueur et enthousiasme, il ne s'était pas trompé. Pourtant, il ne l'avait pas ménagé, l'envoyant plusieurs fois à une mort certaine afin de vérifier ses capacités.

Rien ni personne, pas même une mer en folie, une brute déchaînée, un faux policier, un complot ou quelque autre force de destruction, ne parvenait à abattre Iker. Transi de peur, roué de coups, humilié, accusé à tort, il se relevait et poursuivait son chemin.

Un chemin qui le conduisait à Abydos, le sanctuaire de la vie éternelle.

Pour lui, l'antre de la mort.

Cet anéantissement réclamait l'intervention de l'Annonciateur en personne et des confédérés de Seth. En mettant fin au processus de résurrection d'Osiris et en coupant tout lien avec l'au-delà, ils tueraient l'avenir de l'Égypte et détruiraient son œuvre. Malgré son courage, Sésostris serait impuissant.

Le monarque ne s'était pas trompé, lui non plus, en choisissant Iker comme fils spirituel, nouvelle incarnation d'Osiris et futur maître des grands mystères d'Abydos. Peu importait l'âge, puisque son cœur possédait l'amplitude de la fonction. Fort d'une longue expérience, le Chauve l'admettait et facilitait l'ascension du jeune homme.

Conscient des périls, Sésostris ne pouvait imaginer la stratégie de l'Annonciateur : Iker, à la fois ennemi irréductible des confédérés de Seth et arme majeure de la bataille décisive contre le pharaon, contre tous les pharaons ! En édifiant cet être à la manière d'un temple, le roi pensait dresser une muraille magique capable de contenir les assauts du Mal. Iker disparu, Abydos sans défense, l'Annonciateur porterait le coup fatal.

Son service au temple terminé, il se dirigea vers le réfectoire afin d'y déjeuner en compagnie d'autres temporaires, ravis de travailler à Abydos.

Aimable, bon camarade toujours prêt à rendre service, il jouissait d'une excellente réputation. Selon la rumeur, le Chauve ne tarderait pas à lui proposer un meilleur poste.

Marchant d'un pas tranquille, l'Annonciateur songeait au dîner chez Nephtys. À la qualité des mets s'ajoutait le charme de la jeune femme, à la fois grave et vive, d'une exceptionnelle intelligence. Il la mettrait dans son lit, en tirerait le maximum de plaisir.

Si elle refusait la vraie croyance, il lui jetterait lui-même la première pierre lors de sa lapidation en place publique. Il fallait exterminer les créatures impies, osant revendiquer le maintien de leurs libertés. Les converties, en revanche, seraient de cruelles guerrières, plus fanatiques que les mâles. Ignorant la pitié, elles s'inspireraient de l'exemple de Bina et massacreraient les réfractaires avec allégresse. Puis sortiraient de leurs ventres les légions de l'Annonciateur. Plus de contraception à l'égyptienne, plus de limitation des naissances, mais une démographie galopante. Seule régnerait la multitude, hurlante et manipulée.

— Désirez-vous un peu de sel ? demanda Bina.

— Volontiers.

La fureur emplissait les yeux de la jolie brune.

— Une contrariété ?

— Cette Nephtys... Elle tente de vous séduire !

— Son attitude te choque-t-elle ?

— Ne suis-je pas la reine de la nuit, la seule femme admise auprès de vous ?

L'Annonciateur la contempla d'un œil condescendant

— Tes rêveries t'égarent, Bina. Oublies-tu que la femme est une créature inférieure ? Seul l'homme peut prendre des décisions. De plus, un homme vaut plusieurs femmes et ne saurait donc se satisfaire d'une seule. Une épouse, en revanche, doit une absolue fidélité à son mari, sous peine d'être lapidée Tels sont les commandements de Dieu. L'État pharaonique a tort de refuser la polygamie et de donner aux femelles une place qu'elles ne méritent pas et qui les rend dangereuses. Le règne de la nouvelle croyance effacera ces erreurs.

L'Annonciateur caressa les cheveux de Bina.

— La loi divine t'impose la présence de Nephtys et de toute autre femme que je choisirai. Tu te soumettras, car ton progrès spirituel l'exige. Toi et tes semblables devez évoluer en commençant par obéir à vos guides dont je suis le chef suprême. Tu n'en doutes pas un instant, j'espère ?

Bina s'agenouilla et baisa les mains de l'Annonciateur.

— Faites de moi ce que vous voudrez.

À sa demande d'enquête sur Gergou, Iker venait de recevoir une réponse inquiétante, relatant l'agression contre Sobek le Protecteur, gravement blessé et incapable de prendre des décisions. Ainsi, le réseau terroriste de Memphis passait de nouveau à l'offensive !

Il communiqua aussitôt la mauvaise nouvelle à son épouse.

— Sobek se remettra, prophétisa-t-elle. Le pharaon expulsera de son corps la mauvaise magie et le docteur Goua le guérira.

— L'ennemi redevient menaçant !

— Il n'a jamais cessé de l'être, Iker.

— Si Sobek se rétablit, il suivra la piste de Gergou. Peut-être nous mènera-t-elle enfin à des chefs terroristes.

— Comment se comporte Béga ?

— De manière amicale et respectueuse. Il répond à mes questions sans détour et me facilite la tâche. Encore une journée de travail, et les préparatifs du rituel seront achevés.

Ils se regardèrent amoureusement.

— Pour la première fois, murmura Isis, tu vas diriger la cérémonie des mystères. Surtout, ni geste ni parole précipités. Deviens le canal où circulent les formules de puissance, l'instrument qui les joue en harmonie.

Iker se savait indigne d'une telle responsabilité, mais il ne se déroberait pas. Son existence ne ressemblait-elle pas à une succession de miracles ? Chaque matin, il remerciait les dieux. Vivre avec Isis, à Abydos, bénéficier de la confiance du roi, progresser sur le chemin de la connaissance, que pouvait-il demander de plus ? Des épreuves traversées subsistait une conscience aiguë du bonheur dont il savourait toutes les facettes, depuis un coucher de soleil aux côtés de son épouse jusqu'à la juste célébration d'un rite.

Les dons de fileuse et de tisserande de Nephtys touchaient à l'exceptionnel. Étoffes et vêtements utilisés pendant les mystères du mois de khoiak seraient d'une qualité éblouissante. Avare de compliments, le Chauve reconnaissait les dons de la jeune prêtresse.

Isis et sa Sœur vérifiaient l'inventaire, en quête de perfection. Rien ne devait manquer.

— Tu connais bien la plupart des temporaires, suggéra Nephtys.

— Plus ou moins, surtout les anciens et les fidèles.

— Je pense à un nouvel employé au temple des millions d'années de Sésostris. Un homme très beau, grand, beaucoup d'allure et de distinction, un charme fou... À l'extérieur, il fore les vases de pierre dure. Un métier difficile qu'il maîtrise de manière remarquable. Ici, on lui confie le nettoyage et l'entretien des coupes et des vases rituels. À mon avis, il mérite mieux. Il aurait même la trempe d'un permanent.

— Quel enthousiasme ! Ne serais-tu pas... séduite ?

— Possible.

— Certain !

— Nous avons dîné ensemble, avoua Nephtys, et nous nous reverrons bientôt. Il est intelligent, travailleur, attirant, mais...

— Un détail te gênerait-il ?

— Sa douceur me paraît excessive, comme si elle masquait une violence soigneusement dissimulée. J'ai probablement tort.

— Écoute ton intuition avant d'aller plus loin.

— Toi, as-tu éprouvé des sensations similaires vis-à-vis d'Iker ?

— Non, Nephtys. Je savais seulement que son amour était grave, absolu, et qu'il réclamait un engagement total. Cette puissance-là m'effrayait, je ne voyais pas clair en moi et ne voulais pas lui mentir. Pourtant, je songeais souvent à lui, il me manquait. Peu à peu, ce lien magique s'est transformé en amour. Et j'ai compris qu'il serait le seul homme de ma vie.

— Rien n'ébranle ta certitude ?

— Au contraire, elle se renforce chaque jour davantage.

— Tu as beaucoup de chance, Isis. J'ignore si mon beau temporaire me donnera autant de bonheur !

— N'oublie pas ton intuition.

Tel un fauve perpétuellement sur ses gardes, Shab le Tordu sentit qu'on approchait de sa cachette.

Écartant l'une des branches basses dissimulant l'entrée de la chapelle, il aperçut la lourde silhouette de Béga.

Le Tordu n'appréciait guère ce grand type laid et se demandait comment son regard fourbe pouvait tromper les prêtres permanents. À leur place, il se serait méfié de ce rigoriste aux ambitions rentrées. Béga imaginait un brillant avenir à la tête d'un clergé épuré, mais il se trompait lourdement. L'épuration, Shab s'en chargerait. Et le grand laid ferait partie des premiers condamnés. Ne faudrait-il pas effacer toute trace du passé afin de construire un monde répondant aux vœux de l'Annonciateur ?

— Tu es seul ? interrogea la voix méfiante du Tordu.

— Seul, tu peux te montrer.

Poignard à la main, les nerfs tendus, Shab obtempéra.

— Une belle occasion se présente, indiqua le permanent. Prépare-toi à tuer Iker.

Portant des masques de chacal, deux ritualistes remplissaient le rôle d'Ouvreurs des chemins [1], l'un en relation avec le Nord, l'autre avec le Sud.

---

1. Oup-ouaout.

— Que soit accomplie votre sortie ! ordonna Iker. Avancez et prenez soin de votre père Osiris.

Chargé de ramener la déesse lointaine enfuie dans les profondeurs de la Nubie et de transformer la lionne terrifiante en chatte paisible, un lancier[1] protégeait les chacals. Près d'eux, Thot à tête d'ibis détenait les textes magiques indispensables pour écarter les forces obscures décidées à démanteler la procession osirienne.

Au centre, la barque d'Osiris[2]. Elle traverserait une partie du site, voguerait sur le lac sacré et relierait le visible à l'invisible. « En vérité, proclamait Thot, le maître d'Abydos ressuscitera et apparaîtra en gloire. »

Ses couronnes consolidées, le dieu reposait à l'intérieur de la chapelle installée au milieu de la barque.

— Que soit sacralisé le chemin menant au bois sacré, exigea Iker.

Fut amené un grand traîneau de bois sur lequel on déposerait la barque, de sorte qu'elle parcoure la voie de terre, élargissant ainsi le cœur des habitants de l'Orient et de l'Occident. Ils verraient sa beauté, lors de son retour à sa demeure d'éternité, purifiée et régénérée. Pendant « la nuit d'étendre le dieu et de lui offrir la plénitude », le travail de la Demeure de l'or prendrait tout son sens.

Restait à mimer l'affrontement entre les suivants d'Osiris et les confédérés de Seth. S'armant d'un bâton au bout pointu appelé « grand de vigueur », Iker rassembla les premiers, face à la cohorte de leurs adversaires.

Une perruque rousse, les sourcils et la moustache teints en roux, vêtu d'une tunique de lin grossier, Shab le Tordu était

1. Onouris.
2. La *neshemet*.

méconnaissable. Mêlé aux temporaires, équipé d'un bâton court, il n'avait d'yeux que pour Iker.

D'abord, le frapper violemment à la nuque ; ensuite, en faisant mine de le secourir, l'étrangler avec un lacet de cuir. Il faudrait agir vite, très vite. Profitant de l'effet de surprise, Shab parviendrait à s'enfuir.

— Renversons les ennemis d'Osiris ! ordonna Iker. Qu'ils tombent sur leurs visages et ne se relèvent pas !

De part et d'autre, on prenait son rôle au sérieux, mais sans appuyer les coups. Les bâtons s'élevaient et s'abaissaient en cadence, suivant le rythme d'une sorte de danse.

Le Tordu fut obligé d'imiter ses acolytes.

Un à un, les partisans de Seth s'effondrèrent.

Furieux de se laisser prendre au piège de ce rituel dont il ignorait le déroulement précis, Shab devait forcer les rangs des partisans d'Osiris et fracasser le crâne d'Iker.

Malheureusement, le Fils royal disposait d'une arme redoutable. Et le Tordu n'affrontait jamais un adversaire de face.

Contraint de renoncer, il lâcha son bâton et s'allongea sur le sol.

Terrassés, les confédérés de Seth ne s'opposaient plus à la procession. Elle se dirigea vers le tombeau d'Osiris.

Les vaincus se relevèrent et s'époussetèrent.

— Tu en as mis du temps pour tomber ! s'étonna un ritualiste. Lors de la vraie cérémonie, ne tarde pas tant.

— Ne doit-on pas combattre davantage ? demanda Shab.

— Ton rôle de Séthien te monte à la tête, mon gars ! Seule compte la signification de l'acte rituel. Rentre chez toi, prends une douche fraîche et débarrasse-toi de tout ce roux. Ici, on n'apprécie guère cette couleur.

Le Tordu aurait volontiers étranglé ce donneur de leçons, mais il lui fallait se montrer patient.

Déçu, il regagna sa cachette, espérant que l'Annonciateur lui pardonnerait cet échec.

19

Une tempête de sable recouvrait Abydos d'un manteau ocre. Il devenait difficile de se déplacer, la visibilité se réduisait de plus en plus.

Pourtant, Iker se rendit chez Béga qui l'avait invité à dîner afin, selon ses dires, de lui transmettre des informations décisives pour l'avenir d'Abydos.

— Vous devriez vous mettre à l'abri, lui conseilla le commandant des forces spéciales, en tournée d'inspection. Jamais vu un pareil déchaînement !

— Béga m'attend.

— Dépêchez-vous.

L'officier redoutait accidents et malaises. Retenues à la caserne, ses patrouilles ne pourraient pas intervenir.

Alors qu'il rebroussait chemin, il aperçut la silhouette d'une femme.

Il s'approcha.

— Bina ! Ne reste pas dehors, c'est dangereux.

— Je désirais vous voir.

Flatté, l'homme sourit.

— Une urgence ?

Elle se dandina, sensuelle.

— Je crois...

— Accompagne-moi. Je vais te secourir.

La jolie brune se suspendit au cou du commandant et sollicita un baiser.

— Pas ici, avec cette tempête !

— Ici et maintenant.

Émoustillé, l'officier fit glisser les bretelles de la robe sur les épaules mordorées.

Au moment où il lui embrassait les seins, le lacet de cuir de Shab le Tordu, attaquant par-derrière, lui enserra la gorge.

La mort fut douloureuse et rapide.

Puisqu'il connaissait la destination d'Iker, le commandant était condamné. Et, de toute manière, Bina voulait son exécution. Elle ne supportait plus ses regards obscènes.

Peu accueillante, la modeste demeure de Béga aurait eu besoin d'une sérieuse réfection. À la surprise d'Iker, l'austère personnage avait préparé une sorte de banquet. Sur une longue table en bois, recouverte d'un drap, étaient disposés deux jarres de vin, et des plats de viande, de poisson, de légumes et de fruits.

— Heureux de vous recevoir, Fils royal. Ce soir, nous festoyons.

— Que fêtons-nous ?

— Votre triomphe, bien sûr ! Ne venez-vous pas de conquérir Abydos ? Buvons à cette immense victoire.

Iker accepta une coupe. Il jugea le vin légèrement amer, mais n'osa formuler aucune critique.

— Ces termes-là me surprennent et me choquent, avoua-t-il. Je ne suis pas un conquérant, il ne s'agit pas d'une guerre. Mon unique désir consiste à servir Osiris et Pharaon.

— Allons, allons, ne jouez pas les modestes ! À votre âge,

Supérieur des prêtres permanents d'Abydos, quelle incroyable destinée ! Mangez et buvez, je vous en prie.

Iker n'appréciait guère l'ironie mordante de son hôte.

Irrité, il picora du poisson séché, quelques feuilles de salade, et rebut du vin, toujours aussi amer.

— Que souhaitiez-vous m'apprendre, Béga ?

— Vous semblez bien pressé ! Si cette tempête s'aggrave, vous ne pourrez pas rejoindre votre domicile. Je vous offre volontiers l'hospitalité.

— Alors, ces révélations capitales ?

— Elles le sont, croyez-moi !

Le regard de Béga devenait franchement agressif. Une méchanceté glaciale l'animait, comme s'il parvenait enfin à atteindre un but pervers, longtemps jugé inaccessible.

— Pourriez-vous vous expliquer ?

— Pas d'impatience, tu obtiendras la totalité des explications ! Laisse-moi savourer ce moment. Ton triomphe n'est qu'apparent, jeune ambitieux. En volant le poste qui me revenait de droit, tu as commis une faute impardonnable. Maintenant, tu vas payer.

Iker se leva.

— Vous perdez la tête !

— Regarde, au creux de ma main.

Un instant, la vue d'Iker se brouilla.

Sans doute les effets de la fatigue et du mauvais vin.

Puis la paume de Béga redevint nette. Y était gravée une minuscule et surprenante figure.

— On dirait... Non, impossible ! La tête... la tête du dieu Seth !

— Exact, Fils royal.

— Qu'est-ce que... qu'est-ce que ça signifie ?

— Rassieds-toi, tu vacilles.

Contraint de s'exécuter, Iker se sentit un peu mieux.

Béga le contemplait avec férocité.

— Ça signifie que je suis un confédéré de Seth et membre

de la conspiration du Mal, comme Médès et Gergou. Superbes révélations, non ? Et tu n'es pas au bout de tes surprises.

Abasourdi, Iker respirait difficilement. Son sang le brûlait. Il mit ces désordres sur le compte de la stupéfaction. Comment imaginer tant de noirceur de la part d'un permanent ? Pharaon ne s'était pas trompé. Le Mal prospérait au cœur même d'Abydos.

Apparut un homme de grande taille, imberbe et le crâne rasé. Ses yeux rouges fixèrent Iker.

Béga s'inclina.

— Cette fois, maître, rien ni personne ne sauvera le Fils royal.

— Qui êtes-vous ? demanda le jeune homme.

— Réfléchis, recommanda une voix douce. L'énigme ne me paraît pas difficile à résoudre.

— L'Annonciateur ! L'Annonciateur, ici, sur la terre sacrée d'Abydos...

— Tu as triomphé des pires épreuves, Iker, et vaincu de multiples dangers. En te choisissant, je ne me suis pas mépris. Aucun autre homme n'aurait pu accomplir de tels exploits. Te voici parvenu au terme de ton exceptionnel destin, héritier et successeur de Pharaon, légataire des grands mystères, fils spirituel irremplaçable. C'est pourquoi tu dois disparaître. Privé d'avenir, Sésostris s'effondrera et entraînera l'Égypte dans sa chute.

Rassemblant ses ultimes forces, Iker empoigna sa coupe et tenta de frapper le monstre.

Surgissant derrière lui, Shab le Tordu le ceintura, l'obligea à lâcher son arme improvisée et à se rasseoir.

— Ta puissance s'évanouit, indiqua l'Annonciateur. Les textes du laboratoire du temple de Sésostris m'ont beaucoup appris. En matière de toxicologie et de poisons, les savants égyptiens sont remarquables. Leur utilisation thérapeutique du venin des serpents et des scorpions mérite l'admiration. J'ai gâché le goût de ce grand cru en y versant une substance mortelle, et la nouvelle religion proscrira toute consommation de vin et d'alcool. Ainsi périras-tu à cause des mœurs dissolues de ce pays maudit.

Bina apparut à son tour.

— Enfin, te voilà terrassé, incapable de lutter ! Tu pensais atteindre le sommet, ta déchéance me ravit.

Couvert de sueur, paralysé, Iker sentait la vie le quitter.

— Avant que le néant t'engloutisse, reprit l'Annonciateur, je dois te décrire le futur proche. Grâce à ta disparition, le socle des Deux Terres subira d'irréparables fissures. Effondré, Sésostris sera la proie du malheur. Ses proches l'abandonneront, Memphis subira la colère de mes disciples. Seuls survivront les convertis à la vraie religion, infidèles et incroyants périront. Sculpture, peinture, littérature, musique seront interdites. On recopiera mes paroles, on les prononcera sans cesse, et il n'y aura pas besoin d'autre science. Quiconque oserait douter de ma vérité sera exécuté. Créatures inférieures, les femmes resteront confinées dans leurs demeures, serviront leurs maris et leur donneront des milliers de mâles afin de former une armée de conquérants qui imposera notre foi au monde entier. Plus un pouce de leur corps ne sera dénudé, chaque homme choisira autant d'épouses qu'il le souhaitera. L'or des dieux me permettra de développer une nouvelle économie, assurant la richesse à mes fidèles. Et surtout, Iker, Osiris ne ressuscitera plus.

— Tu te trompes, démon ! Ma mort ne changera rien, le pharaon te détruira.

L'Annonciateur sourit.

— Tu ne sauveras pas ton monde, petit scribe, car je l'ai condamné. Moi, je suis indestructible.

— Tu te trompes... La lumière... la lumière te vaincra.

Les lèvres d'Iker se serrèrent. Du feu parcourait ses veines, ses membres se tétanisaient, sa vue s'éteignait.

La mort ne l'effrayait pas, puisqu'il avait rejeté le Mal.

Il implora le pharaon, son père, et adressa ses ultimes pensées à Isis, si proche et si lointaine. Il grava son amour dans un ultime soupir, certain qu'elle ne l'abandonnerait pas.

Béga fut le premier à examiner le cadavre.

— Il ne nous gênera plus, constata-t-il, glacial.

D'un geste brutal, il arracha le collier d'or du Fils royal et piétina l'amulette représentant le sceptre Puissance. Puis il ôta le drap et découvrit un sarcophage en bois.

Avec l'aide de Shab, il y déposa le corps d'Iker.

— Emportez-le, ordonna l'Annonciateur, et déposez-le près du temple de Sésostris. Il me reste de nombreuses tâches à accomplir.

— La tempête redouble d'intensité, déplora Bina, inquiète.

Il lui caressa les cheveux.

— Crois-tu qu'un banal vent de sable m'empêchera de violer la tombe d'Osiris ?

— Soyez prudent, seigneur ! On prétend que la protection magique de ce lieu empêche quiconque de s'approcher.

— Iker disparu, la transmission de l'esprit brisée, nulle muraille, visible ou invisible, ne me résistera.

Le sable pénétrait partout.

Fenêtres et porte fermées, Isis renonça à le chasser. Il faudrait attendre la fin du mauvais temps pour s'attaquer à l'intrus.

Les hurlements du vent firent frissonner la jeune femme. Il véhiculait plaintes et gémissements, se ruait à l'assaut des bâtiments et ne connaissait aucun répit.

Isis éprouva une brutale inquiétude.

Pourquoi Iker ne rentrait-il pas ? Occupé à régler de multiples détails, il préférait peut-être demeurer au temple jusqu'à la fin de la tourmente.

Soudain, la prêtresse ressentit une violente douleur qui lui déchira le cœur. Obligée de s'asseoir, elle peina à reprendre son souffle.

Jamais une anxiété d'une telle ampleur ne l'avait accablée.

Sur une table basse, la palette en or brillait d'un étrange éclat. Surmontant sa souffrance, Isis la prit en main.

S'était inscrit le hiéroglyphe du trône, servant à écrire son nom.

Iker l'appelait.

D'angoissants souvenirs l'envahirent. Aujourd'hui décédé, le vieux Supérieur ne lui avait-il pas annoncé qu'elle ne serait pas une prêtresse comme les autres et que lui incomberait une périlleuse mission ? Non, elle ne devait pas se laisser accabler. Une simple tempête de sable, un simple retard de son époux, un simple malaise dû à un excès de travail... Isis s'humecta le visage d'eau fraîche et s'allongea sur son lit.

La palette en or, son nom, l'appel d'Iker... Elle ne pouvait rester inerte.

Se revêtant de sa longue robe blanche de prêtresse d'Hathor, elle noua autour de sa taille une ceinture rouge et se chaussa de sandales de cuir.

La violence du vent perdurait, le sable cinglait son visage.

Impossible de discerner son chemin à plus de cinq pas ! Elle aurait dû renoncer, mais Iker n'avait-il pas besoin d'elle ? Leurs esprits et leurs cœurs étaient si intimement liés que, même séparés, ils demeuraient proches l'un de l'autre.

Or, depuis quelques instants, Iker s'éloignait. Ne risquait-elle pas de le perdre ?

Bravant la tempête, elle progressa en direction du temple des millions d'années de Sésostris. Se heurtant à des difficultés imprévues, le Fils royal ne tentait-il pas de les résoudre, oubliant les heures ? En compagnie des ritualistes, n'approfondissait-il pas chaque épisode des mystères ?

Aucune de ces pensées ne l'apaisa.

À chaque pas, elle percevait davantage une tragédie. Le Mal venait de frapper Abydos.

Jamais la nuit n'avait été aussi ténébreuse.

« Tu vivras de terrible épreuves, prédisait la reine, tu dois connaître les paroles de puissance pour lutter contre les ennemis visibles et invisibles. »

Un dallage.

L'allée conduisant au temple.

Elle connaissait ces lieux mieux que quiconque. Pourtant, elle hésita à continuer.

À proximité du premier portail, son pied heurta un sarcophage. Sur le couvercle, peinte à l'encre rouge, une tête de Seth.

Fébrile, la prêtresse fit coulisser le couvercle.

À l'intérieur, un cadavre.

Espérant se tromper, Isis ferma les yeux quelques instants.

— Non, Iker, non...

Elle osa le toucher et l'embrasser.

Ôtant sa ceinture, elle en forma un nœud magique et le déposa sur le corps afin de maintenir le lien entre son âme et celle du défunt. Puis elle passa une bague en forme de croix de vie au médius de la main droite de son mari.

Sortant de la brune ocre, un géant s'avança.

— Majesté...

Sésostris serra sa fille contre lui.

Elle pleura, comme jamais femme n'avait pleuré.

LA QUÊTE D'ISIS

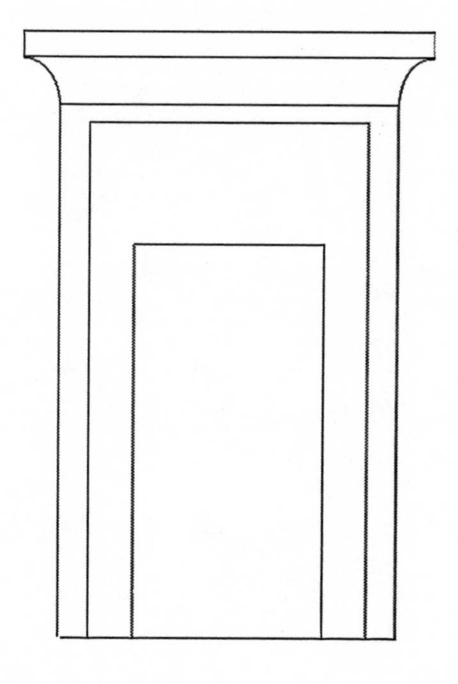

20

Pressentant un désastre, le pharaon redoutait d'arriver trop tard. De pénibles conditions de navigation l'avaient empêché d'atteindre Abydos à temps.

Et l'adversaire venait de le frapper au cœur.

En tuant Iker, il assassinait l'avenir de l'Égypte.

Isis contempla le ciel.

— Celui qui tente de séparer le Frère de sa Sœur ne triomphera pas. Il veut me briser et me précipiter dans le désespoir. Je l'écraserai, car il détruit le bonheur et le moment juste. La mort n'est-elle pas une maladie dont on peut guérir ? Il faut ramener Iker à la vie, Majesté, en utilisant le Grand Secret.

— Je partage ta douleur, mais ne demandes-tu pas l'impossible ?

— Le *ka* ne passe-t-il pas de pharaon en pharaon ? N'existe-t-il pas qu'un seul pharaon ? Si cette puissance animait Iker, nous pouvons tenter de la faire renaître. Au moins dans un cas, celui du maître d'œuvre Imhotep, toujours vivant depuis le temps des pyramides, son *ka* n'a cessé d'être transmis d'initié en initié, et il demeure l'unique fondateur de temples.

— L'urgence consiste à effacer les causes de la mort et à

stopper le processus de dégradation. Apporte le linceul osirien prévu pour la célébration des mystères et rejoins-moi à la Maison de Vie.

Les gardes d'élite qui escortaient le monarque transportèrent le sarcophage jusqu'à l'entrée du bâtiment.

La tempête de sable se calmait enfin.

— Majesté, le prévint un officier, nous venons de retrouver le cadavre du commandant des forces de sécurité. Il a été étranglé.

Le visage du roi resta indéchiffrable.

Ainsi, comme il le supposait, l'ennemi s'était introduit au sein même de la cité d'Osiris.

— Réveille tous les gardes, demande des renforts aux villes les plus proches et boucle l'ensemble du territoire d'Abydos, désert compris.

Fripé, boitillant, le Chauve s'inclina devant le roi.

Son regard se porta sur le sarcophage.

— Iker ! Est-il...

— Les complices de l'Annonciateur l'ont assassiné.

Le Chauve parut brusquement très vieux.

— Ils se cachent donc parmi nous, et je n'ai rien vu !

— Nous allons mettre en œuvre les rites du Grand Secret.

— Majesté, ils ne sont applicables qu'au pharaon et à des êtres d'exception, tels Imhotep ou...

— Iker n'en fait-il pas partie ?

— Si nous nous trompons, il sera anéanti !

— Isis désire livrer ce combat. Et moi aussi. Hâtons-nous, je dois repousser la mort[1].

Le Chauve ouvrit la porte de la Maison de Vie.

À la vue du pharaon, la panthère, gardienne des archives sacrées, ne manifesta aucune agressivité.

Dès qu'Isis le rejoignit, porteuse d'un coffre en ivoire et en

1. Tous les rites évoqués par la suite sont décrits dans les documents égyptiens (temples, tombes, stèles, papyrus).

faïence bleue, le roi souleva le corps du défunt et le transporta à l'intérieur de l'édifice. En ce lieu où s'élaborait la parole joyeuse, où l'on vivait du Verbe, où l'on distinguait les mots en leur donnant tout leur sens, le pharaon méditait, lisait et créait les rituels peaufinés par les permanents au fil des âges.

Il déposa la dépouille de son fils spirituel sur un lit en bois décoré de figures divines, armées de couteaux. Aucun mauvais génie n'agresserait le dormeur.

— Vêtez-le de la tunique osirienne, ordonna le monarque à Isis et au Chauve. Que sa tête repose sur le chevet de Chou, l'air lumineux à l'origine de toute vie.

Isis ouvrit le coffre et déploya le vêtement de lin royal qu'Iker aurait offert à Osiris lors de la célébration des mystères. La jeune femme avait lavé et repassé le précieux tissu. Seule une initiée aux mystères d'Hathor pouvait manier cette étoffe étincelante comme une flamme.

Sueur de Râ, expression de la lumière divine, ce linceul purifiait et rendait imputrescible.

À la stupéfaction du Chauve, le visage d'Iker, les yeux grands ouverts, demeurait paisible.

La flamme de ce tissu sacré aurait dû consumer sa chair et mettre fin aux espoirs fous d'Isis.

Elle le regardait et lui parlait, bien qu'aucun mot ne sortît de sa bouche. Cette première épreuve traversée, Iker continuait à lutter dans un espace qui n'était ni la mort ni la renaissance.

Certes, son épouse aurait pu se contenter des rites permettant à l'âme des justes de revivre dans les paradis de l'au-delà. Mais cette mort-là, cet assassinat, était l'œuvre du Mal. Ne se contentant pas de supprimer un homme, il visait à détruire le fils spirituel de Pharaon et le destin qu'il incarnait.

Isis percevait la désapprobation du Chauve et connaissait l'étendue des risques. L'épreuve du suaire ne traduisait-elle pas l'adhésion d'Osiris et le consentement d'Iker ?

Quand apparut un géant portant le masque d'Anubis, le chacal connaissant les beaux chemins de l'Occident et les routes de l'autre monde, Isis et le Chauve se retirèrent et allèrent chercher dans le Trésor de la Maison de Vie les objets indispensables à la poursuite du rituel.

— Je rassemble les chairs de l'âme complète, proclama Sésostris, je guéris de la mort, façonne le soleil, pierre d'or aux rayons fécondateurs, et pétris la pleine lune, renouvellement incessant. Je te transmets leurs forces.

Jusqu'à l'aube, le pharaon imposa les mains et magnétisa Iker.

Momifié, figé entre deux mondes, le cadavre ne dépérissait plus.

Le Chauve remit au roi un bâton coudé peint en blanc, décoré d'anneaux rouges. Sésostris plaça cet « extenseur droit[1] » sous le dos d'Iker. Il se substituait à sa colonne vertébrale et à sa moelle épinière, de sorte que le magnétisme continue à circuler et à repousser le froid du trépas.

Isis présenta à son père une peau d'animal qu'Anubis lacéra avant d'en envelopper le corps de son fils.

— Seth est présent, déclara-t-il. Après t'avoir tué, il te protège. Désormais, il ne t'infligera aucune blessure. Son feu destructeur te préserve de lui-même et conserve la chaleur de la vie. Que soient appliquées les sept huiles saintes.

Réunies, elles reformaient l'œil d'Horus, unité triomphant de la dispersion et du chaos. Du petit doigt, Isis toucha les lèvres d'Iker et lui insuffla les énergies des huiles « parfum de fête », « jubilation », « châtiment de Seth », « union », « support », « la meilleure du pin » et « la meilleure de Libye ».

Anubis ôta le couvercle du vase que lui donna le Chauve. Il contenait la quintessence des minéraux et des métaux, résultant des travaux alchimiques de la Demeure de l'or.

— Je t'enduis de cette substance divine, dosée pour ton *ka*. Ainsi deviens-tu une pierre, lieu des métamorphoses.

Utilisant une herminette en métal céleste, Anubis débou-

1. *Pedj-âhâ.*

cha les canaux du cœur, les oreilles et la bouche d'Iker. De nouveaux sens furent éveillés, douze canaux se rejoignant au cœur procurèrent du souffle et formèrent une enveloppe protectrice.

Devenu corps osirien à l'abri de la corruption, Iker demeurait cependant loin de la résurrection. Il fallait faire rayonner cet être, l'animer d'une lumière d'avant toute naissance.

Enlevant son masque de chacal, le pharaon prononça la première formule des *Textes des Pyramides*, déclencheuse du processus de résurrection de l'âme royale :

— Tu n'es certes pas parti en état de mort, tu es parti vivant[1].

Et Isis ajouta :

— Tu es parti, mais tu reviendras. Tu dors, mais tu t'éveilleras. Tu abordes au rivage de l'au-delà, mais tu vis[2].

Le Chauve laissa seuls le père et la fille.

— La mort est née, déclara Sésostris. Donc, elle mourra. Ce qui rayonne au-delà du monde apparent, au-delà de ce que nous appelons « vie » et « mort », ne subit pas le néant. Les êtres d'avant la création échappent au jour de la mort[3]. Seul ressuscite ce qui n'est pas né. Aussi l'initiation aux mystères d'Osiris ne se présente-t-elle pas seulement comme une nouvelle naissance et le passage à travers une mort. Les humains disparaissent parce qu'ils ne savent pas se rattacher au commencement et n'écoutent pas le message de leur mère céleste, Mout. Mout implique mort, droiture, précision, moment juste, canal fécondant et création d'une nouvelle semence[4].

— La demeure des défunts ne serait-elle pas profonde et obscure ? s'inquiéta Isis. Elle ne comporte ni porte ni fenêtre, aucun rayon de lumière ne l'éclaire, aucun vent du nord ne la rafraîchit. Jamais le soleil ne s'y élève.

---

1. *Textes des Pyramides* 134a.
2. *Ibid.*, 1975a-b.
3. *Ibid.*, 1467a.
4. Toutes ces notions sont contenues dans la racine *m(ou)t.*

— Tel se présente l'enfer de la seconde mort. Un être connaissant lui échappe, nulle magie ne l'y enchaîne. Rappelle-toi de ton initiation, lors de l'épreuve du sarcophage. À cet instant, tu as perçu le Grand Secret : les initiés aux mystères d'Osiris peuvent revenir de la mort, à condition d'être exempts de mal et identifiés comme justes de voix.

Isis se souvint.

L'individu humain se composait d'un corps périssable, d'un nom qui influençait son destin, d'une ombre encore présente après le trépas afin d'exercer une première régénération, d'un *ba*, l'âme-oiseau capable de voler jusqu'au soleil et d'en ramener le rayonnement au corps osirien, d'un *ka*, énergie vitale indestructible à reconquérir au-delà du décès, et d'un *akh*, l'esprit lumineux éveillé lors de l'initiation aux mystères.

Aucun de ces éléments ne manquait à Iker.

Cependant, la mort les dissociait et les éparpillait. En cas de jugement favorable du tribunal osirien, ils se reconstituaient de l'autre côté et se réassemblaient en un nouvel être apte à vivre deux éternités, celle de l'instant et celle du temps, nourri des cycles naturels.

Isis exigeait davantage.

— Trois sphères forment l'au-delà, indiqua le roi. Celle du chaos et des ténèbres où sont châtiés les damnés. Celle de la lumière où s'unissent Râ et Osiris en présence des justes de voix. Entre elles, celle de la filtration où le mal doit être pris au filet. Toi et Nephtys, accomplissez les rites de ce monde intermédiaire.

Isis et Nephtys se maquillèrent réciproquement.

Un trait de fard vert, émanant de l'œil d'Horus, orna les paupières inférieures ; un de fard noir, provenant de celui de Râ, les paupières supérieures. Conservés dans la boîte appelée « celle qui ouvre la vue », ces produits, chefs-d'œuvre des spécialistes du temple, soignaient l'œil divin.

De l'ocre rouge anima les lèvres, de l'huile de fenugrec assouplit la peau.

Sur le cœur de Nephtys, Isis traça une étoile ; sur son nombril, un soleil. Ainsi devenaient-elles les deux pleureuses, Isis la Grande comparée à la poupe de la barque céleste, Nepthys la Petite à la proue.

Nepthys présenta à Isis sept robes de couleurs différentes, incarnant les étapes franchies dans la Demeure de l'acacia par la Supérieure des prêtresses d'Hathor.

Puis les deux Sœurs se vêtirent d'une tunique de lin très fin, blanche comme la pureté du jour naissant, jaune comme le crocus et rouge comme la flamme.

Elles se coiffèrent d'un diadème en or orné de fleurs de cornaline et de rosettes de lapis-lazuli, et couvrirent leur poitrine d'un large collier d'or et de turquoise aux fermoirs en forme de tête de faucon. À leurs poignets et à leurs chevilles, des bracelets de cornaline rouge vif, stimulant le fluide vital. À leurs pieds, des sandales blanches.

Nephtys étreignit sa Sœur.

— Isis... tu n'imagines pas à quel point je partage ta souffrance. La mort d'Iker est une injustice insupportable.

— Aussi allons-nous la réparer. J'ai besoin de ton aide, Nephtys. Le magnétisme du pharaon et les paroles de puissance ont figé l'être d'Iker dans la sphère intermédiaire. À nous de l'en faire sortir.

Les deux jeunes femmes pénétrèrent dans la chambre mortuaire qu'éclairait faiblement une seule lampe. Isis se plaça au pied du cercueil, Nephtys à sa tête.

Étendant les mains, elles le magnétisèrent. Des lignes ondulées jaillirent de leurs paumes et enveloppèrent le cadavre d'une lumière douce.

À tour de rôle, les pleureuses égrenèrent les lamentations rituelles, transmises depuis le temps d'Osiris. Les vibrations de ces paroles rythmées emprisonnaient les forces destructrices et les écartaient de la momie. Tendu entre le monde des vivants et celui des morts, le filet de la parole magique jouait un rôle de filtre purificateur.

Survint le moment de l'ultime supplique.

— Reviens dans ton temple sous ta forme primordiale, implora Isis, reviens en paix ! Je suis ta Sœur qui t'aime et chasse le désespoir. Ne quitte pas cet endroit, unis-toi à moi, j'expulse le malheur. La lumière t'appartient, tu rayonnes. Viens vers ton épouse, elle t'enlace, assemble tes os et tes membres afin de devenir un être complet et accompli. Le Verbe demeure sur tes lèvres, tu repousses les ténèbres. Je te protège à jamais, mon cœur est rempli d'amour pour toi, je désire t'étreindre et rester si proche de toi que rien ne pourra nous séparer. Me voici au sein de ce sanctuaire mystérieux, résolue à vaincre le mal qui t'accable. Place la vie en moi, je t'enclos dans la vie de mon être. Je suis ta Sœur, ne t'éloigne pas de moi. Dieux et hommes te pleurent. Moi, je t'appelle jusqu'au sommet du ciel ! N'entends-tu pas ma voix[1] ?

Au terme d'une longue veillée, le pharaon, le Chauve, Isis et Nephtys se disposèrent autour du cercueil.

— Osiris n'est pas le dieu de tous les morts, rappela le roi, mais celui des fidèles de Maât qui, le temps de leur existence, empruntèrent le chemin de la rectitude. Les juges de l'au-delà voient notre existence en un instant et ne prennent en considération que nos actes, mis en tas à côté de nous. Ils ne manifestent aucune indulgence, et seul le juste marchera librement sur les beaux chemins de l'éternité. Auparavant se réunit le tribunal humain. Je représente la Haute et la Basse-Égypte, le Chauve les permanents d'Abydos, Isis les prêtresses d'Hathor.

1. La version longue des « Lamentations d'Isis et de Nephtys », notamment traduite par R. O. Faulkner et S. Schott, se trouve dans le papyrus Bremner-Rhind.

Estimez-vous Iker digne de comparaître devant le Grand Dieu et de monter dans sa barque ?

— Iker n'a commis aucune faute contre Abydos et l'initiation, déclara le Chauve, bouleversé.

— Le cœur d'Iker est large, aucune faute mortelle ne le souille, affirma Isis.

Restait la sentence royale.

Sésostris reprocherait-il à Iker ses erreurs passées et son manque de lucidité ?

— Iker a suivi son destin, sans lâcheté ni veulerie. Il est mon fils. Puisse Osiris le recevoir en son royaume.

21

Favorable, le jugement du tribunal d'Osiris se manifestait fréquemment aux voyants sous la forme d'un oiseau, d'un papillon ou d'un scarabée.

Dès qu'elle sortit de la Maison de Vie, Isis observa le ciel.

Certes, elle connaissait le cœur d'Iker, sa pureté et sa rectitude. Mais que déciderait l'invisible ? De son verdict dépendait la poursuite du processus rituel.

Soudain, un grand ibis aux longues ailes élégantes parcourut lentement l'azur.

Son regard croisa celui d'Isis.

Elle sut alors qu'Iker avait prononcé les paroles précises, assisté de Thot, le patron et protecteur des scribes. Léger comme la plume d'autruche de la déesse Maât, son cœur continuait à vivre. En prouvant sa pratique des formules enseignées par le maître des hiéroglyphes, le Fils royal traçait son chemin vers l'autre vie.

Sur la palette en or s'inscrivirent les mots : « juste de voix ».

— Le plus difficile reste à faire, indiqua Sésostris. Il faut à présent transférer la mort d'Iker dans la momie d'Osiris. Lui l'ayant vaincue, le corps osirien d'Iker renaîtra.

Épine dorsale de l'Égypte, socle de toute construction spirituelle et matérielle, Osiris servait de support aux temples, aux demeures d'éternité, aux maisons, aux canaux... Aucun espace n'était vide de lui, aucune forme de mort ne pouvait l'atteindre. Réservé aux pharaons et à de rares sages de la stature d'Imhotep, ce transfert réussirait-il ?

Pendant que le Chauve versait les libations d'eau et de lait au pied de l'arbre de vie, Sésostris et sa fille se rendirent à la tombe du Grand Dieu.

Le permanent préposé à sa surveillance accourut à leur rencontre.

— Majesté, un incroyable malheur vient de se produire ! Cette nuit, les sceaux fermant la porte ont été brisés.

Le pharaon traversa le bois sacré, empruntant l'unique passage qui permettait d'accéder à l'entrée du monument, cachée dans la végétation.

À proximité, des acacias brûlés.

Un violent combat avait opposé le profanateur aux défenses magiques du sanctuaire.

Devant l'entrée, les débris des sceaux.

Sésostris franchit le seuil.

Éparpillés, piétinés, fracassés, des bijoux, des vases, des pièces de vaisselle et d'autres objets rituels utiles à l'éternité d'Osiris. Le banquet de l'au-delà ne pouvait plus être célébré.

Redoutant le pire, le monarque avança.

Plusieurs lampes éclairaient la chambre de résurrection, elle aussi dévastée.

Naguère, sur un lit de basalte noir formé du corps de deux lions, reposait la momie d'Osiris, coiffé de la couronne blanche, tenant le sceptre Magie et celui de la triple naissance.

Ces symboles étaient brisés en mille morceaux.

Violant ce lieu de paix où demeurait le Grand Dieu, maître du silence, l'Annonciateur avait percé les sept enceintes protégeant le sarcophage.

De la momie, support de la résurrection, il ne restait rien.

L'Annonciateur disperserait les parties du corps divin afin que personne ne parvienne à le reconstituer.

Subsistait un espoir.

Sésostris souleva une dalle d'un poids considérable, découvrant une volée de marches qui menait à une vaste salle souterraine. Elle abritait le vase scellé[1], entouré d'un cercle de flammes. Il contenait le mystère de l'œuvre divine, les lymphes d'Osiris et la source de vie.

Le feu persistait, mais le vase avait disparu.

Dans le regard de son père, Isis discerna du désarroi. Pour la première fois, le géant vacillait.

— Ne me cache rien exigea-t-elle.

— Seul l'Annonciateur a pu profaner ainsi la demeure d'éternité d'Osiris.

— Sa momie...

— Dérobée et anéantie.

— Le vase scellé...

— Volé et détruit.

— Nous voici incapables de transférer la mort d'Iker à Osiris et de le réanimer en utilisant le fluide divin.

Décomposé, le Chauve accourait.

— Majesté, l'arbre de vie dépérit de nouveau ! On a privé de la vue les quatre lions gardiens et annihilé le champ de forces protectrices issu des acacias. L'or salvateur se ternit.

— Le fétiche d'Abydos ?

— Hampe arrachée, cache déchiré.

— La relique osirienne ?

— Affreusement dégradée.

L'Annonciateur n'avait pas hésité à défigurer le dieu.

— Ne faudrait-il pas former le Cercle d'or ? suggéra le Chauve.

---

1 La *khetemet.*

— Impossible, répondit Sésostris. Le nouveau vizir, Sobek le Protecteur, redoute des attentats à Memphis. Afin de faire sortir les terroristes de leurs repaires, il répand la nouvelle de la mort de Nesmontou, tué lors d'un attentat. Le général doit rester là-bas et intervenir à bon escient. De plus, accusé d'avoir tenté d'assassiner Sobek, Séhotep se trouve assigné à résidence et risque la peine capitale.

— Serions-nous pieds et poings liés, définitivement vaincus ?

— Pas encore, assura le roi. Renforçons immédiatement la protection d'Iker. Que le maître charpentier et les artisans initiés déposent la barque d'Osiris à l'intérieur de la Maison de Vie. Ensuite, des gardes l'entoureront et n'y laisseront pénétrer personne, à l'exception de vous deux et de Nephtys. Ordre d'abattre sans sommation quiconque tentera de forcer le barrage. Toi, le Chauve, essaie de savoir si des témoins ont assisté aux meurtres d'Iker et du commandant des forces spéciales.

— Les assassins n'auraient-ils pas quitté Abydos ?

— En ce cas, empêchons-les de s'en échapper !

— Peut-être n'ont-ils pas encore atteint tous leurs buts, avança le vieux prêtre d'une voix sinistre.

Le monarque et les deux Sœurs placèrent la momie d'Iker dans la barque récemment achevée et destinée à la célébration des mystères. À elle seule, elle symbolisait Osiris reconstitué. Grâce à l'assemblage précis de ses diverses parties, le maître d'Occident réunissait l'ensemble des divinités.

— Puisses-tu voguer et manier les rames, dit le roi à Iker, cheminer là où ton cœur le désire, être accueilli en paix par les Grands d'Abydos, participer aux rites et suivre Osiris sur des chemins purs à travers la terre sacrée.

— Vis avec les étoiles, souhaita Isis. Ton âme-oiseau appartient à la communauté des trente-six décans, tu te transformes en chacun d'eux selon ton gré et te nourris de leur lumière.

Nephtys arrosa un jardinet proche de la barque. L'âme-oiseau viendrait s'y désaltérer avant de repartir pour le soleil.

Conformément aux directives royales, le maître sculpteur d'Abydos créa la statue-cube d'Iker. Elle représentait le scribe assis, les jambes relevées verticalement devant lui, les genoux presque au niveau des épaules. Du corps enveloppé d'un linceul de résurrection émergeait la tête, les yeux ouverts orientés vers l'au-delà.

Échappant à la dispersion, l'initié ainsi incarné s'inscrivait au cœur d'un ordre immuable. Le cube ne contenait-il pas l'ensemble des polyèdres, les figures géométriques rendant compte de la construction permanente de l'univers ? Quoique cette sculpture ancrât l'âme d'Iker dans une pierre de lumière, de rudes tâches attendaient le monarque et sa fille.

Oubliant de manger et de dormir, Isis ne quittait pas le sarcophage. Nephtys, elle, prenait un peu de repos.

Lorsque son père la serra tendrement contre lui, la Supérieure d'Abydos redouta le pire.

— Il n'y a plus d'espoir, n'est-ce pas ?

— Il subsiste une chance infime de réussir, Isis. Infime, mais réelle.

Sésostris ne parlait jamais à la légère et ne tentait pas de l'abuser.

— Nous ne libérerons pas Iker de la prison du monde intermédiaire sans le vase scellé, ajouta le souverain.

— Le retrouver intact... Une utopie !

— Je le crains.

— La mort triomphe.

— Peut-être existe-t-il un autre vase scellé contenant, lui aussi, des lymphes d'Osiris.

— Où serait-il caché ?

— À Médamoud.

— Le village d'Iker ?

— Au cours du combat que nous livrons contre l'Annonciateur, le hasard ne joue aucun rôle. Le destin fit naître Iker sur ce territoire d'Osiris, tellement ancien qu'il tomba dans l'oubli. Je me rendrai donc à Médamoud, au risque d'échouer. Nul ne connaît l'emplacement exact du sanctuaire primitif d'Osiris. Le dernier dépositaire du secret était un vieux scribe, protecteur et professeur d'Iker. C'est pourquoi l'Annonciateur l'a assassiné.

— Comment comptez-vous redécouvrir ce sanctuaire ?

— En subissant une forme de mort qui me mettra en contact avec les ancêtres. Ou bien ils me guideront, ou bien le pouvoir royal sera insuffisant et disparaîtra. Si la résurrection d'Iker ne s'accomplit pas, Osiris s'éteindra à jamais. L'Annonciateur aura alors le champ libre, et débutera l'ère du fanatisme, de la violence et de l'oppression. Aujourd'hui, mon devoir consiste à retrouver ce vase scellé, à supposer qu'il ait été préservé. Ta propre tâche ne s'annonce pas plus facile.

Sésostris remit à sa fille la corbeille des mystères, formée de joncs colorés en jaune, en bleu et en rouge, au fond renforcé de deux barres de bois disposées en croix. En elle se rassemblait ce qui était épars, en elle se reconstituait l'âme osirienne. Lors du rituel des moissons, Iker avait eu la chance de la contempler.

— L'Annonciateur et les confédérés de Seth veulent déchiqueter la grande parole, expression de la lumière incarnée en Osiris. Parcours les provinces, inspecte les cités, recherche le secret des temples et des nécropoles, recueille les membres divins et rapporte-les à Abydos afin de les réunir. Osiris est la vie. En lui, les justes de voix demeurent à l'écart de la mort, le ciel ne s'écroule pas et la terre ne chavire pas. Encore faut-il garantir son intégrité et sa cohérence, de manière à transmettre cette vie. Grâce à tes initiations, tu disposes d'un cœur nouveau, apte à percevoir le mystère des sanctuaires couvrant le sol des Deux Terres. Si tu parviens au terme de ta quête avant le début du mois de khoiak[1], il nous restera trente jours pour ressusciter l'Osiris Iker.

1. Vers le 20 octobre.

Sésostris emmena sa fille à sa demeure d'éternité. Il se rendit à la salle du Trésor, d'où il rapporta une arme en argent massif.

— Voici le couteau de Thot, Isis. Il tranche le réel, discerne le bon chemin et percera les voiles cachant les parties dispersées du corps d'Osiris.

— Le délai ne sera-t-il pas trop court ? s'angoissa la jeune femme.

— Oublierais-tu le sceptre en ivoire du roi Scorpion ? Façonné par la magie imprégnant le corps des divinités, il détournera de toi les assauts du Mal, t'inspirera des paroles fulgurantes et te permettra de te déplacer avec les vents. Explore le lac sacré, va jusqu'au fond de l'océan primordial. Si les dieux ne nous ont pas abandonnés, tu y découvriras le rouleau de cuir qu'écrivit Thot au temps des Serviteurs d'Horus. Il décrit chaque province d'Égypte, tracée à l'image du ciel, et te révélera les étapes de ton voyage.

Isis avait déjà vu le *Noun* au cœur de ce lac où elle venait quotidiennement puiser l'eau nécessaire à la survie de l'acacia. Elle descendit lentement les marches de l'escalier de pierre et s'enfonça sous la surface, munie du couteau de Thot et du sceptre Magie.

Alors que d'épaisses ténèbres l'enveloppaient, un rayon de lune lui ouvrit un chemin. À l'extrémité d'une nuit obscure, il illumina un coffre en fer.

Isis enfonça la pointe du couteau dans la serrure.

Le couvercle se souleva de lui-même. À l'intérieur, un coffre de bronze. Il contenait un troisième en bois, lequel abritait un quatrième d'ivoire et d'ébène, écrin d'un cinquième en argent. Comme il semblait hermétique, Isis utilisa le sceptre.

Apparut un coffre en or entouré de serpents. Sifflants, furieux, ils protégeaient le trésor.

La lame brillante du couteau les calma. Ils s'écartèrent et formèrent un large cercle autour de la prêtresse.

Lorsqu'elle ouvrit le coffre en or, en jaillit un lotus aux

pétales de lapis-lazuli surmonté d'un visage paisible, d'une éclatante jeunesse.

Le visage d'Iker.

Sortant du coffre le rouleau de Thot, elle y enferma le lotus et regagna la surface du lac.

— Voici la tête d'Osiris, dit-elle au pharaon en lui remettant la relique. Les divinités ne nous abandonnent pas et continuent à nous soutenir. Iker devient le nouveau support de la résurrection. C'est désormais à travers son destin que se joue le nôtre.

Sésostris rouvrit les yeux des quatre lions, réanima les quatre jeunes acacias, rétablit le fétiche d'Abydos au sommet de sa hampe et le recouvrit d'un voile tissé par Nephtys.

Le ciel se dégagea, le soleil brilla.

Des centaines d'oiseaux tournoyèrent au-dessus de l'arbre de vie dont l'or retrouva tout son éclat.

— Écoute-les, recommanda le roi. Eux aussi te guideront.

Isis comprenait leur langage. D'une seule voix, les âmes de l'autre monde lui demandaient de reconstituer le corps d'Osiris.

Les provinces de Haute-Égypte

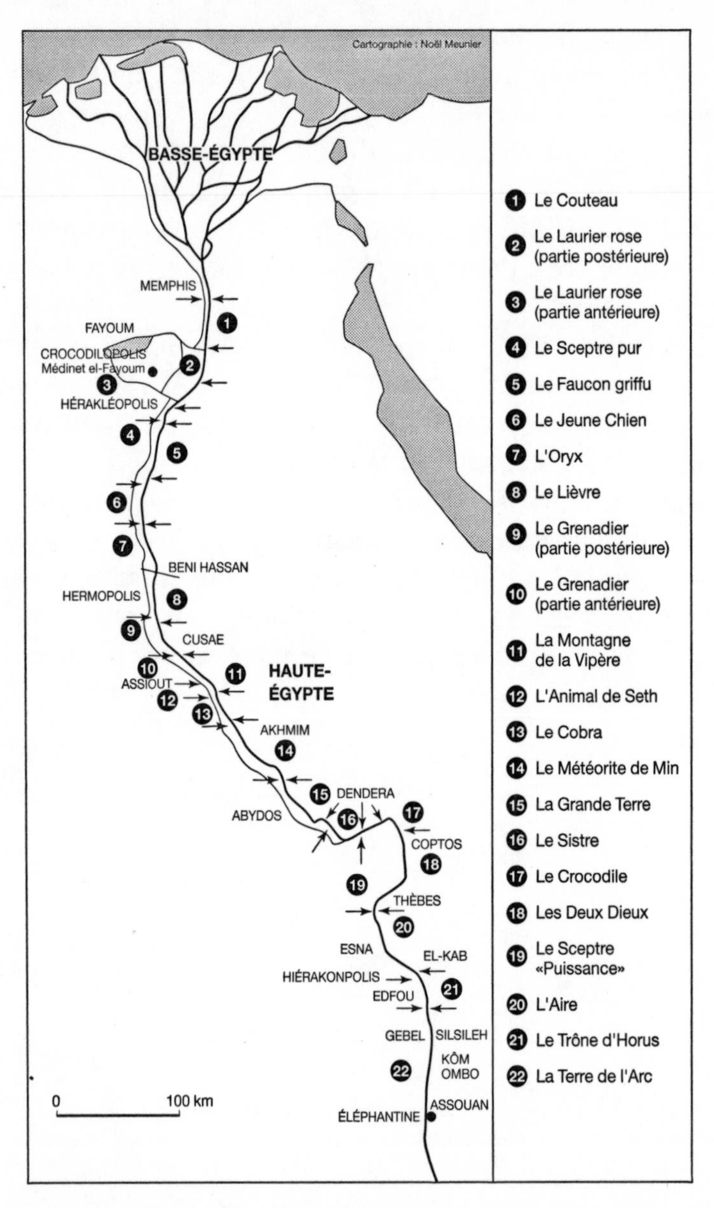

(D'après P. Montet, *Géographie de l'Égypte ancienne*, 2 vol., Paris, 1957 et 1961; J. Baines et J. Málek, *Atlas de l'Égypte ancienne*, Paris, 1981; C. Jacq, *Initiation à l'Égypte ancienne*, Fuveau, 2001.)

22

Le pharaon et sa fille s'entretinrent longuement avec le Chauve et Nephtys. Au nom du roi, le vieux prêtre assurerait la sécurité d'Abydos, sans omettre de célébrer les rites en compagnie de la jeune Sœur d'Isis, également associée à l'enquête. Issu de la garde personnelle du monarque, le nouveau commandant des forces spéciales les assisterait.

— À part vous deux, ordonna Sésostris, personne ne pénétrera dans la Maison de Vie. Nos meilleurs hommes la surveilleront nuit et jour. Répandez la nouvelle de la mort d'Iker. Si ses assassins sont encore présents sur le site, ils croiront à leur triomphe et commettront peut-être une imprudence.

— Une surveillance aussi étroite ne les intriguera-t-elle pas ? s'inquiéta Nephtys.

— Preuve de notre désarroi, elle s'appliquera à l'ensemble des monuments et des centres vitaux d'Abydos. Première priorité : la préservation de la momie d'Iker. Chaque jour, vous formulerez les paroles de puissance. Seconde priorité : empêcher quiconque de sortir du territoire d'Osiris et d'y entrer.

— Comptez-vous revenir bientôt, Majesté ? demanda le Chauve.

— Ou bien je rapporterai le vase scellé contenant les lymphes du Grand Dieu, ou bien je ne reviendrai pas.

Quand le pharaon s'éloigna, le Chauve pensa qu'il vivait les dernières heures d'Abydos.

Isis fit ses adieux à Nephtys et lui recommanda la plus extrême prudence. Leurs adversaires allaient jusqu'au meurtre et n'hésiteraient pas à supprimer une femme.

D'après le rouleau de Thot, la Veuve devait d'abord se rendre à Éléphantine, tête de l'Égypte, puis descendre le Nil.

Elle monta à bord d'un bateau rapide dont le capitaine était un marin exceptionnel. Formé de professionnels expérimentés, son équipage connaissait tous les pièges du fleuve. Une dizaine d'archers d'élite escortaient la fille de Sésostris.

À peine déployait-on les voiles que la jeune femme pointa le sceptre Magie vers le ciel. En quelques instants se leva un vent du nord d'une rare puissance.

Jamais le capitaine n'avait mené son bateau à une telle allure. Avec un minimum d'efforts, les marins obtenaient de prodigieux résultats

— Nous naviguerons de nuit, annonça Isis.

— C'est extrêmement dangereux !

— La lumière de la lune éclairera notre chemin.

Shab le Tordu sortit de sa cachette.

Personne dans les parages.

Il voulait savoir si le site entier se trouvait bouclé ou bien s'il existait des failles.

Au-delà des dernières chapelles, une zone désertique. Naguère, Béga utilisait ce point de passage pour sortir les petites stèles.

Sans sa méfiance innée, Shab se serait laissé surprendre. À faible distance l'un de l'autre, deux archers montaient la garde. Vu leur comportement, ils appartenaient à un régiment aguerri.

Le Tordu se déplaça, accroupi.

Peut-être seuls certains endroits bénéficiaient-ils de ce traitement de faveur. Shab déchanta. Partout, des soldats. Impossible de s'échapper d'Abydos de ce côté-là.

Tendu, il regagna son repaire.

On venait.

Shab écarta une branche basse.

— Entre, Béga.

Le permanent plia difficilement sa grande carcasse et pénétra dans la petite chapelle.

— L'armée surveille le désert, on ne peut pas s'enfuir.

— Les soldats sont partout, confirma Béga. Ils ont reçu l'ordre de tirer sans sommation.

— Autrement dit, le pharaon croit les assassins d'Iker encore à Abydos ! L'Annonciateur nous dégagera de cette nasse.

— Ne bouge plus d'ici, je t'apporterai de la nourriture.

— Et si je me mêlais aux temporaires ? Iker n'est plus là pour m'identifier !

— La police les interrogera un à un. Difficile de justifier ta présence, tu risques l'arrestation. Attends les ordres.

Béga était aussi nerveux que Shab, mais le sentiment de victoire le rassurait. La réaction du roi ne prêtait-elle pas à sourire ? Déployer l'armée ne ramènerait pas Iker à la vie !

Arborant une mine de circonstance, il se lamenta en compagnie des permanents convoqués par le Chauve dont ils espéraient des explications claires.

— Quelle terrifiante injustice ! déplora Béga. Si ce malheureux Iker est bien décédé, la mort le fauche au moment où il atteignait le point culminant de sa fulgurante carrière. Tous, nous avions appris à l'apprécier, tant il se montrait respectueux de nos coutumes.

Ses collègues masculins et féminins approuvèrent.

Le surveillant de la tombe d'Osiris apparut à son tour, semblant particulièrement affecté.

— Tu sembles épuisé, remarqua Béga. Ne devrais-tu pas consulter un médecin ?

— À quoi bon ?

— Que veux-tu dire ?

— Désolé, je suis soumis au secret.

— Pas entre nous !

— Même entre nous. Ordre du Chauve.

Béga sourit intérieurement. Ainsi, le vieillard tentait d'empêcher la diffusion de nouvelles catastrophiques qui ruineraient les espérances des habitants de la Grande Terre avant de se propager dans l'Égypte entière.

— On murmure qu'Iker aurait été assassiné, avança le Serviteur du *ka*.

— Tu divagues ! s'exclama Béga. Ne prêtons pas l'oreille à des rumeurs aussi insensées.

— Un officier n'a-t-il pas été étranglé ?

— Sans doute le résultat d'une rixe.

— Et le déploiement de l'armée, la multiplication des mesures de sécurité, la garde renforcée des bâtiments ? À l'évidence, un terrible péril nous menace !

L'entrée du Chauve mit fin aux discussions.

Des rides profondes striaient son visage, brutalement vieilli. À son austérité naturelle s'ajoutait une tristesse poignante. Les plus optimistes perçurent la gravité de la situation.

— Le Fils royal Iker est mort, déclara-t-il. Néanmoins, nous continuerons à préparer la célébration des mystères du mois de khoiak.

— Mort naturelle ou assassinat ? interrogea le Serviteur du *ka*.

— Assassinat.

Un silence absolu s'établit.

Même Béga éprouva une sorte de choc, comme si un monde venait de s'écrouler. Un crime souillant le domaine sacré d'Osiris, la pire violence au cœur de la sérénité !

— A-t-on arrêté les coupables ?

— Pas encore.

— Connaît-on leur identité ?

— Malheureusement non.

— Est-on certain qu'ils ont quitté Abydos ?

— Nullement.

— Nous sommes donc en danger ! s'inquiéta le Serviteur du *ka*.

— Et le commandant des forces spéciales ? surenchérit le ritualiste capable de voir les secrets. Il a été assassiné, lui aussi !

— Exact.

— Une autre bande de criminels ?

— Nous l'ignorons, l'enquête débute. Sa Majesté a pris les mesures nécessaires pour assurer votre protection. Respectons notre Règle et consacrons-nous à nos tâches rituelles. Il n'existe pas de meilleure manière de rendre hommage à Iker.

— Je ne vois pas la malheureuse Isis, intervint Béga. Aurait-elle abandonné Abydos ?

— L'épouse d'Iker subit une telle détresse qu'elle ne se sent plus à même d'assumer les devoirs de sa charge. Nephtys dirigera la communauté des prêtresses permanentes.

Béga jubilait. Iker mort, Isis partie ! Mille soldats étaient moins dangereux que ces deux-là. Voilà longtemps qu'il souhaitait supprimer cette femme trop belle, trop intelligente, trop rayonnante. La disparition d'Iker l'anéantissait et lui ôtait toute capacité de nuire à l'Annonciateur. Elle se consumerait de chagrin dans un palais de Memphis.

— La liste de nos malheurs ne s'arrête pas là, déplora le Chauve. La tombe d'Osiris a été profanée, le précieux vase volé.

— Ni Abydos ni l'Égypte ne survivront à ce cataclysme, murmura le Serviteur du *ka*, effondré.

— Je vous le répète, insista le vieillard : continuons à vivre selon la Règle.

— Au nom de quel espoir ?

— Il n'est pas nécessaire d'espérer pour agir. Le rite se

transmet à travers nous et au-delà de nous, quelles que soient les circonstances.

Désemparés, les permanents vaquèrent à leurs occupations habituelles, à commencer par la distribution des tâches aux temporaires chez lesquels régnaient perplexité et inquiétude. Le Chauve n'ayant pas imposé le silence, les informations se propageraient rapidement.

Le soir tombé, Bina massait les pieds de son seigneur. Dans l'obscurité de leur petit logement de fonction, il lui appartenait et ne songeait plus à cette maudite Nephtys qu'elle tuerait de ses mains. Douce, prévenante, soumise aux moindres caprices de l'Annonciateur, elle demeurerait son épouse principale, reléguant les autres à des emplois subalternes. Et si l'une d'elles tentait de prendre sa place, elle lui lacérerait les chairs, lui crèverait les yeux et jetterait ses restes aux chiens.

L'Annonciateur dîna d'un peu de sel, Bina jeûna. Elle ne buvait pas d'alcool et ne mangeait aucun aliment gras, de peur de grossir et de déplaire à son maître. En continuant à être belle et désirable, elle vaincrait l'usure du temps.

Une silhouette franchit le seuil. S'emparant d'un poignard, Bina lui barra la route.

— C'est moi, Béga !

— Un pas de plus, et je t'embrochais. La prochaine fois, annonce-toi.

— Je ne voulais pas alerter le voisinage. Près d'ici, il y a des policiers en faction. Gardes et sentinelles surveillent le site en permanence. Personne ne peut entrer à Abydos, personne en sortir.

— Reste notre chemin d'urgence, rappela Bina.

— D'après Shab, impraticable ! Des archers patrouillent dans le désert.

— Ne vous tourmentez pas, recommanda l'Annonciateur d'une voix tranquille. Le Chauve a-t-il révélé la vérité ?

— Il était trop bouleversé pour se taire ! Dès demain, chacun connaîtra l'étendue du désastre. Les permanents sont atterrés, le bel édifice osirien se disloque. Privés de la protection du dieu, ils se sentent voués au néant. Triomphe total, seigneur ! Quand la capitale sera à feu et à sang, les forces de l'ordre se disperseront et nous prendrons le pouvoir.

— Sésostris ?

— Il a quitté Abydos.

— Sa destination ?

— Je l'ignore. Écrasée de chagrin, Isis est partie, elle aussi.

— Sans assister aux funérailles de son mari ?

— On a dû enterrer le cadavre à la sauvette.

— Attitude peu égyptienne, estima l'Annonciateur. L'ivresse de la victoire ne nuirait-elle pas à ta lucidité ?

— En déroute, l'ennemi se comporte à la manière d'un animal affolé !

— Du moins tente-t-il de nous en persuader.

— Pourquoi douter de sa débandade ?

— Parce que le roi a rétabli le champ de forces émanant des quatre jeunes acacias, rouvert les yeux des lions gardiens et replanté au centre du reliquaire la hampe surmontée d'un cache.

— Manœuvre de diversion ! Il veut faire croire à la sauvegarde de la tête d'Osiris.

— Le Chauve s'est-il exprimé à ce propos ?

— Non, mais il a avoué le viol de la tombe du Grand Dieu et la disparition du vase scellé. Abydos ne dispose plus de la moindre énergie.

— Celle des jeunes acacias se révèle pourtant efficace. Ajoutée à la présence militaire, elle m'interdit d'approcher de l'arbre de vie et de hâter sa déchéance. Pourquoi ce luxe de précautions, si le pharaon renonce à combattre ?

— Simple trompe-l'œil ! avança Béga. Redoutant des troubles à Memphis, il s'y rend en toute hâte.

— La logique l'exigerait, en effet. Néanmoins, ce monarque sait mener une guerre surnaturelle. La mort frappe son fils spirituel, la tempête balaie Abydos, et il quitte le site en se contentant de quelques pis-aller... Non, cela ne lui ressemble pas.

— Défendre Memphis s'impose, objecta Béga.

— Sauver Osiris est encore plus essentiel. Un roi de cette envergure ne s'enfuit ni ne déserte. En reconstituant une barrière magique, si dérisoire nous semble-t-elle, en préservant l'acacia, il trahit son désir de poursuivre la lutte avec de meilleures armes.

Les yeux rouges de l'Annonciateur flamboyèrent.

— Sésostris ne va pas à Memphis, affirma-t-il. Je veux connaître ses intentions réelles. Interroge les responsables du port et les marins.

— Je risque d'éveiller leur suspicion !

— Continue à me prouver ta fidélité, mon brave ami.

La brûlure que ressentit Béga au creux de sa main le dissuada de protester.

— Le départ d'Isis ne vous intrigue-t-il pas ? demanda Bina.

L'Annonciateur lui caressa les cheveux.

— Comment une femme parviendrait-elle à me nuire ?

23

Les provinces d'Égypte étaient la projection terrestre de l'univers. Mariant l'au-delà et l'ici-bas, correspondances et harmoniques faisaient des Deux Terres le pays aimé des dieux. Il se présentait comme le corps d'Osiris que toute désunion mettait en péril. En liant solidement le Sud et le Nord, le pharaon célébrait la réalité de la résurrection.

Chaque province abritait plusieurs reliques, notamment une partie du corps d'Osiris, soigneusement dissimulée et protégée. Grâce aux indications fournies par le *Livre de Thot,* Isis savait que quatorze d'entre elles avaient une importance particulière, puisqu'elles suffiraient à assembler une momie inaltérable, capable d'accueillir la mort d'Iker.

Des ennemis redoutables se dressaient sur sa route.

D'abord, le temps. Grâce au sceptre Magie, elle parviendrait à le contracter, sinon à le maîtriser. Néanmoins, elle ne devait pas perdre une seule heure.

Ensuite, les potentats locaux. Quoique soumis à la volonté royale dont elle était l'émissaire officiel, ils n'apprécieraient guère ses exigences et tenteraient peut-être de l'égarer.

Enfin, les confédérés de Seth ne lui laisseraient certainement pas les mains libres tout au long de sa Quête. Sans doute profiterait-elle d'un effet de surprise tant qu'ils ignoreraient le but de son voyage. Mais, tôt ou tard, le secret serait trahi.

Première étape, Éléphantine.

Un doux soleil baignait la capitale de la première province de Haute-Égypte, frontière méridionale du double pays, marquée par la première cataracte. Le canal de Sésostris rendait la navigation possible l'année durant, la forteresse et le mur de brique assuraient la sécurité des communications et des opérations commerciales, favorables à l'épanouissement de la Nubie.

La jeune femme se rendit au palais du chef de province Sarenpout.

L'accueillirent Bon Compagnon et Gazelle, un grand chien noir élancé et son inséparable compagne, petite, ronde, aux mamelles pendantes. Malgré leur âge, ils demeuraient d'excellents gardiens. Sarenpout se méfiait des visiteurs après lesquels ils aboyaient un peu trop.

Isis eut droit à de multiples démonstrations d'affection. Bon Compagnon se dressa et lui posa les pattes sur les épaules, Gazelle tourna autour d'elle et lui lécha les pieds.

Apparut le maître des lieux, toujours aussi massif, avec sa tête carrée, son front bas, ses pommettes et son menton saillants, ses larges épaules et son regard déterminé.

— Je suis flatté de recevoir la Supérieure d'Abydos, déclara-t-il, solennel et sincère. Que me vaut l'honneur de votre visite ?

Isis ne lui cacha aucun aspect de la tragedie.

Bouleversé, Sarenpout se fit servir du vin fort.

— L'œuvre de Sésostris risque d'être détruite, le pays de disparaître ! Comment lutter contre cet ennemi démoniaque ?

— En recréant un nouvel Osiris. Je dois commencer par la relique d'Éléphantine. Acceptes-tu de me la remettre ?

Isis redoutait la réaction de ce dignitaire, jaloux de ses prérogatives, et qui ne mâchait pas ses mots.

— Je vous y conduis immédiatement.

La jeune femme monta dans la barque favorite du chef de province. Il maniait lui-même les rames et décupla d'ardeur.

À la vue de l'île sacrée d'Osiris, Isis se souvint de son angoissante aventure, lorsqu'elle avait offert sa vie afin de favoriser le retour de la crue. Iker était venu la secourir, la ramenant à la surface. Aujourd'hui, elle tentait de le sauver du néant.

La barque accosta près du rocher protégeant la caverne nommée « Celle qui abrite son maître ». Perchés au faîte d'un acacia et d'un jujubier, un faucon et un vautour contemplaient les arrivants.

— Il n'existe pas de meilleurs gardiens, précisa Sarenpout. Un seul imprudent a essayé de percer le secret de la grotte, les deux rapaces ne lui ont laissé aucune chance. À la vue de son cadavre, les curieux se sont découragés. Depuis, plus d'incident. À vous de jouer, princesse. Moi, je reste à l'extérieur.

Isis emprunta un étroit boyau de pierre, habité du chant d'une source. Bien qu'elle ne reconnût pas les lieux, elle n'hésita pas à progresser, indifférente à l'humidité et au manque d'air.

Le couloir s'élargit, une lueur surgit des profondeurs.

La demeure de Hâpy, le génie du Nil, l'énergie de l'inondation fécondante ! Rassurée, Isis glissa le long de la paroi rocheuse et aboutit au cœur d'une vaste grotte bleutée.

Face à elle, un fétiche semblable à celui d'Abydos !

Elle ôta le voile couvrant le sommet de la hampe et découvrit les pieds d'Osiris, formés d'or, d'argent et de pierres précieuses.

— Désolé de vous le confirmer, dit Sarenpout, contrarié : certains chefs de province et plusieurs grands prêtres ne se montreront pas coopératifs. Je ne nie pas la qualité de votre escorte mais, face à certaines fortes têtes, elle ne fera pas le poids.

— Que proposes-tu ?

— Je vous accompagne. Un navire de guerre et un régiment de professionnels apaiseront les esprits rebelles et les rendront conciliants.

Isis ne refusa pas une aide aussi précieuse.

— Le problème, constata Sarenpout, c'est le manque de vent du sud. Nous utiliserons le courant, et les rameurs donneront le maximum. Néanmoins, nous avancerons lentement.

— J'espère améliorer ces conditions.

À la proue de son bateau, Isis orienta le sceptre Magie vers la cataracte.

Un souffle puissant se leva, et les deux bâtiments s'élancèrent en direction d'Edfou, la capitale de la deuxième province de Haute-Égypte, « le Trône d'Horus ».

Un faucon tournoyait autour de la proue.

— Suivons-le, ordonna Isis.

Le rapace les éloignait du débarcadère principal. Sarenpout pesta.

Après avoir décrit de larges cercles au-dessus d'un vignoble, il se percha au sommet d'un acacia.

— Accostons, exigea la jeune femme.

Malaisée, la manœuvre fut exécutée à la perfection. Les marins mirent en place une passerelle, qu'empruntèrent aussitôt des archers, méfiants et prêts à tirer.

L'endroit paraissait tranquille.

— Aucune chance de trouver ici une relique osirienne, jugea Sarenpout. En revanche, on y produit un excellent vin de garde. J'en suis l'un des principaux acheteurs et n'ai jamais eu à m'en plaindre.

Clos de murs, le vignoble du Trône d'Horus comprenait douze variétés de plants associés aux palmiers dattiers. En janvier et en février, on taillait soigneusement les vieux ceps et l'on retournait la terre où croîtraient les nouveaux. De nombreuses rigoles assuraient une irrigation contrôlée, et des binages réguliers aéraient le sol tout en expulsant les herbes indésirables. Des fientes de pigeons servaient de fertilisants, et des aspersions à base de cuivre, fournies par le laboratoire du temple, prévenaient les maladies.

Les techniciens terminaient une vendange tardive. En résulterait un nectar charpenté et parfumé, produit de luxe fort prisé.

Isis et Sarenpout s'approchèrent d'un grand pressoir.

Des vignerons apportaient de grosses grappes bien mûres et les déposaient dans une vaste cuve, d'autres les foulaient en chantant. S'écoulant par plusieurs ouvertures, le jus fermenterait deux ou trois jours à l'intérieur de jarres d'argile ouvertes. Alors débuterait un travail de spécialistes qui transféreraient ce premier vin à d'autres jarres, de forme différente.

Des apprentis ratissaient les restes de peaux et de pépins, destinés à un sac qu'ils tordaient au maximum pour en exprimer un liquide délicieux.

— Vous en voulez ? lança un gaillard passablement éméché.

— Pas de refus, répondit Sarenpout.

Le maître vigneron s'interposa.

— Que signifie ce déploiement de forces ? Je suis en règle avec le fisc !

— Ne t'inquiète pas, nul reproche ne t'est adressé.

— Connais-tu le véritable nom du raisin pressé ? demanda Isis.

Le regard de l'artisan chavira.

— Poser une pareille question implique votre appartenance au...

— Au clergé d'Abydos, en effet.

— Ce véritable nom est Osiris, à la fois pain et vin, puissance divine qui s'incarne dans les nourritures solides et liquides. En pressant le raisin, nous le mettons à mort, et cette épreuve sépare le périssable de l'impérissable. Ensuite, nous buvons Osiris. Le vin nous révèle l'un des chemins de l'immortalité. Aujourd'hui, nous offrons aux défunts un cru exceptionnel. Il éloignera de nous les spectres et les mauvais morts. Les bons morts, les Grands d'Abydos, les êtres de lumière continueront à protéger notre vigne. Oublier de les honorer engendrerait le malheur.

— Outre ce cru, quelles offrandes leur présenteras-tu ?

— J'attends la procession des prêtres d'Horus. Ils appor tent le nécessaire.

Sarenpout n'eut pas le loisir de s'enivrer, car les ritualistes ne tardèrent pas. À leur tête, un vieil homme au regard de rapace. Sa suite portait un nombre impressionnant de jarres, de pièces d'étoffe et de fleurs. Au centre du cortège, une barque

Isis lui dévoila sa fonction.

— La grande prêtresse d'Abydos parmi nous... Quel honneur ! Nous accorderez-vous la joie de participer au rituel de cette nuit ? Nous allumerons de nombreuses torches et nous banquetterons à la mémoire des défunts en leur consacrant les meilleurs vins.

— Votre barque n'a-t-elle pas une forme particulière ?

— Une réplique de celle d'Osiris ! Symbole du corps divin reconstitué, elle recevra la couronne de justification et maintiendra notre temple hors de la mort. Consentiriez-vous à la déposer sur un autel et à prononcer les formules de protection ?

— Ma mission implique d'autres rites. Voici la corbeille des mystères où se rassemble ce qui était épars. Acceptez-vous de me remettre la poitrine d'Osiris, la relique sacrée de votre province ?

Au cours de sa longue vie, le Supérieur d'Edfou avait entendu quantité de propos incongrus et se croyait revenu de tout.

Cette fois, il resta bouche bée.

— La survie de l'Égypte est en jeu, ajouta-t-elle à voix basse.

— La relique... la relique nous appartient !

— Étant donné les circonstances, elle doit retourner momentanément à Abydos.

— Je consulte mon collège de prêtres.

L'un des porteurs exerçait la profession de facteur. Il empruntait les bateaux rapides utilisés par Médès lors de la transmission des décrets royaux et arrondissait son salaire en fournissant aux capitaines des informations diverses concernant la province d'Edfou. Selon leur importance, la prime variait.

Vu l'agitation régnant en ce vignoble où devait se dérouler une paisible cérémonie, l'indicateur flaira une bonne affaire.

Évitant les archers à l'œil mauvais, il se mêla aux vignerons et but du jus de raisin. Eux, qui aimaient tant plaisanter, faisaient grise mine.

— Drôles de visiteurs, observa-t-il.

— Un corps d'élite, affirma un déluré. Pas des plaisantins, ceux-là ! Mieux vaut ne pas les chatouiller. Mon grand frère a reconnu le chef de province Sarenpout. D'ordinaire, il nous envoie un bateau de commerce que l'on charge de jarres de vin. Aujourd'hui, il commande un navire de guerre ! Ça sent mauvais.

— Et cette femme superbe ?

— Une prêtresse d'Abydos. D'après un collègue à l'ouïe fine, ce serait même la Supérieure ! Tu te rends compte ? On n'aurait jamais dû l'apercevoir ! Il se passe forcément quelque chose de grave.

L'indicateur salivait. Combien valaient de telles informations ? Sûrement une fortune ! Il négocierait pied à pied et obtiendrait un maximum. Ensuite, démission, achat d'une ferme, engagement de plusieurs employés et retraite paisible. Il avait la chance de se trouver au bon endroit au bon moment !

Une seconde conversation avec d'autres vignerons confirma les dires du déluré. Inutile, en conséquence, de s'attarder davantage.

S'éclipsant discrètement, l'indicateur sortit du vignoble et courut en direction de la rive. Il la longerait jusqu'au débarcadère où stationnait l'un des bateaux de Médès. Le troc prendrait du temps, mais il se montrerait inflexible. L'ex-facteur s'imaginait déjà allongé à l'ombre de sa pergola, regardant son personnel travailler.

Le faucon prit son envol.

Capable de voir l'invisible, il repérait ses proies grâce aux émissions lumineuses, si infimes fussent-elles, qui se dégageaient de leur urine ou de n'importe quelle sécrétion.

Un cri étrange, angoissant, figea l'indicateur.

Essoufflé, il leva les yeux. Aveuglé par le soleil, il lui sembla qu'une pierre fonçait vers lui à une vitesse incroyable.

Le crâne perforé, il s'effondra, mort.

Son devoir de protecteur d'Isis accompli, le faucon d'Horus retourna se percher au sommet de l'acacia.

— Ces délibérations ne mèneront à rien, jugea Sarenpout. Je bouscule un peu ces radoteurs et vous prenez la relique.

— Soyons patients, recommanda Isis. Ce prêtre comprendra la gravité de la situation.

— Vous aimez trop les humains ! Ils ne sont qu'un ramassis de bavards auxquels il ne faut pas accorder la possibilité de discuter à tout propos.

Enfin, le ritualiste au regard de rapace revint auprès de la jeune femme.

— Suivez-moi, je vous prie.

Il l'emmena jusqu'à la barque portative, qu'il fit pivoter sur elle-même pour accéder au socle, un coffre en sycomore. Le grand prêtre en sortit la poitrine d'Osiris, formée de pierres précieuses.

— À l'unanimité du collège sacerdotal d'Edfou, nous consentons à vous remettre ce trésor inestimable. Utilisez-le au mieux et préservez les Deux Terres du malheur.

24

Le meilleur des physionomistes serait passé près de Sékari sans le reconnaître. Mal rasé, les cheveux et les sourcils teints en gris, voûté, il ressemblait à un vieillard fatigué qui tentait, à grand-peine, de vendre les médiocres poteries que portait son âne, lent et rétif, accompagné d'un chien poussif. Excellents comédiens, Vent du Nord et Sanguin jouaient les animaux martyrisés, à bout de souffle.

Sékari tenait un raisonnement simple : le Bouclé et le Bougon se terraient dans leur quartier de prédilection, où personne ne songerait à les rechercher. Imprudence, stupidité ? Certainement pas. Le réseau terroriste avait prouvé son efficacité et sa rigueur. Donc, ces deux-là et leurs comparses disposaient d'une cachette tellement sûre qu'ils ne redoutaient ni descentes de police ni perquisitions, même inopinées.

Aucun indicateur ne parvenait à s'infiltrer, aucune trahison, aucun bavardage. Le cloisonnement touchait à la perfection. Sékari commençait à former une hypothèse, difficile à vérifier. Néanmoins, une lueur d'espoir : s'il ne se trompait pas, l'un des fidèles de l'Annonciateur sortirait tôt ou tard de son trou, simplement pour respirer et changer d'air. Quel risque, au fond ? Le quartier ne souffrait plus d'une étroite surveillance, et des guetteurs prévenaient les clandestins du passage de chaque patrouille.

Les résidents s'habituaient à ce personnage inoffensif qui ne posait aucune question et vivotait de son maigre commerce. Les passants lui donnaient volontiers du pain et des légumes, qu'il partageait avec l'âne et le chien.

À la nuit tombante, Sékari sommeillait.

Ce soir-là, la patte de Sanguin se posa sur sa tête.

— Laisse-moi dormir un peu.

Le chien insista, Sékari ouvrit l'œil.

À quelques pas, un homme achetait des dattes à un marchand ambulant et les mangeait goulûment.

Le Bouclé.

Cette fois, il ne le lâcherait pas.

Continuant à mastiquer les fruits, le Bouclé s'éloigna. Sékari se leva et le suivit. Il disposait d'un atout majeur : le flair du chien et de l'âne. Ainsi pouvait-il filer le terroriste à bonne distance sans être repéré.

Le trajet ne fut pas long.

L'âne s'immobilisa devant une coquette maison à deux étages. Une ménagère furieuse apostropha Sékari.

— Décampe, sac à puces ! Je déteste les traînards.

— Mes poteries ne sont pas chères ! Je t'en vends deux pour le prix d'une.

— Aussi laides que fragiles ! Décampe, ou j'appelle la police.

Sékari obtempéra en grommelant. Certitude absolue : le Bouclé se cachait dans cette demeure.

Pourtant, elle avait été fouillée à plusieurs reprises.

L'hypothèse de l'agent secret se confirmait.

Conformément à ses habitudes, Sékari déjoua la surveillance des gardes et se glissa, telle une ombre, jusqu'au bureau du vizir.

Au milieu de la nuit, Sobek travaillait. Suspectant l'énormité de la tâche, le Protecteur en avait mésestimé l'ampleur. Seule solution : un labeur acharné, une étude attentive de chaque dossier et une connaissance approfondie des problèmes, petits et grands, menaçant la prospérité des Deux Terres.

Contrairement aux suppositions de ses détracteurs, Sobek apprenait vite. Bénéficiant de l'aide précieuse de Senânkh, ministre de l'Économie, il le sollicitait fréquemment afin de ne laisser subsister aucune zone d'ombre.

La sécurité de Memphis demeurait son obsession. Conscient de la terrible menace pesant sur la ville, il espérait une faute de ses adversaires ou bien le résultat positif d'une des nombreuses enquêtes en cours.

Comme d'habitude, l'apparition de Sékari le surprit.

Ses dons de passe-muraille ne s'émoussaient pas.

Contracté, le vizir se leva.

— Je dois t'apprendre...

— Moi d'abord, l'interrompit l'agent secret. Je viens de localiser l'un des repaires des terroristes.

Les deux hommes se penchèrent aussitôt sur la carte de Memphis qu'avait dressée l'ex-chef de la police. L'index de Sékari désigna l'endroit.

Sobek eut une moue de dépit.

— Nous avons fouillé dix fois ce pâté de maisons ! Aucun résultat.

— Inutile de recommencer, échec assuré.

— Alors, pourquoi tant d'optimisme ?

— Parce que nous sommes naïfs et aveugles. Le Bouclé se cache bien ici, et nous ne le dénichons pas car la méthode classique est inadaptée.

— Ne me parle pas d'un spectre !

— La réalité me semble plus concrète.

— Explique-toi, je n'ai pas le cœur aux énigmes.

— Pas à l'intérieur. Au-dessous.

Sobek frappa la carte du poing.

— Des souterrains... des souterrains qu'ils ont creusés, où ils se terrent comme des rats ! Tu as raison, pas de meilleure explication !

— Intervenons immédiatement, nous détruirons une fraction de leur troupe.

— Hors de question ! Ma maladie officielle et la disparition du général Nesmontou provoqueront fatalement des réactions intéressantes. Dès que la majeure partie du réseau se découvrira, nous agirons. Je veux frapper très fort et atteindre la tête.

— Stratégie risquée !

Soudain, le visage de Sobek s'assombrit.

— Magnifique travail, Sékari. J'aurais aimé le fêter, mais je dois t'apprendre une affreuse nouvelle.

La gorge du Protecteur se serra.

— Iker est mort.

— Mort... En es-tu vraiment certain ?

— Malheureusement oui. Cette fois, il n'a pu esquiver le coup fatal.

Décomposé, Sékari s'assit.

Perdre cet ami, ce Frère, ce compagnon d'aventures, lui infligeait une douleur insupportable.

— Mort... Comment ?

— Assassiné.

— À Abydos ? Impensable !

— D'après le message du roi, le coupable est l'Annonciateur.

À la souffrance s'ajouta la stupéfaction.

— L'Annonciateur aurait-il profané le territoire sacré d'Osiris ?

— Sur ordre du pharaon, quitte Memphis et rejoins Isis dans le Sud. Elle t'expliquera la situation, ton aide lui est indispensable.

Sékari eut envie d'abandonner et de donner sa démission. Vaincre l'Annonciateur et sa cohorte de démons semblait impossible.

— Pas toi, protesta Sobek. Toi, tu ne peux pas renoncer. Iker ne te le pardonnerait pas.

Perclus, Sékari se redressa.

— Si nous ne nous revoyons pas, vizir Sobek, ne me pleure pas. En me montrant inférieur à l'adversaire, j'aurai mérité mon sort.

Sobek ne trouva pas le sommeil. Il songeait à Iker, qu'il avait trop longtemps soupçonné de collaboration avec l'ennemi, à ce jeune scribe au courage inusable et à la carrière fulgurante. Comment imaginer que le Fils royal courait le moindre danger à Abydos et que l'Annonciateur oserait frapper au cœur du royaume d'Osiris ?

La colère l'envahit, il eut envie de convoquer la totalité des forces de l'ordre et de raser le quartier où se cachaient les terroristes. Il les étranglerait lui-même, lentement, très lentement.

Ne serait-ce pas souiller sa fonction et trahir le roi ? Ni lui ni les alliés du pharaon ne devaient céder à la rage et perdre leur lucidité. L'Annonciateur comptait sur une telle faiblesse, désireux de pousser son avantage et d'aggraver la dislocation de l'édifice.

Car nul n'en doutait : Fils royal, Ami unique, successeur désigné de Sésostris, Iker était irremplaçable.

Depuis le début de cette guerre, tantôt souterraine, tantôt visible, l'Annonciateur poursuivait des buts précis, la destruction d'Abydos et l'élimination de ce jeune homme, patiemment et durement préparé aux plus hautes fonctions. Ce terrifiant coup d'éclat marquait peut-être la défaite irrémédiable de l'Égypte, en dépit de sa volonté de combattre le Mal.

Sobek lutterait jusqu'au bout.

Si les hordes de l'Annonciateur envahissaient Memphis, elles se heurteraient au Protecteur.

Nesmontou tournait comme un lion en cage. Cependant, pas de meilleure cachette pour un défunt dont on venait de célébrer des funérailles discrètes, afin de ne pas affoler la population. Qui irait le chercher chez Séhotep, assigné à résidence et promis à une sévère condamnation ?

Au moins, les deux Frères du Cercle d'or pouvaient évoquer Abydos et leurs initiations, oubliant les rigueurs du moment.

— La qualité des repas me change de l'ordinaire de la caserne, avoua le général, mais ce confort me ramollit ! J'ai hâte de retrouver le terrain. Pourvu que les terroristes soient bien informés de mon décès !

— Rassure-toi, leur réseau a démontré son efficacité.

Nesmontou dévisagea Séhotep.

— Toi, tu déprimes ! Plus d'appétit, plus de gaieté... Les femmes te manqueraient-elles à ce point-là ?

— Je vais être exécuté.

— Ne raconte pas n'importe quoi !

— Ma cause semble perdue d'avance, Nesmontou. Tu connais Sobek le Protecteur, il appliquera la loi. Et je ne peux lui donner tort.

— Le roi n'autorisera pas ta condamnation !

— Le roi ne se situe pas au-dessus de Maât. Il en est le représentant sur terre, et le vizir son bras agissant. Reconnu coupable, je serai justement châtié.

— Nous n'en sommes pas là !

— L'heure approche, je le sens. Mourir ne m'effraie pas, mais une telle déchéance, une telle infamie, mon nom souillé, effacé des textes... Je ne le supporte pas. Ne vaudrait-il pas mieux disparaître avant d'être traîné dans la boue ?

Jamais Nesmontou n'avait vu le brillant Séhotep en proie au désespoir.

Le vieux militaire le prit par les épaules.

— Attachons-nous au fait majeur : tu es innocent. D'accord, le démontrer s'annonce ardu ! N'avons-nous pas affronté d'autres difficultés apparemment insurmontables ? Il s'agit d'un combat, et nous sommes en position de faiblesse. Donc, il faut retourner la force de l'adversaire contre lui. J'ignore de quelle manière, à nous de trouver ! Certitude absolue : le tribunal du vizir exige la vérité. Cette vérité, nous la possédons. Dotés de l'arme décisive, nous vaincrons.

Un pâle sourire anima le visage inquiet de Séhotep. Nesmontou aurait redonné confiance à un régiment d'éclopés, cernés de toutes parts.

— Tu es presque convaincant.

— Comment, presque ? Je déteste les insultes ! Excuse-toi en partageant cette amphore de vin rouge qui requiert une dégustation attentive.

L'excellence du grand cru redonna des couleurs à Séhotep.

— Sans toi, Nesmontou...

— Allons, allons ! Tu n'es pas homme à te décourager.

L'officier de police chargé de garantir la sécurité de la luxueuse demeure annonça la venue du ministre de l'Économie.

Senânkh avait perdu son habituelle bonhomie. Sinistre, il regarda ses deux Frères du Cercle d'or comme s'il ne les connaissait pas.

— Séhotep, Nesmontou..., murmura-t-il.

— C'est bien nous, assura le général. Qu'y a-t-il ?

— Je viens de voir le vizir Sobek.

Séhotep s'avança.

— De nouvelles preuves contre moi ?

— Non, il s'agit d'Iker et d'Abydos. Un malheur, un très grand malheur...

— Explique-toi ! ordonna Nesmontou.

— Iker assassiné, Abydos violé. L'Annonciateur triomphe.

Le trio erra jusqu'à l'aube dans les rues de Memphis.

Une armée de terroristes armés jusqu'aux dents aurait pu

croiser la route de Sékari sans qu'il s'en aperçoive. Accablé de chagrin, il marchait au hasard, le regard perdu, Sanguin à sa gauche, Vent du Nord à sa droite.

Ils ne le quittaient pas d'une semelle, allant jusqu'à le coller. L'un et l'autre percevaient sa détresse et, à leur manière, exigeaient une explication. Reculant cet entretien inévitable, Sékari se remémorait chacune des aventures vécues avec Iker, des pires moments aux joies ineffables. Il gravait en son cœur le moindre instant de fraternité et le moindre élan de l'âme, sur le chemin de Maât à laquelle ils avaient voué leur existence.

Aujourd'hui, tout n'était qu'injustice et cruauté.

Les jambes coupées, Sékari s'affala au pied d'un échafaudage.

L'âne et le chien l'encadrèrent.

— Je vous dois la vérité... La vérité, si difficile à dire. Vous comprenez ?

Le ton de Sékari leur suffit.

Ensemble, Vent du Nord et Sanguin émirent une plainte déchirante, tellement intense qu'elle réveilla de nombreux dormeurs.

L'un d'eux sortit de chez lui et découvrit l'étrange spectacle : un homme tenant par le cou un âne et un chien, et pleurant à chaudes larmes !

— Ce n'est pas bientôt fini, ce tintamarre ? Je travaille tôt, moi, et j'aimerais me reposer !

— Tais-toi, avorton, et vénère la mémoire d'un héros qui a donné sa vie pour protéger ton sommeil.

25

L'arrivée du navire de guerre au débarcadère de la capitale de l'Aire, troisième province de Haute-Égypte, fit sensation. Ouadjet, la déesse serpent, et Nekhbet, le vautour, protégeaient ce territoire que dominait la très ancienne cité sacrée de Nekhen, garante de la titulature royale.

Sarenpout connaissait le chef de province. Les deux hommes se donnèrent l'accolade.

— Un conflit en vue ?

— La Supérieure d'Abydos a besoin de ton aide.

Impressionné par la beauté et la noblesse de son hôte, le dignitaire s'inclina.

— Elle vous est acquise !

Isis se sentait mal à l'aise. Des forces obscures rôdaient à proximité.

— La région ne subit-elle pas certains troubles, ces derniers temps ?

— La couleur de la Montagne Rouge s'accentue, beaucoup la jugent menaçante. Les prêtres s'en inquiètent, au point de prononcer chaque matin et chaque soir les formules d'apaisement des Âmes de Nekhen. Sans leur protection, cette contrée deviendrait stérile.

— Je viens chercher la relique d'Osiris, formée de sa nuque et de ses mâchoires.

Le visage du chef de province devint franchement hostile.

— La Tradition nous a confié ce trésor, personne ne nous le reprendra !

— Il m'est indispensable pour sauver Abydos, précisa Isis. Ensuite, il reviendra à l'Aire.

— Abydos serait... en danger ?

— Question de vie ou de mort.

Si altière et si triste, cette femme ne mentait pas.

— Tu as promis ton aide, rappela Sarenpout.

— Je ne savais pas, je...

— Une promesse reste une promesse. Lors du jugement d'Osiris, le cœur des parjures témoigne contre eux.

Ébranlé, le chef de province céda.

— En raison de la surprenante colère de la Montagne Rouge, le grand prêtre de Nekhen a sorti du temple la relique osirienne. Lui, moi et le maître forgeron sommes les seuls à connaître sa cachette.

— Tu vas donc nous y conduire, se réjouit Sarenpout.

— Je préviens d'abord la grande prêtresse et...

— Inutile. Notre temps est compté.

Sous la protection des archers d'Éléphantine, le trio se dirigea vers la vaste forge où travaillaient une cinquantaine de spécialistes.

Utilisant des chalumeaux formés d'un jonc au bec de terre cuite, ils entretenaient constamment le feu ardent d'un foyer sur lequel ils disposaient des creusets. Possédant le sens de la température juste, ils fondaient les métaux et connaissaient d'instinct les points de fusion des soudures.

Empoigner les creusets remplis de métal fondu et le verser dans des godets de taille et de forme variées était une opération dangereuse, réservée à des techniciens courageux et expérimentés.

Grand, costaud et chauve, le maître forgeron vint au-devant de ses visiteurs.

— Nous n'acceptons aucun étranger, secrets de métier obligent. Même le chef de province n'entre pas ici.

— Et la Supérieure d'Abydos ? demanda Isis.

Les lèvres de l'artisan se serrèrent.

— Les métaux reçoivent leur pureté d'Osiris et perdraient toute qualité si la lumière divine ne préservait pas leur cohérence, rappela la jeune femme.

— Que désirez-vous ?

— Remets-moi la relique osirienne qui t'a été confiée.

— Je croyais...

— Je t'en donne l'ordre, confirma le chef de province.

Le maître forgeron eut une étrange mimique.

— Seuls des professionnels supportent la chaleur de la forge et savent parer les risques. Je déconseille à une jeune femme fragile de tenter l'aventure.

— Guide-moi, exigea Isis.

Sarenpout eut un mauvais pressentiment.

— Je vous accompagne, décida-t-il.

— Pas question, objecta l'artisan. Seule une initiée aux mystères d'Abydos peut voir et toucher la relique.

Isis approuva.

En pénétrant dans ce redoutable domaine, elle fut agressée par des souffles brûlants qui auraient dû la faire reculer. Après le chemin de feu, celui-là lui parut presque tranquille.

Comme si elle n'existait pas, le maître forgeron s'arrêta à plusieurs reprises afin d'examiner les travaux en cours. Il vérifia les lingotières, les pierres servant de marteaux et d'enclumes, les chalumeaux, les pinces, l'épaisseur des feuilles de métal, et conversa avec le responsable du martelage, auquel il reprocha un manque d'attention. Il désoxyda lui-même des surfaces à souder en utilisant de la lie de vin brûlée et termina un alliage d'or, d'argent et de cuivre que le temps userait à peine.

Isis ne manifesta aucune impatience.

— Ah ! s'étonna-t-il en la dévisageant, vous êtes encore là ? Un exploit, pour une femme ! D'ordinaire, elles bavardent, se plaignent ou minaudent.

— Et leur stupidité ? Sur ce terrain, tu leur opposes une rude concurrence.

Le maître forgeron se saisit d'une pince à l'extrémité rougeoyante.

— Tu aimerais me frapper, observa la prêtresse, mais tu n'en auras pas le courage. Depuis ton départ d'Abydos, tu es tombé bien bas.

Il lâcha l'outil.

— Comment... comment savez-vous ?

— Ta manière de travailler, tu l'as forcément apprise quand tu étais temporaire au temple d'Osiris. Les alchimistes d'Abydos t'ont enseigné tout ce que tu sais. En maniant le métal fondu, le frère du soleil, tu touches la chair des dieux, les formes divines et les puissances incarnées par Sokaris. Des parcelles d'éternité lumineuse naissent des œuvres impérissables auxquelles tes mains et celles de ton équipe participent. Aujourd'hui, tu oublies la grandeur de ton métier et tu te comportes comme un vulgaire petit tyran.

L'artisan baissa les yeux.

— Une prêtresse a refusé ma proposition de mariage. Pourtant, j'avais un brillant avenir ! J'ai préféré quitter Abydos et revenir chez moi. Ici, je suis estimé. Alors, les femmes...

— Si le Mal détruit le domaine d'Osiris, ta forge sera anéantie, elle aussi.

— N'exagérez-vous pas le péril ?

— Ma parole te suffira-t-elle ?

— Admettons... Je vais vous la remettre, cette relique. Ensuite, vous disparaîtrez.

L'homme se dirigea vers le fond de la forge, une grotte au plafond bas. Des profondeurs se dégageait une fumée âcre.

— Le lac de flammes, expliqua-t-il. Ce chaudron infernal a été découvert voilà des siècles. Tantôt ses mâchoires se referment, tantôt elles s'ouvrent. Grâce à lui, nous ne manquons jamais de l'énergie nécessaire.

Isis contempla le terrifiant spectacle. Des bulles éclataient à la surface, émettant des gaz agressifs.

— Quelle meilleure cachette pour une relique ? interrogea le forgeron en souriant. En la calcinant, cet enfer mutile définitivement le corps osirien.

— Pourquoi as-tu commis ce crime ?

— Parce que je suis un fidèle disciple de l'Annonciateur !

Les bras tendus, l'artisan se rua sur la jeune femme avec l'intention de la précipiter dans le lac de flammes.

À moins d'un pas d'Isis, le pied du tueur heurta violemment une excroissance de la roche.

Déséquilibré, il rata sa cible et chuta.

Quand sa tête toucha la surface bouillonnante, elle s'embrasa aussitôt. En quelques secondes, le corps entier grilla.

Une odeur infecte envahit la grotte.

Isis serra plus fort le petit sceptre Magie en ivoire qu'elle tenait contre sa poitrine. En détournant l'assaut, il venait de lui sauver la vie.

À quoi bon, puisque l'indispensable relique avait été détruite ?

Obstinée, la prêtresse voulut s'en assurer.

Elle entama une descente dangereuse. Malgré la chaleur, la paroi rocheuse restait humide et glissante. Concentrée, la jeune femme progressait lentement.

En dépit des fumées qui l'aveuglaient, elle l'aperçut.

Au bord du lac, léché par des flammes, deux blocs semblables à des mâchoires préservaient la relique.

Hélas ! impossible de descendre davantage sans devenir

leur proie. Déjà, son visage était en feu, et sa robe commençait à brûler.

Dépitée, elle fut obligée de remonter et perçut les échos d'une bataille.

Tout en reprenant son souffle, Isis assista à la défaite des partisans de l'Annonciateur, une dizaine de forgerons qui, après avoir agressé leurs collègues, s'étaient heurtés aux soldats de Sarenpout, appelés à la rescousse.

— De vrais démons ! constata-t-il. Même blessés à mort, ils continuaient à se battre.

— Attention ! hurla un archer.

Armé d'un poignard à peine sorti de la forge et dont la lame fumait encore, un jeune artisan s'apprêtait à frapper Isis dans le dos.

Sarenpout ne lui en laissa pas le temps.

À la manière d'un bélier, tête la première, il lui percuta le ventre avec une telle hargne que l'agresseur fut projeté en arrière d'une bonne dizaine de pas et s'embrocha sur des pointes d'épées.

— Fouillez partout, exigea-t-il, furieux. Il reste peut-être d'autres vermines comme celle-là !

— La relique paraît intacte mais inaccessible, révéla Isis.

— Montrez-la-moi.

Lorsqu'il découvrit le lac de feu, Sarenpout eut un mouvement de recul.

— Si nous utilisons une corde, elle s'enflammera. Un long bâton connaîtra le même sort.

Cette dernière proposition fit briller le regard de la Veuve.

— Tout dépend de la nature du bâton !

— Aucun bois ne résistera à cette fournaise, objecta Sarenpout.

— Allons jusqu'au bateau.

La Supérieure d'Abydos ne se leurrait-elle pas ? Admirant sa ténacité, il la suivit.

Au sortir de la forge, Sarenpout aperçut un fuyard.

Torche en main, il courait à perdre haleine.

— Stoppez-le !

Deux archers tirèrent, en vain. La distance était trop importante.

Le fuyard se dirigeait vers le fleuve.

— Cet enragé veut attaquer mon bateau !

Prudent, Sarenpout avait laissé à bord plusieurs soldats d'élite, capables de repousser un assaut et de donner l'alerte.

Le gredin ne s'intéressa pas au bâtiment, mais au principal piquet d'amarrage, qu'il tenta de brûler.

Cette fois, il se trouvait à portée de tir.

Et les archers, debout sur le pont, ne le manquèrent pas.

Quand Sarenpout et Isis atteignirent le lieu du drame, la torche finissait de s'éteindre dans la terre humide de la berge.

— Ce terroriste était devenu fou ! jugea Sarenpout.

— Au contraire, estima Isis, il espérait détruire notre seul moyen de sauver la relique.

La prêtresse s'agenouilla devant le piquet.

— Pleure pour Osiris qui souffre, implora-t-elle. Moi, la pleureuse, je m'identifie à toi car je suis à sa recherche. J'écarte les obstacles, je l'appelle afin que le maître d'Abydos ignore la fatigue de la mort. Parle, chasse le Mal ! Ouvre la route du lac et dissipe l'orage.

Isis se releva et empoigna le lourd morceau de bois, qu'elle souleva sans peine, à l'effarement des soldats.

Méfiant, Sarenpout et les archers escortèrent la jeune femme jusqu'à la grotte.

— Vous ne comptez pas apaiser cet enfer ?

Isis aborda la pente glissante, Sarenpout renonça à émettre d'inutiles arguments.

Au milieu du parcours, elle jeta dans le lac le piquet d'amarrage, porteur des paroles de la Grande Pleureuse, attachée à la guérison de son Frère.

Il se ficha au cœur de l'enfer, des flammes énormes l'agressèrent.

Demeurant intact, il les absorba. Une à une, les bulles de gaz crevèrent, et le bouillonnement s'éteignit.

Isis poursuivit sa descente et atteignit la relique. Elle écarta les deux roches protectrices, et retira la nuque et les mâchoires d'Osiris, parfaitement intactes.

Abasourdi, Sarenpout ne savait comment saluer cet exploit.

— Aucune force obscure ne saurait vous résister !

Isis eut un pauvre sourire.

— L'Annonciateur n'est pas vaincu, et les dangers risquent de se multiplier.

— La présence d'une de ses cohortes, ici... D'autres capitales régionales seraient-elles infectées ?

— En douterais-tu ?

Subsistait une question angoissante : l'arrivée d'Isis avait-elle surpris un réseau dormant ou bien était-il déjà mis en alerte par un informateur ?

Peut-être les partisans de l'Annonciateur se mobilisaient-ils sur l'ensemble du territoire, décidés à supprimer la Supérieure d'Abydos.

26

Ouaset[1], la capitale de la quatrième province de Haute-Égypte, « le sceptre Puissance », était le fleuron d'une large plaine fertile dont les habitants jugeaient inégalables le charme et la beauté. Ne disait-on pas que la semence issue du *Noun*, l'océan d'énergie, se coagulait ici sous l'effet de la flamme de l'œil solaire ? Sur le sol de vie se dressait la butte primordiale, entourée de quatre piliers soutenant la voûte céleste.

Isis se rendit au temple principal, Karnak, « l'Héliopolis du Sud ». Là s'accomplissait la fusion entre Atoum, le Créateur, Râ, la lumière divine, et Amon, le caché. Ciel et terre s'y unissaient, et les neuf puissances à l'origine de toutes choses s'y révélaient à l'orient.

La jeune femme se recueillit devant les deux colosses représentant Sésostris debout, le premier coiffé de la double couronne, le second de la blanche. Tenant d'une main ferme le testament des dieux lui léguant la terre d'Égypte, le roi marchait. Son visage exprimait une sereine détermination.

Le grand prêtre de Karnak vint à la rencontre d'Isis, accom-

1. Thèbes.

pagnée de Sarenpout. Les archers étaient restés à l'extérieur du sanctuaire.

— On se souviendra des splendeurs de ce règne, déclara l'homme d'âge mûr. Grâce à ses œuvres, un pharaon ne disparaît pas. Et l'œuvre la plus rayonnante, c'est l'éternité dont il se porte garant. Soyez la bienvenue, Supérieure d'Abydos.

— Pouvez-vous me conduire à la chapelle d'Osiris ?

— La grande place s'ouvre pour vous.

Comme à Abydos, la sépulture du dieu était entourée d'arbres. Régnait un profond silence, presque oppressant.

À l'intérieur de la chapelle, un naos que fermait une porte à deux battants.

Isis prononça les formules de l'éveil en paix, et tira le verrou, le doigt de Seth. Elle contempla une admirable statuette en or d'Amon-Râ, haute d'une coudée.

Le petit monument ne contenait pas le symbole espéré.

Maîtrisant déception et inquiétude, la prêtresse se conforma aux exigences rituelles, referma la porte du naos et sortit à reculons en effaçant la trace de ses pas avec le balai de Thot.

À l'ombre d'une colonnade, le grand prêtre l'attendait.

— Auriez-vous été victime d'un vol ? demanda-t-elle.

— Qui aurait osé violer la paix de ce sanctuaire ? Le pire des criminels ne songerait pas à commettre un tel forfait !

— Connaissez-vous l'ensemble des prêtres temporaires et répondez-vous d'eux ?

— Oui... Enfin, presque. Mes assistants engagent des volontaires compétents et dignes de confiance. Nul reproche ne saurait être adressé au personnel sacerdotal de Karnak.

— Aucun incident à signaler, ces derniers mois ?

— Aucun !

— Pas le moindre désordre aux alentours ?

— Pas le moindre ! Enfin, si peu de chose...

— J'aimerais davantage de détails.

— Ils ne vous seront guère utiles.

— Donnez-les-moi quand même.

Hésitant, le grand prêtre céda.

— La police du désert a évoqué quelques troubles mineurs du côté de la colline de Thot. Le site étant très isolé, on ne l'inspecte pas souvent. Un gredin a cru y trouver un trésor et s'est enfui, bredouille.

Munie d'un plan assez précis fourni par le grand prêtre, Isis franchit le Nil et gagna la rive ouest. Sous la protection de Sarenpout et de ses soldats, elle traversa une zone aride en direction d'une colline entourée de ravins.

Le soleil leur parut soudain brûlant, et la chaleur, pesante, ralentit la progression.

— Soyez vigilants, exigea le chef de province, redoutant un guet-apens.

En professionnels aguerris, les archers repérèrent les emplacements où des tireurs pouvaient s'embusquer.

Un reflet métallique alerta celui qui fermait la marche.

— À terre ! cria-t-il.

La petite troupe obéit.

Seule la jeune femme resta debout, fixant l'endroit incriminé.

— Couchez-vous, supplia Sarenpout, vous formez une cible idéale !

— Nous n'avons rien à craindre.

Puisque aucune flèche n'était tirée, tous se relevèrent, encore inquiets.

— Prenons ce chemin, ordonna Isis.

— Il est tellement étroit et escarpé que nous devrons grimper l'un derrière l'autre et très lentement, déplora Sarenpout.

— Je passe la première.

— Laissez l'un de mes hommes courir ce risque !

— La colline de Thot nous réserve un bon accueil.

Le chef de province n'insista pas. À présent, il connaissait la détermination de la jeune femme et la savait insensible aux conseils de prudence.

Le parcours se révéla difficile et fatigant. La pierraille roulait sous les pieds et dévalait la pente abrupte. Par bonheur, personne ne souffrait du vertige.

Au sommet, un plateau écrasé de soleil. Au centre, un modeste sanctuaire dont les murs portaient des traces d'incendie.

Assoiffés, les soldats se désaltérèrent. Isis franchit le seuil du monument aux parois couvertes de noir de fumée. Ne subsistait qu'une représentation du dieu Thot, en partie endommagée.

Intact, le bec pointu touchait le hiéroglyphe de la corbeille signifiant « maîtrise ».

Isis se remémora l'un des enseignements essentiels d'Abydos : la puissance des dieux est Thot, qui donne largeur de cœur et cohérence.

Malgré l'ampleur de l'incendie, le visage de l'ibis restait lumineux.

Isis toucha le bec de l'oiseau. La corbeille s'enfonça, dévoilant une cavité.

À l'intérieur, un petit sceptre en or, semblable à celui utilisé lors de la célébration des mystères d'Osiris et servant à pourvoir les symboles d'une force surnaturelle.

Les terroristes avaient incendié en vain le sanctuaire de Thot.

Sarenpout fut heureux de voir ressortir indemne la Supérieure d'Abydos. Il lui montra une épée courte, recueillie à proximité.

— Voici la cause du reflet suspect. À son aspect, une arme d'origine syrienne. Je vais suggérer à mon homologue de ratisser la région.

— Je dois rendre hommage au *ka* du pharaon et lui demander si cette province nous réserve une autre offrande.

La voie processionnelle menant au temple de Deir el-Bahari était bordée de statues de Sésostris, les mains posées sur son pagne.

Tout en vénérant son père, sa fille entrait en contact avec lui. Quelle que fût la distance, leurs pensées communiaient. Elle l'interrogea et obtint des réponses dépourvues d'ambiguïté. Oui, elle devait poursuivre sa Quête, combattre son propre découragement et ne reculer devant aucun obstacle. Oui, Iker vivait encore, son âme voguait entre terre et ciel, ne se fixant ni dans la mort ni dans l'au-delà.

Elle songea à la « Belle fête de la Vallée » célébrée en ces lieux, au cours de laquelle défunts et vivants banquetaient ensemble dans les chapelles des tombes. Pendant plusieurs jours, la statue d'Amon quittait Karnak à bord du navire royal pour gagner la rive ouest, la Terre de vie, et réinsuffler une nouvelle énergie à ses temples de millions d'années. La nuit, on illuminait les nécropoles et l'on apportait aux justes de voix de multiples offrandes, notamment l'eau de rajeunissement d'origine divine et des bouquets appelés « vie ». Des chants montaient vers les étoiles, la frontière entre l'au-delà et l'ici-bas disparaissait, et chaque sépulture devenait « la demeure de la grande liesse ».

Ultime étape de la procession, le site de Deir el-Bahari[1]. S'y dressait l'extraordinaire monument de Montou-Hotep[2] qui avait régné deux cents ans avant Sésostris et lui servait de modèle en tant que réunificateur de l'Égypte, initié aux mystères d'Osiris et alchimiste.

D'un temple d'accueil montait une chaussée aboutissant à une vaste butte osirienne plantée d'acacias.

Au bas de la rampe, cinquante-cinq tamaris et deux rangées de sycomores abritant des statues assises du pharaon vêtu

1. Là sera édifié, au Nouvel Empire, le temple de la célèbre reine-pharaon Hatchepsout.
2. Neb-hepet-Râ Montou-Hotep (« Montou, taureau guerrier, est en paix »), 2061-2010.

de la tunique blanche, caractéristique de la fête de régénération.

Une élégante prêtresse reçut la jeune femme.

— Ton nom et ta fonction ?

— Isis, Supérieure d'Abydos et fille du pharaon Sésostris.

Impressionnée, la ritualiste s'inclina.

— Souhaitez-vous déjà préparer la fête de la Vallée ?

— Non, je désire savoir si le sanctuaire osirien préserve une relique.

— Je l'ignore.

— Ne pénètres-tu jamais dans la tombe d'Osiris ?

— Elle est close depuis si longtemps !

— Ouvre-m'en la porte.

— Ne serait-ce pas... une profanation ?

— Mon père ne protège-t-il pas ce sanctuaire ?

La prêtresse hocha la tête.

— Il a fait ériger de nombreuses statues le représentant en vénération face à Montou-Hotep, son lointain prédécesseur. Grâce à lui, en effet, la paix d'Osiris a été préservée.

— En es-tu certaine ?

— Que... que supposez-vous ?

— Ces derniers temps, des curieux n'auraient-ils pas tenté de la troubler ?

— La police ne surveille pas le site en permanence ! Qu'aurions-nous à redouter ?

— Conduis-moi à l'entrée de la tombe.

En dépit de son calme et de la douceur de sa voix, l'autorité de la jeune femme ne se discutait pas. La ritualiste l'emmena jusqu'à un caveau enfoui dans la montagne.

Un colosse en gardait l'accès.

Coiffé de la couronne rouge, le visage, les mains et les jambes noirs, vêtu d'une tunique blanche, le pharaon tenait les bras croisés sur sa poitrine et maniait les sceptres osiriens. Massif, le regard acéré, il écartait les profanes.

— Je ne vais pas plus loin, annonça la prêtresse.

— Surprenant, jugea Isis.

— Ce géant ne plaisante pas !

— Ne devrais-tu pas connaître les formules d'apaisement du *ka* ?

— Certes, mais cet endroit est très particulier et...

— L'Annonciateur t'a chargée de découvrir le secret de la tombe de Montou-Hotep et tu ignores comment t'y prendre.

Démasquée, la fausse ritualiste recula jusqu'au bord d'une corniche. Jaillissant de sa main gauche, une flamme lui arracha un cri de douleur. Affolée, elle bascula dans le vide.

Isis revint vers le colosse.

— Rejoins ton *ka*, lui dit-elle. Proche de ton esprit, ton fils en prend soin, et tu es devenu son propre *ka*. La lumière fait surgir ta puissance vitale, tu ne périras pas. Le principe créateur et le dieu Terre t'offrent un temple et une demeure d'éternité.

Le visage de la statue parut moins hostile. Isis franchit l'esplanade qui la séparait de l'entrée de la tombe, à présent ouverte.

Le couloir, dont la fausse voûte était revêtue de dalles de calcaire, desservait des chambres latérales contenant l'équipement funéraire. Cheminant sous la montagne, il menait à la chambre du sarcophage où le *ka* royal communiait avec le dieu caché.

Isis y médita longuement, cherchant à percer les intentions du grand monarque. Lui, l'initié aux mystères, avait forcément conservé un élément majeur du culte osirien. Les livres de la Maison de Vie ne citant aucune relique, de quoi s'agissait-il ?

La jeune femme tourna sept fois autour du sarcophage.

Au terme de ce rite, l'atmosphère de la salle se modifia.

Le plafond rougit, les murs blanchirent, le sol noircit. Jaillissant du sarcophage, une langue de feu aboutit à une petite chambre en granit.

À l'intérieur, une statue semblable au colosse, enveloppée d'un linge et enterrée comme une momie osirienne.

Isis la souleva.

Elle reposait sur une peau de bélier qui, d'après le texte hiéroglyphique, provenait d'Abydos et avait été utilisée lors de la célébration des mystères.

La prêtresse la plia et ressortit au jour. Derrière elle, la porte de la tombe se referma.

Le soleil inondait la butte osirienne.

Quand Isis sortit de l'enceinte sacrée, Sarenpout accourut.

— Je commençais à m'inquiéter ! Des ennuis ?

— Retournons au bateau et poursuivons notre voyage.

27

Lorsqu'il pénétra dans le village de Médamoud, au nord-est de Karnak, Sésostris sut que sa fille venait de retrouver la peau de bélier nécessaire à la célébration des grands mystères. Ce succès marquait une étape importante de sa Quête, à peine commencée. De redoutables périls la guettaient, et l'armée des ténèbres ne lui accorderait aucun répit.

La communion des pensées leur procurait une force à nulle autre pareille. En dépit de l'éloignement, Isis ne serait jamais seule. Le pharaon demeurait également en contact avec l'âme d'Iker, fixée à sa momie, à l'abri de la seconde mort, mais encore bien loin de la résurrection. Les formules que prononçaient chaque jour le Chauve et Nephtys empêchaient le processus de dégradation et maintenaient intact le corps intermédiaire, support de la renaissance.

À la fin du mois de khoiak, si les conditions rituelles n'étaient pas remplies, tous ces efforts auraient été vains.

Il fallait donc qu'Isis parvienne à reconstituer Osiris, et le roi à rapporter à Abydos un nouveau vase scellé contenant les lymphes du dieu.

Les enfants couraient et criaient, les maîtresses de maison

abandonnaient balai et vaisselle, les hommes quittaient les champs et les ateliers pour voir passer l'incroyable cortège, formé de soldats et d'un géant.

Le pharaon, à Médamoud ? Brutalement arraché à sa sieste, le maire se vêtit à la hâte de sa plus belle tunique. En sortant de chez lui, il se heurta à un officier.

— C'est toi, le chef du village ?

— Je n'ai pas été prévenu, sinon...

— Sa Majesté veut te voir.

Tremblant, le maire suivit l'officier jusqu'au petit temple.

Le monarque était assis sur un trône, devant la porte.

Incapable de soutenir son regard, l'édile s'aplatit et flaira le sol.

— Connais-tu le nom de cet endroit ?

— Majesté, je... je ne viens pas souvent ici et...

— Il s'appelle « la porte où l'on entend les requêtes des faibles comme des puissants et où l'on rend la justice selon la règle de Maât ». Pourquoi ce sanctuaire est-il si mal entretenu ?

— Il n'y a plus de prêtres depuis longtemps, à cause de la colère du taureau ! Moi, je n'ai pas les moyens de m'occuper d'un tel édifice. Vous comprenez, je dois d'abord me soucier du bien-être de mes administrés.

— Quel événement a provoqué sa fureur ?

— Je l'ignore, Majesté ! Personne ne peut plus l'approcher, sa fête n'est plus célébrée et les ritualistes ont déserté notre village.

— Ne serais-tu pas à l'origine de ce désastre ?

Le maire s'étrangla.

— Moi, Majesté ? Non, je vous jure que non !

— Quatre taureaux protègent magiquement cette région. Ils résident à Thèbes, à Hermonthis, à Tôd et à Médamoud, et forment une forteresse contre les forces du Mal, ainsi qu'un œil complet au centre duquel brille une lumière indestructible. Toi, par tes actes infâmes, tu as mis en péril l'édifice et rendu l'œil aveugle.

— Je ne suis qu'un pauvre homme, incapable d'un tel forfait !

— Oublierais-tu tes crimes ? Tu as vendu à des pirates le jeune Iker, pauvre et sans famille, puis assassiné et volé un vieux scribe, son maître et son protecteur. Lors du retour inattendu d'Iker, au lieu de t'amender et d'implorer son pardon, tu l'as spolié de son héritage, chassé de sa maison et du village, et tu as alerté un tueur afin qu'il l'élimine. C'est l'accumulation de ces méfaits qui a déclenché la colère du taureau.

Dégoulinant d'une sueur fétide, le maire n'osa pas nier.

— Pourquoi tant de turpitudes ?

— Majesté, je... Un moment d'égarement, des...

— En te soumettant à l'Annonciateur, assena Sésostris, tu as trahi ton pays et souillé ton âme à jamais.

L'accusé éclata en sanglots.

— Je ne suis pas responsable, il me manipulait, je le maudis, je...

Soudain hagard, le souffle coupé, le maire eut l'impression qu'on lui arrachait le cœur. Il se redressa, vomit du sang et de la bile, et s'effondra, foudroyé.

— Brûlez le cadavre, ordonna Sésostris.

Le roi se rendit à l'enclos du taureau de Médamoud. Tête noire à l'avant, blanche à l'arrière, il vivait de son union au soleil. Lors de la fête célébrée en son honneur par des musiciens, des chanteurs et des chanteuses, il guérissait de nombreuses maladies, notamment des ophtalmies.

Le regard du quadrupède brillait d'une fureur telle que le monarque en personne ne parviendrait pas à l'apaiser sans comprendre les véritables exigences de l'animal sacré.

— Les fautes anciennes viennent d'être effacées, lui annonça-t-il, et le coupable châtié. La Supérieure d'Abydos et moi-même mettons tout en œuvre pour arracher Iker au néant. Si d'autres chemins doivent être parcourus, dévoile-les.

Cessant d'écumer et de gratter le sol de ses sabots, l'énorme mâle fixa le roi de ses yeux noirs.

Entre le pharaon et l'incarnation animale de son *ka*, le dialogue s'établit.

Ses révélations achevées, le taureau s'emporta de nouveau.

En compagnie du chef de sa garde, Sésostris explora le temple.

— Qu'un messager se rende à Thèbes et réquisitionne architectes, sculpteurs, dessinateurs et peintres. Cet édifice sera restauré et agrandi, un lac sacré creusé, des demeures de prêtres permanents édifiées. Les travaux débuteront demain, à l'aube, et se poursuivront jour et nuit. Montou et le taureau réclament un domaine digne d'eux. Qu'un cordon de sécurité soit établi autour du chantier.

Le messager partit sur-le-champ.

À la mairie, Sésostris réunit un conseil municipal effarouché. Il se composait de créatures vénales, dévouées à l'édile décédé. Vite lassé de leurs protestations d'innocence et de leurs suppliques, le souverain convoqua les anciens, exclus des délibérations.

— Il vous faut un nouveau maire. Qui proposez-vous ?

— Le propriétaire des meilleures terres cultivables, répondit un grand vieillard à la chevelure d'un blanc éclatant. Il détestait le bandit dont vous nous avez débarrassés, Majesté, et parvenait à lui résister, malgré menaces et coups bas. Sa richesse sera mise au service de notre petite communauté, plus aucun villageois ne manquera de nourriture.

Le conseil des anciens approuva ce choix.

— Votre temple deviendra l'un des fleurons de cette province, annonça le monarque. Les meilleurs artisans thébains offriront à Montou une nouvelle demeure.

— Suffira-t-elle à calmer le taureau ? s'inquiéta le vieillard.

— Non, car trop de crimes ont été commis et trop de dangers nous menacent. Il me revient d'apaiser votre génie protecteur.

— Pouvons-nous vous aider ?

— Quelqu'un connaît-il l'emplacement de l'antique sanctuaire d'Osiris ?

Dubitatifs, les anciens échangèrent quelques mots.

— Ce n'est probablement qu'une légende, estima le vieillard.

— Les archives de la Maison de Vie d'Abydos affirment son existence.

— Aussi loin que remonte la mémoire du village, Médamoud se présente comme la butte de Geb, le dieu Terre. Victorieuse des ténèbres, la lumière divine l'a fécondée et rendue fertile.

— Mène-moi à ce lieu sacré.

— Majesté, la butte est perdue au milieu d'un fouillis végétal infranchissable. Jadis, les fous qui tentèrent de s'y aventurer périrent étouffés. Dès l'enfance, je m'en suis prudemment écarté, et nul d'entre nous n'a essayé de violer ce domaine redoutable.

— Montre-le-moi.

Résigné, le vieillard s'aida de sa canne et marcha lentement. Sésostris lui donna le bras.

— As-tu rencontré Iker ?

— L'apprenti scribe ? Bien sûr ! D'après son professeur, un sage parmi les sages, il était particulièrement doué et promis à un grand destin. Solitaire, silencieux, travailleur jusqu'à l'épuisement, Iker ne s'intéressait qu'à la langue sacrée. À l'évidence, ce monde ne formait pour lui qu'un passage entre l'univers des origines et l'invisible. Son enlèvement et la mort de son maître plongèrent Médamoud dans la tristesse et la misère. Même le soleil ne nous réchauffait pas. Aujourd'hui, Majesté, vous nous libérez du malheur !

— Le maître d'Iker n'ignorait pas l'emplacement du sanctuaire osirien.

Le vieillard prit un temps de réflexion.

— En ce cas, il n'a pas divulgué le secret. À plusieurs reprises, il nous prévint d'une terrible menace. Nous le taxions de pessimisme. Et puis l'étranger à la tête couverte d'un turban et à la robe de laine s'empara de l'esprit du maire. Après son bref passage, les ténèbres recouvrirent Médamoud.

Au-delà du temple en ruine, un jardin planté de multiples essences répandait des parfums suaves.

— Voici le champ des ancêtres, précisa le vieillard. Ici règne un silence pesant en raison de l'absence d'oiseaux. Ne vous approchez pas du grand jujubier qui marque la frontière du domaine interdit. Il émet des ondes mortelles.

— Merci de ton aide.

— Majesté, vous n'allez pas...

— Fais préparer un banquet pour fêter la nomination du nouveau maire.

Sésostris s'accorda une brève méditation. Il songea à son Fils spirituel et aux paroles du taureau. La résurrection d'Iker passait par celle du pharaon qui devait s'effectuer au cœur du plus ancien des tertres d'Osiris.

La réunion dans l'autre vie exigeait l'union dans la mort.

Le roi se dirigea vers le jujubier.

Des rayons jaunes et blancs l'agressèrent. Porteur des signes de stabilité, son pagne les absorba.

Au pied de l'arbre, deux disques, l'un d'or et l'autre d'argent, souillés de figures magiques d'origine cananéenne. Utilisant des feuilles d'acacia et de sycomore, le monarque les effaça.

Un vent doux se leva, les frondaisons frémirent et des dizaines d'oiseaux chantèrent. La voix des ancêtres circulait à nouveau, soleil et lune illumineraient le jardin à leur heure.

Quand le roi écarta de lourdes branches, elles émirent des plaintes déchirantes. Le géant persévéra et se fraya un chemin.

Une cinquantaine de pas lui permirent d'atteindre un pylône ruiné, unique ouverture d'une enceinte de brique en partie écroulée.

Aucun oiseau n'habitait ce bosquet sacré, voué au silence absolu depuis plusieurs générations.

Sésostris franchit le seuil du petit temple.

Une cour rectangulaire envahie par la végétation, puis un second pylône et une seconde cour, plus petite et plus dégagée.

Soudain, les débris de végétaux remuèrent. Dérangé, un long serpent rouge et blanc, couleurs des couronnes, prit la fuite. Le monarque frappa du pied afin d'éloigner d'éventuels congénères et entreprit une exploration méthodique des lieux.

Ni inscription ni bas-relief.

À l'ouest et à l'est, il découvrit deux niches. De chacune partait un couloir sinueux et voûté, conduisant à une pièce rectangulaire, au sol de sable fin, recouverte d'une butte ovoïde.

Les deux matrices stellaires, lieux de recréation d'Osiris.

Les paroles du taureau prenaient ainsi tout leur sens, et le chemin du roi se trouvait tracé.

Au maître d'œuvre venu de Thèbes, Sésostris donna des instructions précises : la majeure partie du temple de Médamoud serait consacrée à la fête de régénération du pharaon. Statues et bas-reliefs célébreraient ce moment essentiel d'un règne où la puissance du souverain se renouvelait grâce à sa communion avec les divinités et les ancêtres. Chef-d'œuvre de l'incessant artisanat cosmique, le maître des Deux Terres renaissait à sa fonction, pourvu de l'énergie nécessaire à l'accomplissement de ses devoirs.

Avant de connaître cette joie, Sésostris devait subir une épreuve qui marquerait peut-être la fin de son existence terrestre. Selon la prophétie du taureau, l'emplacement du vase contenant les lymphes d'Osiris ne se révélerait à lui que dans les ténèbres de la crypte, au cours d'un sommeil proche de la mort.

Là, le dieu Terre avait transmis le trône des vivants à son fils Osiris. Là, Sésostris deviendrait dépositaire du *ka* de tous ses ancêtres royaux.

Mais traverserait-il la nuit ?

Tergiverser n'était pas de mise.

Dans la première matrice osirienne, un trône. À la place du monarque, un bouquet de fleurs.

Dans la seconde, un lit sommaire. À sa tête, le sceau de Maât, déesse assise tenant le hiéroglyphe de la vie.

Sésostris s'enduisit le crâne d'un onguent qui lui permettait de porter la Double Couronne sans crainte d'être foudroyé. L'uræus, cobra femelle équivalant à l'œil de Râ, ne dirigerait pas sa flamme contre lui.

Autour de son cou, le roi noua une écharpe à franges en lin rouge, provenant du temple d'Héliopolis. Capable d'illuminer les ténèbres, elle guidait la pensée au-delà de l'apparence.

Avant de s'étendre sur son lit de mort ou de renaissance, Sésostris contempla longuement une étoile de lapis-lazuli. En elle s'inscrivaient les lois célestes auxquelles il se soumettait, tout en les transmettant à son pays et à son peuple.

Le monarque ferma les yeux.

Ou bien il célébrerait sa fête de régénération et procurerait une aide nouvelle à Iker, ou bien l'Annonciateur obtiendrait une victoire décisive en éliminant son principal adversaire.

28

D'après le *Livre de géographie sacrée* dévoilant les emplacements des reliques osiriennes, la prochaine étape d'Isis était Dendera, capitale de la sixième province de Haute-Égypte, « le Crocodile ». Grâce à des vents inhabituels, le bateau progressait à une vitesse extraordinaire.

Au débarcadère, personne.

Inquiet, Sarenpout donna l'ordre à deux de ses hommes d'explorer les environs.

Villages abandonnés, champs désertés.

— Rendons-nous au temple, préconisa la jeune femme.

La magnifique demeure de la déesse Hathor trônait au sein d'une luxuriante végétation. D'admirables jardins dispensaient de la fraîcheur. Tant de beauté et de paix incitaient à la méditation et au recueillement.

Les archers de Sarenpout, eux, se tenaient prêts à tirer.

Que la double grande porte fût fermée, rien d'anormal. Elle ne s'ouvrait qu'en des circonstances exceptionnelles, notamment lors de la sortie de la barque divine. Chaque année, Hathor remontait le fleuve jusqu'à Edfou, afin de s'y unir à Horus et de recréer le couple royal.

Tous les accès au temple, y compris le petit porche où se purifiaient les temporaires, étaient condamnés.

Au sommet d'un mur apparut une prêtresse, visiblement affolée.

— Qui êtes-vous ?

— La Supérieure d'Abydos.

— Pourquoi ces soldats ?

— Mon escorte.

— Les abeilles... les abeilles ne vous ont-elles pas attaqués ?

— Je n'en ai aperçu aucune.

La prêtresse descendit de son poste d'observation, entrouvrit une porte latérale et convia Isis à entrer.

Sarenpout voulut la suivre.

— Pas d'homme armé dans le domaine d'Hathor ! protesta la prêtresse.

— Que se passe-t-il ?

— Depuis plusieurs jours, les abeilles sont devenues folles. D'ordinaire, elles fabriquent l'or végétal, en harmonie avec « l'or des dieux », le nom de notre déesse, et nous fournissent un remède inestimable. À présent, elles tuent quiconque s'aventure hors de cette enceinte. Nous accueillons ici la population et supplions la déesse de mettre fin à cette calamité.

— Avez-vous identifié sa cause ? demanda Isis.

— Malheureusement non ! Nous accomplissons les rites d'apaisement, jouons du sistre et dansons, mais cette horrible situation perdure.

— Où se trouve la relique osirienne ?

— Dans le bois sacré, aujourd'hui inaccessible ! Des dizaines d'essaims l'ont envahi. Sans aide, nous périrons. Puisque les abeilles ne vous piquent pas, peut-être pouvez-vous nous sauver.

— Mène-moi aux salles de guérison.

Nerveuse, la prêtresse conduisit Isis au fameux centre hospitalier de Dendera. En provenance de toute l'Égypte, des ritualistes souffrants venaient y recouvrer la santé.

Anxieux, des centaines d'habitants de la province, femmes, hommes et enfants, imploraient Hathor d'éloigner le malheur et de leur redonner une existence normale. Voir Isis en apaisa beaucoup. N'était-elle pas une messagère de la déesse dont la présence annonçait une heureuse issue ?

Le médecin-chef, une robuste femme âgée, se multipliait et n'accordait aucun moment de répit à ses assistantes. Entre les cas graves et les affections légères, les soignants n'avaient pas le temps de flâner.

— Ouvrez-moi une salle d'incubation, demanda Isis.

— Plus une place de libre !

— En tant que Supérieure d'Abydos, je vais interroger l'invisible et tenter de savoir comment guérir cette province.

L'argument ébranla la thérapeute.

— Patientez un instant, je transfère un convalescent.

L'attente fut brève.

Le médecin-chef introduisit Isis dans une petite pièce au plafond bas. Sur les murs, des formules magiques. Au centre, une baignoire remplie d'eau chaude.

— Déshabillez-vous, calez votre tête, fermez les yeux et tâchez de dormir. Des fumées odoriférantes empliront ce local. Si la déesse le juge bon, elle vous parlera. Depuis le début de cette crise, elle reste muette.

Isis suivit les instructions.

Le bain lui offrit de délicieuses sensations. Détendue, elle laissa son esprit vagabonder. Les fragrances se succédèrent les unes aux autres, formant un tourbillon de parfums enivrants.

Monstrueuse, l'abeille attaqua.

Se cramponnant au rebord de la baignoire de pierre, Isis demeura immobile. Elle savait que des mirages tenteraient de l'effrayer et de la contraindre à abandonner l'expérience.

Un essaim entier recouvrit chaque parcelle de son corps.

Gardant les yeux fermés, elle pensa à Iker, à la suite de son voyage et à l'indispensable reconstitution du corps osirien.

Une odeur de lys lui ôta toute crispation.

Et le visage de la déesse Hathor lui apparut. D'une voix paisible, elle lui dicta la conduite à suivre.

Le trésor du temple de Dendera abritait une impressionnante variété de métaux et de pierres précieuses. Une ritualiste ouvrit les coffrets et autorisa la Supérieure d'Abydos à prélever le nécessaire. Sa vision ne représentait-elle pas le dernier espoir de vaincre la malédiction ?

Calme et précise, Isis reconstruisit l'œil d'Horus déchiré par Seth. Cristal de roche d'une exceptionnelle pureté pour la cornée, carbonate de magnésium contenant des oxydes de fer sous la forme de veinules rouges pour la sclérotique, obsidienne pour la pupille, résine brun-noir soulignant l'iris, dissymétrie entre pupille et cornée [1]... La jeune femme respecta strictement les composantes anatomiques, devenues matériaux symboliques.

Portant le symbole de la parfaite santé, elle sortit du temple et se dirigea vers le bois sacré.

Des nuées d'abeilles l'environnèrent.

Malgré la peur, Isis garda son sang-froid. La brillance de l'œil tenait à l'écart les insectes enfiévrés.

Le bois sacré n'était que bourdonnement infernal.

Au centre, une butte sur laquelle poussaient des acacias. Lorsque la prêtresse y déposa l'œil, les reines réorganisèrent leurs essaims, et chaque communauté retrouva sa cohérence. Les abeilles regagnèrent leurs ruches, à la lisière du désert.

---

1. Voir *Science et Vie, La Vie révélée des œuvres d'art*, 1998, « L'intense regard du scribe », article de Didier Dubrana, avec cette conclusion : « Derrière le regard de cette statue de l'Égypte pharaonique (le scribe assis du Louvre), bombardement protonique et radiographie ont mis au jour des yeux à l'anatomie quasi parfaite. »

Au pied de l'arbre dominant, une source jaillit.
Elle restitua la relique, les jambes d'Osiris.

Atteindre Batiou, « le Temple du sistre Puissance », capitale de la septième province de Haute-Égypte, exigea peu de temps.

Cette fois, le débarcadère et les quais étaient occupés par une foule nombreuse et agitée. Les forces de l'ordre essayaient vainement de repousser des centaines de curieux. Scrutant le Nil, des ritualistes se lamentaient.

— S'approcher ne me paraît guère prudent, estima Sarenpout.

— Nous devons découvrir la cause de ce tumulte, estima Isis, et recueillir la relique.

Un bateau de la police fluviale leur barra la route. À son bord, un militaire de carrière que Sarenpout avait formé.

Les proues des deux bâtiments se touchèrent.

— Seigneur Sarenpout, quelle joie de vous revoir !

— Tu as parcouru du chemin, mon garçon.

— Garantir la sécurité de cette province est une tâche passionnante.

— À voir cette agitation, pas facile !

— Les prêtres viennent de commettre une lourde erreur, la population redoute la colère divine.

— La Supérieure d'Abydos ramènera le calme. Répands la nouvelle de son arrivée.

À l'annonce d'un tel événement, les angoisses se dissipèrent. La magie de l'émissaire d'Osiris ne triompherait-elle pas du malheur ?

Le bateau de Sarenpout accosta.

Libérés de la pression de la foule, les ritualistes continuaient pourtant à gémir. Isis les somma de s'expliquer.

— À la tête d'une procession, notre grand prêtre portait la relique de la province, le sexe d'Osiris, révéla l'un d'eux. Victime d'un malaise, il est tombé dans le Nil, et nous n'avons pu la récupérer. Un poisson l'a avalée. Nous ne la retrouverons jamais.

— Pourquoi ce pessimisme ?

— Les meilleurs pêcheurs ont échoué ! Créature de l'autre monde, ce poisson échappe à leurs filets.

— Conduis-moi à ton temple.

L'Annonciateur ne manipulait pas seulement des hommes. Capable d'utiliser les éléments, il s'était servi d'un habitant des eaux pour interrompre la Quête d'Isis et condamner Iker à l'anéantissement.

Une lueur, une minuscule lueur, animait encore la volonté de la jeune femme. Refusant d'accepter l'évidence, elle s'agrippait à un mince espoir : manier l'emblème de cette province, le sistre à tête d'Hathor. De ses vibrations naîtrait peut-être un nouveau chemin.

Conscients de leur faute impardonnable, les prêtres demeuraient prostrés.

Isis parcourut les allées d'un jardin où étaient creusés des bassins couverts de lotus. Aux feuilles à bord allongé, aux sépales et aux pétales arrondis, presque dépourvus d'odeur, les blancs s'ouvraient le soir et se refermaient à l'aube. À feuilles rondes, les bleus s'épanouissaient le matin et répandaient une odeur suave. Fins, leurs sépales et leurs pétales se terminaient en pointe.

Selon d'anciens écrits, elle évoquait le sexe créateur du lotus vénérable, apparu lors de la première fois.

La jeune femme préleva un magnifique lotus bleu et l'interrogea. Non, la relique de la province n'avait pas disparu. Une force obscure la dissimulait, le poisson n'était qu'un leurre.

Quand une prêtresse lui apporta enfin le sistre Puissance, ses vibrations déclenchèrent une succession de rayons d'un rouge vif, semblables à des flammes, qui parcoururent la surface des bassins.

Isis rassembla les ritualistes.

— Sortez de votre torpeur, exigea-t-elle. N'entendez-vous pas ce chant ?

Une musique aigre leur déchira les oreilles.

— Si vous ne me dites pas la vérité, vos sens s'éteindront. Que cachez-vous ?

— L'arbre de Seth, avoua un octogénaire. Mieux valait oublier son existence, de peur qu'il ne trouble notre sérénité et ne nous prive de la relique osirienne. En minimisant le danger, nous avons commis une erreur irréparable.

— Révélez-moi son emplacement.

— Je vous déconseille de l'affronter, il...

— Hâtons-nous, conduisez-moi.

Au nord du temple, un espace désolé. Pas une fleur, pas un brin d'herbe. Le sol était brûlant.

— La chaleur provient des narines de Seth, expliqua l'octogénaire.

Émergeant d'une faille, un arbre noir, sec, aux branches torturées. Couché à proximité, un étrange quadrupède aux longues oreilles et au museau d'okapi.

— Puis-je... puis-je m'en aller ? demanda le ritualiste.

Isis acquiesça, le vieillard détala.

— Je te connais, Seth, déclara d'une voix ferme la Supérieure d'Abydos, et je t'offre le lotus bleu. Tu règnes sur l'or des déserts et tu lui donnes ta force. À travers toi passe le feu procréateur, capable de vaincre la mort. Permets-moi de recueillir la relique de ton Frère.

L'animal se secoua et se redressa. De ses yeux rouges, il fixa l'intruse.

Isis fit un pas, le quadrupède l'imita. Lentement, ils se rapprochèrent l'un de l'autre.

La prêtresse ressentit le souffle brûlant du gardien de l'arbre sec. Elle osa le caresser et constata que sa peau était recouverte d'un onguent. Déchirant l'une des manches de sa tunique, elle récolta cette substance et franchit l'espace la séparant de la faille.

Tournant le dos à la bête, elle formait une proie facile.

Les branches craquèrent, l'arbre noir se désagrégea et tomba en poussière. De la faille monta une fumée rougeâtre qui enveloppa la jeune femme.

Porteur du parfum du lotus bleu, le vent la dissipa.

Au bord du gouffre, le phallus d'Osiris en électrum, alliage d'or et d'argent.

Isis emballa dans le morceau de tissu. L'onguent de l'animal de Seth redonnerait force et vigueur au membre divin.

Autour d'elle, une herbe abondante, d'un vert tendre.

L'étrange quadrupède avait disparu.

En vue, la Grande Terre d'Abydos, capitale de la huitième province de Haute-Égypte, lieu de tous les bonheurs et du malheur suprême. Comme Isis aurait aimé y vivre une existence longue et heureuse en compagnie d'Iker, à l'écart des vicissitudes du monde !

Au débarcadère, un nombre impressionnant de militaires.

Parmi eux, un trio composé de Sékari, de Vent du Nord et de Sanguin.

29

Pendant longtemps, Isis et Sékari furent incapables de prononcer un seul mot. L'agent secret étreignit la prêtresse avec respect, l'âne et le chien gémirent. Leurs yeux s'embuèrent de larmes, elle tenta de les consoler. Ces retrouvailles atténuèrent un peu leur chagrin.

— Tout n'est pas perdu, affirma Isis. Je dois recueillir les reliques osiriennes majeures et rassembler ce qui est épars. Si je réussis, si nous savons célébrer les rites et transmettre le mystère, peut-être Iker guérira-t-il de la mort.

Sékari n'y croyait guère, mais il se garda d'émettre le moindre doute. L'Égypte, le pays aimé des dieux, n'avait-il pas connu de nombreux miracles ?

— Nous poursuivrons le voyage ensemble, annonça-t-il, et je te protégerai.

— Les créatures de l'Annonciateur sont partout, révéla la prêtresse.

L'âne et le chien réclamèrent de nouvelles caresses. Sékari et Sarenpout se donnèrent l'accolade.

— Cette femme est extraordinaire, murmura le chef de province. Bien qu'elle n'ait aucune chance d'atteindre son but, elle trace son chemin à la manière du meilleur des guerriers et ignore le danger. Nul obstacle ne l'arrêtera, elle préférera mourir plutôt que de renoncer. Déjà, nous nous sommes sortis de pièges redoutables ! Et l'ennemi ne faiblira pas.

— Ton navire de guerre est trop repérable, estima Sékari. Disposant d'un bâtiment léger et rapide, je prends le relais. Tu peux rentrer à Éléphantine.

— As-tu besoin de mes archers ?

— Qu'ils abandonnent leur allure militaire et se comportent comme de simples marins formant l'équipage d'un bateau de commerce. Ils dissimuleront leurs armes et ne les utiliseront qu'en cas de nécessité. Toi, Sarenpout, demeure vigilant. L'avenir pourrait nous infliger de fâcheuses surprises.

— Craindrais-tu une attaque des Nubiens ?

— De ce côté-là, pas d'inquiétude. En revanche, Memphis est toujours menacée. À l'évidence, l'Annonciateur veut briser le trône des vivants. Chaque chef de province aura un rôle décisif à jouer en maintenant la cohésion de son territoire.

— Éléphantine restera inébranlable, promit Sarenpout. Surtout, veille sur Isis.

Ému, le rugueux Sarenpout prit congé de la Supérieure d'Abydos. Il souhaitait exprimer les mots justes, témoignant de son admiration et de son affection, mais bredouilla des formules de politesse affreusement conventionnelles.

Le regard d'Isis lui fit comprendre qu'elle percevait ses sentiments véritables.

— Inutile de vous recommander la prudence, ajouta-t-il. Pourtant, l'adversaire...

— Nous le vaincrons, Sarenpout.

Isis, Sékari, Vent du Nord et Sanguin se dirigèrent vers le domaine d'Osiris. Au contact de la jeune femme, l'âne et le chien retrouvaient leur vigueur d'antan.

— Mon père court un grave danger. Ne serais-tu pas plus utile à ses côtés ?

— J'ai reçu l'ordre de t'aider et de te protéger. Entouré des meilleurs hommes de sa garde personnelle formée par Sobek, le roi est en sécurité.

— Bien qu'immobile, son voyage s'annonce périlleux. S'il ne revient pas de l'autre côté de la vie et s'il ne célèbre pas sa régénération en utilisant le vase scellé, nous sommes perdus.

— Sésostris reviendra.

— Encore un peu d'eau ? demanda Bina au capitaine des soldats disposés autour de la Maison de Vie d'Abydos.

— Ça ira.

— Quand dois-je vous en rapporter ?

Son charme et sa sensualité séduisaient le militaire. Il luttait vaillamment pour ne pas quitter son poste et l'emmener dans un endroit discret.

— Dès que possible. Enfin, je veux dire... à l'heure réglementaire. Normalement, nous n'avons pas le droit de discuter.

— Autant d'hommes, jour et nuit... Vous gardez un fabuleux trésor !

— Nous, on obéit aux ordres.

— Tu ne sais vraiment rien ?

— Rien de rien.

Bina déposa un baiser furtif sur la joue du capitaine.

— À moi, tu ne mentirais pas ! Surtout si nous nous retrouvons ce soir, après le dîner...

— Ce soir, relève de la garde. Je quitte Abydos, un collègue me remplace. Maintenant, éloigne-toi.

Ce brutal changement d'attitude était dû à l'arrivée du Chauve et de Nephtys.

Temporaire dévouée et discrète, Bina s'éclipsa.

Espacées afin de ne pas attirer l'attention, ses multiples tentatives se heurtaient à un mur impénétrable. Impossible de savoir ce qui se tramait à l'intérieur de ce bâtiment mystérieux où le vieux ritualiste et la maudite séductrice pénétraient plusieurs fois par jour.

Et nul, pas même un autre permanent, ne pouvait fournir le moindre renseignement à la servante de l'Annonciateur.

Des soldats en armes, à l'intérieur du domaine d'Osiris ! Ce désolant spectacle choquait, mais deux meurtres ne venaient-ils pas d'être commis ? Une explication simple circulait : il fallait protéger les archives sacrées, et le Chauve utilisait les grands moyens.

Bina ne s'en satisfaisait pas. Peut-être le vieillard et Nephtys consultaient-ils d'antiques grimoires et recherchaient-ils des formules magiques capables de protéger le site et d'empêcher de nouveaux crimes ? Peut-être rédigeaient-ils des papyrus de conjuration. En ce cas, pourquoi une telle présence militaire ?

Irritée, elle se rendit chez l'Annonciateur.

Elle n'aurait malheureusement pas d'éléments nouveaux à lui procurer.

Continuant à verser la libation d'eau fraîche sur les tables d'offrandes et à remplir scrupuleusement sa fonction de répartiteur des denrées alimentaires, Béga cachait sa colère. La bile le rongeait, ses jambes enflaient.

Le Chauve ne persistait-il pas à le traiter comme quantité négligeable ? Que ce vieillard buté méprisât les temporaires, peu importait. Mais qu'à lui, un permanent expérimenté, il refuse l'accès à la Maison de Vie et ne consente pas à lui fournir d'explication, c'était insupportable !

Hélas ! ses collègues, de véritables moutons, approuvaient l'attitude du Chauve, et Béga ne parviendrait donc pas à former une coalition contre ce tyran. Dès la chute de Sésostris et la prise de pouvoir de l'Annonciateur, il réduirait en esclavage le collège des permanents. Condamné à laver les linges souillés, le Chauve mourrait à la tâche. Et ce jour-là, enfin, Béga éclaterait de rire !

En quittant Abydos, Sésostris comptait-il regagner Memphis ou bien avait-il choisi une autre destination, correspondant à une stratégie précise ?

Un moyen simple de le savoir : obtenir les confidences d'un marin d'escorte que Béga connaissait depuis longtemps. Souffrant des reins, il appréciait le don de petites amulettes qui le soulageaient.

Les deux hommes se rencontrèrent sur le quai principal. Béga y inspectait la livraison de légumes frais.

— Comment vas-tu, l'ami ?

— Les douleurs reviennent.

— Un long voyage à Memphis, ça laisse des traces !

— Memphis ? Je n'y suis pas allé récemment.

— N'appartenais-tu pas à l'escorte royale ?

— Si, mais...

Le marin s'interrompit.

— Memphis n'était pas notre destination. Désolé, je ne peux en dire davantage. Secret militaire.

— Oh ! ça ne me regarde pas, et je ne suis pas curieux !

Béga sortit de la poche de sa tunique une minuscule amulette en cornaline, en forme de colonnette.

— Pendant la nuit, place sous tes reins ce symbole de verdeur et de croissance. Il atténuera la souffrance.

— Vous êtes généreux, si généreux ! Ces drames, à Abydos, quelle horreur !... On espère tous que le pharaon saura, une fois de plus, repousser le malheur. Pourquoi s'est-il rendu à Médamoud, ce village de la province thébaine, au lieu de regagner la capitale ? Il a sans doute de bonnes raisons, faisons-lui confiance !

— Sage recommandation, estima Béga. Protégés par un souverain de cette envergure, qu'avons-nous à redouter ? Quand l'énergie de cette amulette sera épuisée, signale-le-moi. Je t'en donnerai une autre.

— Trop bon... Vous êtes trop bon !

— Médamoud, répéta l'Annonciateur, intrigué. Un renseignement digne de foi ?

— Source de première qualité, assura Béga. Il s'agit d'un

marin superstitieux et stupide qui n'a même pas conscience de me l'avoir communiqué.

— Médamoud, le village natal d'Iker, le lieu de résidence de ce vieux scribe, informé de l'emplacement d'un ancien sanctuaire d'Osiris, oublié et abandonné ! Sésostris s'y intéresse parce qu'il espère y découvrir un moyen de lutter contre moi.

— Sa défaite est consommée, jugea Béga. Il ne songe qu'à retarder l'échéance. Son fils spirituel assassiné, le vase scellé disparu, le fétiche d'Abydos détruit, il ne lui reste pas le moindre soutien ! Brisé, Sésostris se réfugie dans une vieille croyance.

— Tu ignores l'importance réelle de ce petit village. Le pharaon, lui, la pressent. Et il percera son secret, les deux matrices stellaires où lui-même et son *ka*, symbolisé par un bouquet monté, tenteront de se recharger d'énergie.

La science de l'Annonciateur stupéfia Béga.

— Vous... vous semblez tout connaître de nos rites !

— Ainsi, je n'en laisserai subsister aucun.

La peur contracta les viscères du permanent. L'apparence humaine de l'Annonciateur ne dissimulait-elle pas une force de destruction qui survivrait à son enveloppe charnelle ? Repoussant cette mise en garde de sa conscience, Béga se persuadait de la validité de sa démarche. Seul l'Annonciateur comblerait ses vœux.

— Même régénéré, qu'espère Sésostris ?

L'Annonciateur leva les yeux.

— Je vois Médamoud, je vois le pharaon. Son âme voyage.

— Serait-il... mort ?

— Il continue à combattre. Je dois profiter de ce moment de faiblesse pour le précipiter dans le néant.

— Seigneur, sortir d'Abydos me paraît impossible ! Les interrogatoires se poursuivent et les forces de l'ordre entourent le site. Même le désert est étroitement surveillé.

— Me déplacer ne sera pas nécessaire. Grâce aux qualités médiumniques de Bina, je maudirai le nom de Sésostris. Son âme ne réintégrera pas son corps, elle errera à travers des paysages désolés et périra d'inanition.

Bina franchit le seuil et se prosterna devant son maître.

— Seigneur, Isis est de retour.

Abydos abritait une relique majeure, la tête d'Osiris.

Isis souleva le cache qui la voilait.

Le visage serein du dieu avait toujours les traits d'Iker. L'Annonciateur ne parvenait pas à les effacer.

Pourtant, l'atmosphère était lugubre.

Le Chauve n'enjoliva pas son échec.

— Des dizaines d'interrogatoires et de contre-interrogatoires, des enquêtes approfondies, une vigilance accrue... Et pas le moindre indice, pas la moindre piste sérieuse. Permanents et temporaires remplissent leurs fonctions avec zèle, comme si Abydos ignorait le crime et la désespérance.

— Quelqu'un a-t-il tenté de percer le mystère de la Maison de Vie ? demanda Isis.

— Les mesures de sécurité se révèlent efficaces. Je déplore la présence de ces soldats, mais il n'existe pas d'autre moyen de préserver Iker.

— Vous a-t-on questionné à propos de ce dispositif ?

— Bien entendu ! Et j'aurais jugé suspect quiconque ne s'en serait pas étonné. Il est normal que les permanents et les temporaires aguerris m'interrogent. Nephtys et moi laissons croire à une recherche effrénée de vieilles formules magiques, aptes à protéger Abydos.

Nephtys prit les mains de sa Sœur Isis.

— La barque d'Osiris préserve la momie d'Iker, indiqua-t-elle. Chaque jour, je la magnétise plusieurs fois, et le Chauve prononce les paroles de puissance. Nulle trace de dégradation n'apparaît, ton mari survit entre deux mondes. Nous arrosons le jardin où vient boire l'âme-oiseau d'Iker, et les plantes continuent à pousser. Rassemble les reliques, Isis, ne renonce sous aucun prétexte !

Le pauvre sourire de la Veuve traduisit ses minces chances de succès.

— Désires-tu le voir ? demanda Nephtys.

— La Maison de Vie est sûrement observée en permanence par les criminels. Si j'y pénètre, ils comprendront que nous tentons l'impossible. Tâchons de garder ce secret le plus longtemps possible. À l'instant de sa divulgation, l'Annonciateur déclenchera de nouvelles forces destructrices afin d'assassiner Iker une seconde fois.

— Ni le Chauve ni moi-même ne te trahirons !

— J'aurais tant aimé parler à Iker, mais ce serait le mettre en danger ! Toi, ma Sœur, tu lui expliqueras.

De la corbeille des mystères, Isis sortit les reliques recueillies lors des premières étapes de son voyage.

— Dépose-les à l'intérieur de la Maison de Vie. Je repars immédiatement.

En accompagnant sa Sœur à l'embarcadère, Nephtys lui fit une confidence.

— L'un des permanents me déplaît.

— Béga ?

— Toi aussi, tu le juges suspect ?

— Suspect est un terme excessif. Je ne parviens pas à percevoir la réalité de son être. Lui reproches-tu un fait précis ?

— Pas encore.

— Le crois-tu lié à l'assassinat d'Iker ?

— Impossible de l'affirmer sans preuve formelle.

— Sois prudente, recommanda Isis. L'ennemi n'hésite pas à tuer.

Nephtys ne lui parla pas de ses relations privilégiées avec l'énigmatique et séduisant Asher. Elle risquait de l'attrister, voire de la heurter, en évoquant le monde des sentiments, à l'heure où le destin d'Abydos et la survie d'Iker étaient en jeu.

30

Memphis dormait, pas le général Nesmontou. Après un succulent dîner, il arpentait la terrasse de la villa de Séhotep. Indifférent à la superbe vision de la capitale, le vieux général ne supportait pas l'inaction. Loin des casernes et des hommes de troupe, il se sentait inutile.

L'élégant Séhotep le rejoignit. Privé des soirées mondaines au cours desquelles il sondait l'âme et les intentions des dignitaires, empêché de poursuivre son programme de rénovation et de construction des temples, le scribe au regard vif et à l'intelligence déliée s'étiolait.

— Je grossis, déplora Nesmontou. Ton cuisinier est tellement doué que je ne résiste à aucun de ses plats. Comme je manque d'exercice, l'obésité me guette !

— Désires-tu entendre quelques *Maximes* de Ptah-Hotep à propos de la maîtrise de soi ?

— Je les connais par cœur et je m'endors en les répétant ! Pourquoi Sobek nous impose-t-il une aussi longue attente ?

— Parce qu'il ne veut frapper qu'à coup sûr.

— Sékari a repéré un nid de terroristes ! Je les débusque,

je les interroge, ils me donnent le nom de leurs chefs, et nous décapitons l'armée des ténèbres !

— Nous ne luttons pas contre un ennemi ordinaire, rappela Séhotep. Souviens-toi de Treize-ans et de ses semblables. Le fanatisme décuple leur haine, ils ne se rendent pas, ne parlent pas et préfèrent mourir. Sobek adopte la meilleure stratégie : faire croire aux terroristes qu'ils ont le champ libre.

— Ils ne se manifestent guère !

— Les informations doivent circuler et devenir tout à fait crédibles, notamment ta mort et la maladie incurable de Sobek. Plus de général en chef, plus de vizir, des querelles entre les prétendants à des fonctions vitales : quelle superbe occasion de lancer une offensive ! Mais les lieutenants de l'Annonciateur sont prudents : ils ne l'engageront pas avant d'être certains de gagner.

— Entendu, entendu ! Alors, qu'ils pointent le bout de leur nez !

— Cela ne tardera pas, prédit Séhotep.

— J'aimerais partager ton optimisme.

— Ce n'est pourtant pas mon sentiment dominant.

— Cesse de te tourmenter ! Ton innocence sera démontrée.

— Le temps joue en ma défaveur. Peu importe, si le pharaon sauve les Deux Terres et préserve Abydos.

Mains croisées derrière le dos, Nesmontou reprit sa marche de long en large. Et Séhotep contempla la capitale, proie offerte à de redoutables prédateurs.

Furieux de son éviction, l'ex-adjoint au maire de Médamoud s'en tirait cependant à bon compte. Espion de l'Annonciateur à Médamoud, il s'étonnait de l'arrivée de Sésostris.

Le pharaon ne s'était pas seulement déplacé pour châtier le maire ! En posant des questions à propos du temple d'Osiris, il révélait son véritable but : retrouver un sanctuaire oublié, probablement détruit depuis longtemps.

Redevenu simple villageois, le terroriste rasa sa moustache, se vêtit d'un pagne de paysan et traîna du côté du chantier où travaillaient les artisans venus de Thèbes. Remarquablement organisés, ils se répartissaient en équipes de jour et de nuit. Là encore, un comportement inhabituel ! Pourquoi le monarque souhaitait-il une réfection aussi rapide ?@ Pourquoi des gardes d'élite surveillaient-ils le site ?

À l'évidence, le roi attachait une importance majeure à Médamoud.

Si l'ex-adjoint découvrait les raisons de ce comportement surprenant, l'Annonciateur lui accorderait une promotion. Il quitterait ce médiocre village et résiderait à Memphis, dans une belle demeure. Réduits à l'état de domestiques, de hauts dignitaires satisferaient ses moindres désirs. Un tel avenir impliquait de prendre quelques risques.

Tête basse, il présenta des galettes tièdes au capitaine des gardes.

— Cadeau du nouveau maire, précisa-t-il. En voudriez-vous davantage ?

— Pas de refus.

— Ce soir, je vous apporterai de la purée de fèves. Le roi, lui, doit préférer des mets raffinés. Que faut-il commander au cuisinier du maire ?

— Ne t'occupe pas de ça.

— Sa Majesté serait-elle souffrante ?

— Va chercher le supplément de galettes.

Le mutisme du capitaine en disait long. Sésostris était immobilisé ici à cause d'un empêchement majeur, à moins qu'il n'accomplisse un rite lié au sanctuaire osirien de Médamoud.

Franchir le cordon de sécurité ? Impossible.

L'ex-adjoint se faufila au-delà du temple et, à sa grande surprise, constata que le bois sacré, inaccessible depuis plusieurs générations, était, lui aussi, sous étroite surveillance !

Le roi... le roi avait franchi la barrière végétale ! Seul ce géant pouvait écarter les démons qui étouffaient les curieux.

Pendant la restauration et l'agrandissement du temple, Sésostris résidait au cœur de ce jardin interdit. Comment y accéder et découvrir ses intentions ?

De gré ou de force, un homme l'aiderait : l'octogénaire à la tête du conseil des anciens.

Assis sur une chaise paillée, le vieillard contemplait l'ex-adjoint d'un œil noir.

— Le sanctuaire d'Osiris n'existe pas. Ce n'est qu'une légende.

— Cesse de mentir ! Tu as convaincu la population entière afin de préserver un secret, et je veux le connaître.

— Tu divagues ! Sors de chez moi.

— Même à ton âge, on tient à sa vie et plus encore à celle de ses enfants et de ses petits-enfants. Réponds-moi, sinon tu regretteras ton obstination.

— Tu oserais...

— J'ai beaucoup à gagner, qu'importent les moyens !

L'octogénaire ne prit pas l'avertissement à la légère.

— Ce sanctuaire existe bien, mais à l'état de ruines.

— Ne comporte-t-il pas des cryptes abritant un trésor ?

— Possible.

— Attention, je m'impatiente !

— Exact, deux chapelles souterraines.

— Que contiennent-elles ?

Le vieillard sourit.

— Elles sont vides.

— Tu plaisantes !

— Vérifie donc.

— Donne-moi une description précise des lieux.

L'octogénaire s'exécuta.

Persuadé de la sincérité de son informateur, le disciple de

l'Annonciateur l'étrangla. Vu son grand âge, la famille croirait à une mort naturelle.

Restait à trouver le moyen de s'introduire dans le bois sacré, à s'emparer d'un trésor fabuleux et à découvrir les agissements du roi.

Avec un peu de chance, il pourrait peut-être le supprimer !

Imaginer la récompense fit tourner la tête de l'assassin. Après avoir installé sa victime sur son lit, il sortit de sa modeste demeure et alla se restaurer.

Sékari admira le petit sceptre en ivoire grâce auquel Isis déclenchait un puissant vent du sud, permettant au bateau de voguer à une vitesse exceptionnelle.

— Il appartenait au roi Scorpion, l'un des monarques des origines inhumé à Abydos, précisa Isis. Mon père me l'a confié afin de modifier le destin. Ce sceptre et le couteau de Thot sont mes seules armes.

— Tu oublies ton amour pour Iker, un amour unique et indestructible. Ce que vous avez lié sur cette terre perdurera.

Ipou, la capitale de la neuvième province de Haute-Égypte, était fière de son temple. Il abritait un témoignage extraordinaire de son dieu protecteur, qui avait donné son nom à la région : le Météorite de Min. Tombé du ciel au début de la première dynastie, cette pierre née des étoiles garantissait prospérité et fertilité.

Malgré son vêtement rituel, un suaire blanc rappelant le passage par la mort, le dieu Min affirmait le triomphe de la vie de la manière la plus évidente : le sexe perpétuellement en érection, il fécondait le cosmos et la matière sous toutes ses formes.

Isis se rendit au temple. Un ritualiste gardait la porte des purifications.

— Je souhaiterais voir votre Supérieur.

— À quel titre ?

— M'interdirais-tu l'accès au château de la Lune ? Ici, l'on écoute l'univers et l'on transcrit son message.

Le gardien blêmit. En quelques mots, la jeune femme prouvait sa qualité. Ne connaissait-elle pas l'un des noms secrets du temple et les vertus de la relique osirienne ?

Les purifications effectuées, le prêtre convia la visiteuse à méditer dans la grande cour à ciel ouvert pendant qu'il allait chercher son Supérieur.

Ce dernier ne tarda pas. Quadragénaire imposant, il ne s'embarrassa pas de formules de politesse.

— Quand avez-vous vu le château de la Lune ?

— Lors de mon initiation aux Deux Chemins.

— Mais alors...

— Je suis Isis, la Supérieure d'Abydos, et je désire recueillir la relique de ce temple.

Le grand prêtre n'eut pas besoin d'explications supplémentaires. Puisqu'il fallait reconstituer à nouveau le corps osirien, une résurrection, semblable à celle du maître d'œuvre Imhotep, se préparait.

Il confia donc à la jeune initiée les oreilles d'Osiris.

À vive allure, le bateau poursuivit son voyage vers le nord. La magie d'Isis dilatait le temps, contractait les heures, atténuait la fatigue de l'équipage et maintenait sa vigueur.

Ils traversèrent plusieurs provinces sans incident, jusqu'à la hauteur de la grande cité de Khémenou[1], la ville de Thot et de l'Ogdoade.

Sékari sentit Isis nerveuse.

— Devons-nous faire escale ?

— En principe, non. Notre prochaine étape est le sanctuaire de la déesse guépard Pakhet. Mais je pressens un danger.

Au-dessus d'eux tournoyait un étrange faucon. Dépourvu

1. Hermopolis.

de la majesté de l'animal d'Horus, il semblait couvert de sang et se livrait à des mouvements désordonnés. À la place des serres, d'énormes griffes.

Isis pâlit.

— Le faucon-homme venu du chaudron de l'enfer ! Un revenant qui lacère ses ennemis, détruit leurs biens et leur descendance.

— Une créature de l'Annonciateur, jugea Sékari en lançant un bâton de jet.

Le rapace l'évita. Furieux, il poussa des cris que nulle oreille humaine n'avait encore entendus. La présence de celles d'Osiris empêcha l'équipage de devenir fou de terreur.

— Devant nous, hurla le capitaine, une île embrasée !

Barrant le Nil, elle formait un obstacle infranchissable.

— Le nid du faucon-homme, estima la Veuve. Souvenons-nous des paroles du roi, lors du rituel des moissons : « Osiris est venu de l'île de la flamme pour s'incarner dans les céréales. » En détournant le feu, en pervertissant la nature du faucon, l'Annonciateur tente de rendre l'Égypte stérile et de lui imprimer le sceau de la mort. Combattons-le !

Malgré leur détermination, les archers de Sarenpout ne cessaient de trembler.

— Empoignez les rames, commanda Isis.

— Le fleuve bouillonne, constata le capitaine. Nous n'avons aucune chance de passer.

— Grâce au sceptre Magie, le feu ne brûlera pas nos rames et l'eau ne les mouillera pas.

Sékari donna l'exemple, les autres l'imitèrent.

Sur l'île s'agitaient des formes torturées. Essayant de s'incarner en se nourrissant du brasier, elles se craquelaient, tombaient en morceaux, se reformaient de manière anarchique et poussaient des cris de haine.

Seuls Isis, Vent du Nord et Sanguin osaient contempler les convulsions d'*isefet*. Vivant pleinement l'harmonie de leur être, l'âne et le chien ne redoutaient pas l'ennemi de Maât.

Déployant toutes leurs forces, les marins espéraient échapper à ce cauchemar. De fait, leurs rames demeuraient intactes.

— Accostons, ordonna Isis.

Le capitaine crut avoir mal entendu.

— Vous voulez dire... Rejoignons la berge et quittons le navire ?

— Non, accostons cette île.

— Nous allons périr !

Se saisissant d'un arc, la Supérieure d'Abydos tira une flèche vers le sommet de la plus haute flamme où se dissimulait le faucon-homme.

Transpercé, le monstre explosa en une gerbe d'étincelles qui répandirent une odeur putride.

— Accostons, répéta Isis.

L'intensité du brasier diminuait, les flammes s'entre-dévoraient, les adversaires de la lumière s'entre-déchiraient.

Quand Isis posa le pied sur un lit de braises sans se brûler, un souffle tempétueux éteignit l'incendie et dispersa la fumée.

Sanguin bondit et dévora un spectre attardé. Les oreilles dressées, le nez au vent, l'allure tranquille, l'âne débarqua à son tour.

Les marins brandirent leurs rames et acclamèrent Isis. À la suite de Sékari, ils foulèrent le sol de l'île.

L'agent secret congratula sa Sœur.

— Ce que tu viens d'accomplir, aucun homme n'en était capable.

— Le feu de cette île n'appartenait pas à l'Annonciateur. Je restitue la flamme à Râ et l'eau à Osiris. Remplissons notre être de magie, transformons ce domaine d'*isefet* en terre des vivants.

Pour la première fois depuis qu'il avait appris l'assassinat d'Iker, Sékari crut à la possibilité d'une invraisemblable réussite d'Isis.

31

Le hurlement de l'Annonciateur réveilla Bina.

Affolée, elle embrassa le front de son maître, couvert de sueur. Les yeux hagards, il semblait égaré dans un monde inaccessible.

— Revenez, je vous en conjure ! Sans vous, nous sommes perdus.

Les convulsions de l'Annonciateur l'horrifièrent. Il entrouvrit la bouche, de la bave recouvrit ses lèvres. En proie à une crise d'épilepsie, il marmonnait des mots incompréhensibles.

Bina le massa des pieds à la tête, s'étendit sur lui, supplia le mal d'abandonner son seigneur et de se transférer en elle.

Soudain, le grand corps s'anima.

Une lueur rouge habita de nouveau le regard de l'Annonciateur.

— Isis a détruit le nid du faucon-homme, déplora-t-il.

Éclatant en sanglots, la jolie brune étreignit le dispensateur de la vraie croyance.

— Sauvé, vous êtes sauvé ! Vous anéantirez cette impie. Nulle femelle ne saurait résister à votre pouvoir.

Il se redressa et lui caressa les cheveux.

— Tu enseigneras à tes semblables la nécessité de se soumettre aux hommes. Créatures inférieures, vous devez leur obéir pour sauver votre âme. Votre sexe vous interdit de sortir de l'enfance. En permettant aux femmes d'accéder aux plus hautes fonctions, l'Égypte refuse d'observer les commandements de Dieu. La religion future ne comportera aucune prêtresse.

— Cette Nephtys...

— Elle me donnera du plaisir avant d'être lapidée. Tel sera le sort réservé aux impudiques.

— Permettez-moi de vous essuyer et de vous parfumer.

Appréciant la douceur de Bina, l'Annonciateur revécut douloureusement la mort du rapace des ténèbres et la disparition du nid des spectres, revenus de l'enfer afin de persécuter les humains. Isis remportait une belle victoire en renversant un obstacle qu'il croyait infranchissable.

Pourquoi tant d'acharnement ? Iker mort, le vase scellé détruit, le pharaon impuissant, la Supérieure d'Abydos aurait dû se consumer de désespoir.

Suffisamment formés et informés, ses disciples finiraient bien par éliminer cette folle, ivre de douleur. Son combat insensé ne menait nulle part.

Une tâche urgente s'imposait.

— Déshabille-toi, ordonna-t-il à Bina, et allonge-toi.

La jolie brune s'empressa d'obéir. S'offrir à son seigneur n'était-il pas la plus belle des récompenses ?

Au lieu de jouir de son corps, l'Annonciateur posa une lampe sur son nombril et traça des signes sur son front.

— Ferme les yeux, concentre-toi, pense à notre ennemi Sésostris dont je viens d'écrire le nom. Ta chair porte ainsi la marque de l'adversaire, puisse-t-elle le maudire et le repousser !

L'Annonciateur répéta et répéta encore les formules qu'il apprenait à ses disciples. Dans l'avenir, elles constitueraient la seule science utile à connaître, et chaque fidèle les ânonnerait quotidiennement.

Buvant ses paroles, Bina entra en transe.

Les hiéroglyphes formant le nom du pharaon se dilatèrent jusqu'à devenir illisibles, puis se liquéfièrent. Du sang noir inonda le visage du médium.

L'Annonciateur se réjouit.

Sésostris ne sortirait pas de son sommeil. Le lit de résurrection ne supporterait qu'un cadavre, et le père rejoindrait son fils au tréfonds du néant.

À l'approche de la caverne de Pakhet, la déesse guépard de la seizième province de Haute-Égypte, Sanguin grogna et Vent du Nord gratta le pont d'un sabot nerveux.

— Rassurez-vous, recommanda Isis, je connais l'endroit.

Lors de la célébration d'un rituel, la jeune prêtresse y avait incarné le vent du sud, amenant l'inondation. Parmi les privilégiés autorisés à contempler la cérémonie, Iker. Troublée, elle avait assumé son rôle comme s'il n'existait pas. Pourtant, depuis cet instant, impossible de l'oublier, sans se douter qu'il serait le seul homme de sa vie.

— Prends garde, recommanda Sékari. Le comportement de Vent du Nord et de Sanguin signale un danger.

Isis ne négligea pas l'avertissement. Cependant, cette déesse guépard était une alliée fidèle. « Grande de magie », elle offrait aux initiées d'Abydos la capacité d'affronter leur destin et de le mettre en harmonie avec Maât. Mieux encore, elle garantissait la cohérence du corps osirien qu'elle défendait contre les multiples agressions.

Le fauve aurait dû sortir de la grotte. Intriguée, la prêtresse avança.

De l'obscurité jaillit un cobra d'une taille démesurée.

Les archers tendirent la corde de leurs arcs et visèrent le monstre.

— Ne tirez pas ! ordonna Isis.

Pakhet, « Celle qui griffe », maîtrisait les feux destructeurs et se transformait en reptile, capable de combattre les ennemis du soleil.

Isis se prosterna.

— Me voici à nouveau devant toi. Aujourd'hui, la survie d'Osiris est en péril. Je suis venue te demander la relique dont tu assures la protection.

Agressif, le cobra se préparait à frapper.

— Je vais l'abattre ! annonça Sékari.

— Pas un geste !

Sur la rive, Isis traça neuf cercles. Au centre, un serpent enroulé.

— Tu incarnes la spirale de feu montant vers la lumière, la route à suivre pour sortir des ténèbres. En toi s'accomplissent les mutations de la renaissance. Scrute mon cœur, vois la pureté de mes intentions.

Lorsque la langue du cobra frôla le front de la prêtresse, Sékari faillit expédier une flèche mortelle. Mais il respecta la volonté de la Supérieure d'Abydos.

Isis remplaça la tête du serpent par celle d'un guépard.

Aussitôt, l'immense reptile glissa jusqu'au dessin, suivit le tracé des neuf cercles et avala son propre corps.

Le rugissement du fauve stupéfia l'assistance.

Soumis, il accepta les caresses de la jeune femme et l'accompagna dans la grotte. En dépit de son calme, ni Vent du Nord ni Sanguin ne se sentaient tranquilles. Sékari et les archers restaient prêts à tirer.

Quand Isis ressortit de l'antre de Pakhet, elle portait la précieuse relique, les yeux d'Osiris.

La vingtième province de Haute-Égypte, « le Laurier-rose antérieur », méritait bien son nom. D'innombrables bosquets ornaient les rives et les abords de la capitale, l'Enfant-du-jonc[1],

1. Neni-nesout, Hérakléopolis.

symbole de la royauté. À l'image de cette simple plante destinée à de multiples usages, le pharaon servait son peuple à chaque instant.

À proximité du temple, un grand lac que protégeait un dieu bélier.

— Trop calme, jugea Sékari.

Un garçonnet vint au-devant des visiteurs.

— Bienvenue ! Désirez-vous à boire ?

— Qui es-tu ? interrogea l'agent secret, suspicieux.

— Le plus jeune prêtre temporaire de ce temple.

— Conduis-nous à tes supérieurs.

— Les prêtres permanents sont souffrants.

— Une épidémie ?

— Non, un mauvais repas pris en commun. La fièvre les fait délirer.

— Qui leur a préparé une nourriture avariée ?

— Le remplaçant du cuisinier habituel. La police voulait l'interroger, mais il s'est enfui. Souhaitez-vous voir le responsable des temporaires ?

Renfrogné, ce dernier réserva un accueil distant à Isis et à Sékari.

— En l'absence des permanents, je suis surchargé de travail et n'ai pas le temps de me répandre en bavardages. Alors, soyez brefs.

— Montre-nous la relique osirienne, exigea Sékari.

Le prêtre s'étrangla.

— Pour qui vous prenez-vous ?

— Incline-toi devant la Supérieure d'Abydos et obéis-lui !

À la prestance d'Isis, le responsable sentit que son interlocuteur n'exagérait pas.

— Je ne suis pas qualifié, je...

— Nous sommes pressés.

— Bon... Suivez-moi.

Le prêtre les guida jusqu'à la chapelle de la relique, une petite pièce dont les murs étaient couverts de textes relatifs à la naissance du « grand de formes aux sept visages », l'enfant de la lumière divine apparu sur le lotus primordial.

— Je ne suis pas autorisé à entrer et moins encore à ouvrir le naos.

— Laissons agir la Supérieure, décida Sékari, entraînant leur hôte au-dehors.

Isis lut à haute voix le rituel gravé dans la pierre. Devenant elle-même parole vivante, elle apaisa les génies gardiens qui interdisaient l'accès de la châsse et en déverrouilla l'accès.

À sa sortie du temple, Isis avait les mains vides.

— La relique a disparu.

— Impossible, jugea le responsable des temporaires. Les gardiens invisibles auraient tué le criminel !

Vu le dispositif magique protégeant la châsse, l'argument ne manquait pas de poids.

Isis et Sékari eurent une pensée identique : l'Annonciateur, lui, était capable de briser les meilleures défenses.

— Décris-moi le remplaçant du cuisinier, demanda l'agent secret.

— Un professionnel sérieux, venu d'un village voisin. Il n'y avait aucune raison de se méfier de lui.

— Pas de curieux tournant autour du temple, ces derniers temps ?

— Rien d'inhabituel.

Isis s'assit au pied d'une colonne.

L'Annonciateur, ou l'un de ses démons, s'était emparé de la relique, désormais introuvable, et mettait fin à sa Quête. Il ne lui restait plus qu'à rentrer à Abydos et à revoir Iker une dernière fois.

— Viens avec moi, murmura une voix d'enfant.

Elle se retourna et découvrit le jeune temporaire, au visage illuminé d'un bon sourire.

— Pardonne-moi, je suis lasse, si lasse...

— Viens, je t'en prie.

Isis céda.

Le garçonnet l'entraîna à l'intérieur du temple couvert. Ensemble, ils pénétrèrent dans la chapelle de Râ. Sur un autel, la barque en bois doré du dieu de la lumière.

— Depuis plusieurs jours, révéla-t-il, les présages m'inquiétaient. Des forces mauvaises rôdaient, mes supérieurs ne prenaient pas la menace au sérieux. Alors, j'ai décidé d'intervenir et de cacher la relique. Ne dit-on pas que les bras d'Osiris sont les rames de la barque de Râ ? À toi, et à toi seule, je pouvais confier mon secret.

Isis s'approcha de l'autel.

L'extrémité des deux grandes rames se dévissait. Elles contenaient les membres supérieurs du maître d'Abydos.

La prêtresse voulut remercier son sauveur, mais il s'était éclipsé.

Au sourire d'Isis, Sékari comprit qu'un événement favorable venait de se produire.

— Nous poursuivons notre voyage, annonça-t-elle. Désormais, nos rames auront la puissance des bras d'Osiris.

— Ta magie...

— Non, l'intervention du garçonnet. Comment s'appelle-t-il ? demanda-t-elle au responsable des temporaires.

— Un gamin, au temple ?

— Le plus jeune des prêtres.

— Sauf votre respect, Supérieure, vous vous trompez ! Le plus jeune est âgé de vingt ans.

Isis regarda le soleil.

Né du lotus, l'enfant de la lumière était intervenu en sa faveur.

— Aide-moi à me lever, ordonna le Libanais à son intendant.

Bouger devenait difficile, restreindre sa consommation de

pâtisseries impossible. Trop de soucis et d'incertitudes le rongeaient. Grâce aux sucreries, son cerveau continuait à fonctionner, et il gardait son sang-froid.

Au milieu de la nuit, il reçut un Médès nerveux et agité.

— La surveillance des chacals de Sobek semble s'être relâchée. Néanmoins, je me méfie.

— Un gage de longue vie, estima le Libanais. Des nouvelles du vizir ?

— Il ne sort pas de sa chambre, et son secrétaire particulier expédie les affaires courantes. Une maladie que le docteur Goua lui-même ne saura pas guérir. On attend l'issue fatale d'un jour à l'autre.

— Nesmontou mort, Sobek mourant... Excellent !

— Mieux encore, je n'ai aucun décret royal à rédiger.

Le Libanais mastiqua une datte moelleuse imbibée d'alcool.

— Comment interprètes-tu cette situation ?

— L'hypothèse paraît merveilleuse, et pourtant crédible : soit Sésostris est mort, soit il est incapable d'agir et de commander ! Privée de direction, l'Égypte va à vau-l'eau.

— La reine ?

— Prostrée dans ses appartements.

— Senânkh ?

— Il ne se remet pas de la disparition de son ami Nesmontou. Victime d'une dépression, il travaille de moins en moins.

Le Libanais se gratta le menton.

— Admirable concours de circonstances ! À ma place, personne n'hésiterait à lancer l'offensive.

— Pourquoi ces réticences ?

— Mon instinct, seulement mon instinct...

— Parfois, une prudence excessive se révèle nuisible. Memphis s'offre à nous, prenons-la !

— Une ultime vérification s'impose, décida le Libanais. Effectuons des opérations ponctuelles. Si l'adversaire ne réagit pas de manière efficace, j'ordonnerai à la totalité de nos cellules d'intervenir.

32

À l'aube, le Bouclé quitta sa tanière. Memphis s'éveillait, les hirondelles dansaient, haut dans le ciel. On livrait le pain chaud et le lait frais, les premières conversations débutaient.

Un vendeur de galettes lui en proposa une.

— Intervention immédiate.

— Source ?

— Le Libanais en personne.

— Mot de confirmation ?

— Gloire à l'Annonciateur !

— Second mot de confirmation ?

— Mort à Sésostris !

Le Bouclé grignota une galette et avertit le Bougon.

Satisfaits de passer enfin à l'action, ils se séparèrent. Chacun savait ce qu'il avait à faire.

— Ça bouge, déclara le policier chargé de la surveillance de la maison suspecte. Nos guetteurs ont vu le Bouclé et le Bougon sortir de chez eux et partir à l'opposé. Des spécialistes se relaient pour les filer.

— Surtout, exigea le vizir Sobek, qu'on ne les perde pas !

— Aucun risque. Quand devons-nous les intercepter ?

— Vous n'intervenez pas.

— S'ils s'attaquent à des innocents ou détruisent des biens, nous...

— Ordre formel : quelles que soient les circonstances, vous n'intervenez pas. Quiconque désobéirait serait accusé de trahison et lourdement condamné. Suis-je assez clair ?

Le policier avala sa salive.

— Tout à fait clair, vizir Sobek.

Le Bouclé réveilla les dormants.

Marchands ambulants, boutiquiers, artisans, ils s'étaient fondus dans la population. Devenus indicateurs de police, certains l'abreuvaient d'informations rassurantes et contribuaient à l'arrestation de petits délinquants, renforçant ainsi leur crédibilité.

Semer le trouble les réjouissait. Se croyant à l'abri de nouveaux attentats, les Memphites allaient déchanter. De l'insécurité naîtrait la panique, favorable au déferlement de l'armée des ténèbres.

La première opération eut lieu de nuit, au port.

Après le départ des dockers, le Bouclé et cinq terroristes mirent le feu à un entrepôt non gardé où l'on conservait des ballots de lin.

La fumée envahit le ciel de Memphis, des cris d'alarme fusèrent.

Crispés, les policiers qui assistèrent à ce forfait maudirent les ordres de leurs supérieurs.

Les jeunes mariés se promenaient au bord du Nil. Goûtant un bonheur tranquille, ils aimaient prendre le frais au terme d'une journée de travail, loin de l'agitation de la ville.

Armé d'un couteau, un homme leur barra le passage.

— Demi-tour, décida le mari.

Derrière eux, le Bougon et trois comparses, armés de gourdins.

— Donnez-nous vos bijoux et vos vêtements. Sinon, on vous bat à mort.

— Obéissons, conseilla l'épouse.

— Je ne me laisserai pas dépouiller !

Un coup de gourdin lui faucha les jambes. Le malheureux hurla de douleur. Sa femme ôta son collier, ses bracelets et ses bagues.

— Prenez tout, implora-t-elle, mais ne nous tuez pas !

— Ta robe, sa tunique, vos sandales, vite ! exigea le Bougon.

Nues, humiliées, éplorées, les victimes tentèrent de se réconforter, n'osant même pas regarder leurs agresseurs s'éloigner.

Le policier chargé de la filature des terroristes serra les dents.

Le scribe compta les poids utilisés sur le marché. Pointilleux, il tenait un registre que son supérieur hiérarchique examinait chaque semaine. En vingt ans de bons et loyaux services, pas une seule erreur. Certains de ne pas être floués, les clients achetaient les marchandises en confiance.

De petits malins avaient essayé de le soudoyer ou de lui restituer de faux poids à l'issue de transactions douteuses. Tous s'étaient retrouvés en prison, car le ministère de l'Économie ne plaisantait pas avec l'équité.

Sa vérification terminée, le scribe s'apprêtait à fermer la porte du bureau et songeait à l'excellent dîner dont il connaissait les ingrédients : cailles rôties, haricots, fromage frais et gâteaux ronds au miel. À l'occasion de l'anniversaire de son épouse, ce serait la fête !

L'irruption du Bouclé et de deux gaillards brandissant des couteaux le stupéfia.

— Sortez immédiatement !

D'un coup de poing dans le ventre, le Bouclé fit taire le fonctionnaire.

Le souffle coupé, le malheureux chuta lourdement. Son crâne heurta un mur, il s'évanouit.

— On ravage, ordonna le terroriste à ses compagnons.

Ils déchirèrent les archives et en jetèrent les débris sur le corps de leur victime.

À l'extérieur, invisibles, les policiers restèrent immobiles.

Le général Nesmontou et Séhotep écoutèrent attentivement le rapport détaillé du vizir. Incendies, agressions de civils, vols, saccages de bureaux... Memphis ne parlait que de ces méfaits et critiquait l'incompétence et la mollesse des forces de l'ordre.

— Seuls le Bouclé et le Bougon ont quitté leur tanière, précisa Sobek. Aucun autre groupe terroriste n'est intervenu. Leurs exactions commises, ces deux bandits et leurs complices ont regagné leur repaire. Comme je le supposais, le chef du réseau se montre particulièrement prudent et teste notre capacité de réaction. J'ai donc envoyé des patrouilles un peu partout. Elles ne découvriront rien et prouveront notre désarroi.

— Après d'aussi graves incidents, protesta Nesmontou, tu refuses toujours d'agir ?

— Sékari n'a localisé qu'un seul nid de démons. Il en existe forcément plusieurs. L'Annonciateur a quadrillé la ville, et la réussite de son offensive dépendra de la rapidité de ses troupes.

— Comment les contreras-tu ?

Sobek eut un demi-sourire.

— Ça, général, c'est ton affaire ! Je t'ai apporté un plan détaillé de la ville, et tu vas m'indiquer la meilleure façon de répartir nos soldats avec une parfaite discrétion.

— Voilà de quoi réveiller un mort ! s'enthousiasma Nesmontou.

— Bien entendu, tu prendras le commandement dès la première seconde de l'attaque terroriste.

— Et ma succession ?

— Elle se déroule selon nos plans. Les officiers supérieurs s'entre-déchirent, chacun veut décrocher le poste de général en chef. Le roi absent, le vizir malade, nulle décision à l'horizon. Armée et police sont paralysées, aucun décret ne saurait être promulgué.

— As-tu mis Médès dans la confidence ? demanda Séhotep.

— Je crois préférable qu'il ignore tout. Ainsi, son comportement ne variera pas. Si des espions de l'Annonciateur l'observent, ils s'apercevront de la désorganisation progressive des services de l'État.

— Et Séhotep ? s'inquiéta le général.

— La justice doit suivre son cours, déclara gravement le vizir.

L'équipage regardait Isis d'un œil admiratif. Franchir l'obstacle de l'île de la flamme, déclencher le vent du sud, procurer des rames légères, faciles à manier et d'une efficacité incroyable... Cette prêtresse faisait des miracles !

Le bateau aborda la vingt et unième province de Haute-Égypte, « le Laurier-rose postérieur », l'une des zones fertiles du pays, grâce au canal desservant le Fayoum.

Sékari connaissait bien la région et se souvenait des multiples aventures vécues aux côtés d'Iker. En dépit des traquenards, il avait réussi à le sauver des agresseurs. Comment imaginer que l'endroit le plus dangereux serait Abydos ?

— Ne te reproche rien, lui conseilla Isis.

— Je n'étais pas là au moment choisi par l'Annonciateur et n'ai donc pas rempli correctement ma fonction. Quand le roi réunira de nouveau le Cercle d'or, je lui remettrai ma démission.

— Tu commettrais une grave erreur, Sékari.

— Je l'ai déjà commise.

— Tel n'est pas mon avis. Mais lui accordes-tu la moindre importance ?

La question troubla l'agent secret.

— Seuls le pharaon et toi êtes capables de vaincre l'Annonciateur. Le Cercle d'or vous secondera sans relâche.

— En ce cas, pas de démission. Sinon, tu trahirais Iker.

Le bateau approchait de la cité du Crocodile, capitale de la province, sillonnée de canaux. Construite sur une vaste butte surélevée, la petite ville somnolait sous le soleil. On y nourrissait un énorme crocodile, incarnation de Sobek. À peine moins imposante, sa femelle portait des pendants d'oreilles en or et pâte de verre.

— Quelle relique devons-nous recueillir ? demanda Sékari.

— Jusqu'à présent, j'ai obtenu toutes celles décrites dans le *Livre de Géographie sacrée* d'Abydos. Or, le temple de cette cité célèbre chaque année une première réunion des membres divins. En régénérant l'ancien soleil au cœur du grand lac, le crocodile de Sobek triomphe des ténèbres et proclame la royauté d'Osiris, retrouvé et ressuscité.

Au débarcadère, une animation normale. Des dockers déchargeaient des cargos, des scribes notaient la nature des marchandises et leur quantité.

— Attends-moi, j'explore les environs.

— Que redoutes-tu ?

— Étant donné la situation, je me méfie des endroits tranquilles.

Pendant l'absence de Sékari, l'équipage se restaura, Vent du Nord et Sanguin y compris. Le molosse dissuada les curieux d'examiner le bateau de trop près.

À son retour, l'agent secret semblait inquiet.

— Le temple est fermé. Il nous faut enquêter sans attirer l'attention, car j'ai ressenti des regards hostiles.

Accompagnée de Vent du Nord, Isis flâna près du sanctuaire. À quelques pas derrière elle, Sanguin, les sens en alerte.

La prêtresse s'adressa à une marchande de poisson.

— Je désire présenter une offrande au temple.

— Tu devras patienter, ma belle ! À cause d'un maléfice, les prêtres ont abandonné les lieux. S'ils ne reviennent pas, le crocodile nous dévorera.

— Où sont-ils allés ?

— Au domaine de la flamme, une île perdue au nord du grand lac. À moins d'un miracle, ils périront noyés.

— Qui pourrait m'y emmener ?

— Le passeur connaît son emplacement, mais il déteste les jolies femmes et réclame un prix exorbitant ! Oublie-le, ma belle, et quitte la région. Elle sera bientôt la proie des démons.

Le calme du chien et de l'âne rassura Isis. Personne ne la suivait. Quant à Sékari, il n'avait repéré aucun individu menaçant.

— L'Annonciateur nous a précédés, jugea-t-il.

— Je dois changer d'allure et convaincre le passeur de m'accompagner à l'endroit où sont réunis les prêtres.

— C'est un piège !

— Nous verrons bien, décida Isis.

Les cheveux gris, le teint terreux, vêtue d'une pauvre robe, Isis s'était transformée en vieille femme. Lorsqu'elle monta à bord de la barque du passeur, un homme sans âge et de grande taille, il resta assis et ne la regarda même pas.

— Acceptes-tu de me conduire au domaine de la flamme ?

— Loin et cher. Tu n'as certainement pas les moyens.

— Qu'exigez-vous ?

— Je ne me contenterai pas d'un morceau de pain et d'une outre d'eau fraîche ! Possèdes-tu un anneau d'or ?

— Le voici.

Le passeur examina longuement l'objet.

— Il me faut aussi une étoffe de première qualité, équivalant à cent cinquante litres d'épeautre et à un vase de bronze.

— La voici.

Il la palpa et la plia.

— Connais-tu les Nombres ?

— Le ciel est Un. Deux exprime le feu créateur et l'air lumineux. Trois sont tous les dieux, Quatre les directions de l'espace. Le Cinq ouvre l'esprit.

— Puisque tu sais assembler le bac, il te mènera à ton but. Évite la salle d'abattage, les partisans de Seth t'y attendent.

Le passeur quitta l'embarcation, qui s'élança d'elle-même en direction du grand lac. Pris de court, Sékari demeura sur le quai.

Une brume épaisse recouvrait le domaine de la flamme. Le bac se fraya un chemin à travers un dédale de bras d'eau et s'immobilisa face à un îlot herbeux. Agitant les bras, les prêtres du temple de Sobek appelèrent au secours.

Maniant le gouvernail, Isis s'approcha. Au mépris du risque, elle devait les sauver.

Cachés derrière leurs otages contraints de coopérer, les Séthiens brandissaient des lances.

Un pélican survola l'îlot. De son bec ouvert jaillit un rayon de soleil dont l'intensité dissipa la brume et brûla la salle d'abattage et ses tortionnaires.

Sains et saufs, les prêtres saluèrent leur sauveteur.

— Puisse le bec du pélican s'ouvrir à nouveau pour toi, dit à Isis le doyen du collège sacerdotal, et laisser sortir au jour le ressuscité. Donnant son sang afin de nourrir ses petits, il incarne la générosité d'Osiris. Ainsi sont régénérées les reliques de Haute-Égypte. En venant jusqu'ici, tu les rends pleinement efficaces.

33

Au cours du déjeuner, Senânkh, d'ordinaire si bon vivant, se contenta de grignoter et but davantage que de coutume.

— Les Memphites ont peur, Médès, et nous sommes incapables de les rassurer !

— Sa Majesté ne devrait-elle pas intervenir ?

— Nous ignorons où se trouve le pharaon, avoua le ministre de l'Économie. La Maison du Roi ne reçoit plus aucune directive.

— La reine...

— Elle demeure silencieuse et solitaire, le vizir agonise, Séhotep attend sa condamnation. Il me revient d'expédier les affaires courantes, mais j'ai les mains liées en ce qui concerne la sécurité. Ni la police ni l'armée ne m'écouteront.

Médès prit un air affolé.

— Sésostris... Sésostris serait-il... ?

— Personne n'ose prononcer le mot fatal. Peut-être s'est-il retiré dans un temple. Quoi qu'il en soit, la disparition d'Iker l'a détruit, et l'État est privé de chef.

— Il faut nommer un successeur à Nesmontou et déployer l'armée, suggéra Médès.

— Chaque officier supérieur dirige un clan d'irréductibles, et ils s'entre-dévorent ! Nous sommes au bord de la guerre civile, et je n'entrevois aucun moyen de l'empêcher. Par bonheur, les terroristes n'ont encore mené que des actions ponctuelles. S'ils étaient mieux informés, ils lanceraient une grande offensive et s'empareraient aisément de Memphis.

— Impensable ! s'exclama Médès. Vous et moi, essayons de coordonner nos forces !

— La police obéissait à Sobek, l'armée à Nesmontou. À leurs yeux, nous sommes quantité négligeable, voire des obstacles.

— Je n'ose comprendre...

— Rester à Memphis serait une folie, nous n'échapperions ni à l'attaque terroriste ni aux émeutes. Le régime va s'effondrer, nous devons partir.

— Je m'y refuse. Sésostris réapparaîtra, l'ordre reviendra !

— J'admire le courage. En certaines circonstances, il devient de la stupidité. Inutile de nier l'évidence.

Médès cessa de manger et but deux coupes de vin à la suite, sans reprendre son souffle.

— Il existe sûrement une solution, avança-t-il d'une voix tremblante. Nous ne pouvons pas tout abandonner !

— C'est Maât qui nous abandonne, déplora Senânkh.

— Et si les terroristes étaient moins puissants que nous ne l'imaginons, si leurs méfaits se limitaient à une simple guérilla urbaine ?

— Leur chef, l'Annonciateur, veut la mort d'Osiris, la déchéance du pharaon et la destruction de notre civilisation. Bientôt, il réalisera ces trois vœux.

— Eh bien, non ! rugit Médès. Fuir ne serait pas digne de nous. D'ailleurs, où irions-nous ? Battons-nous ici, rassemblons les fidèles de Sésostris, proclamons haut et fort notre détermination !

La réaction du Secrétaire de la Maison du Roi surprit Senânkh. Le considérant comme un professionnel consciencieux et un courtisan habile, il le croyait attaché à son propre confort et peu désireux de se sacrifier.

— Même réduite, poursuivit Médès, notre institution première existe toujours. Impossible de diffuser un décret, mais rien ne nous empêche d'affirmer la pérennité du pouvoir. Le pharaon a souvent quitté Memphis, et la reine a assuré la continuité de l'État. Parlez-lui, je vous en prie, et convainquez-la de tenir bon. L'ennemi n'est pas encore victorieux.

— Sommes-nous vraiment capables de lui résister ?

— J'en suis persuadé ! Militaires et policiers ont besoin de se sentir gouvernés.

— Je vais essayer, promit Senânkh.

— De mon côté, assura Médès, je répandrai des nouvelles rassurantes. Notre confiance en l'avenir jouera un rôle essentiel.

Interloqué, le Grand Trésorier quitta la table.

Peut-être aurait-il dû révéler à Médès le plan de Sobek le Protecteur. Fidèle à la parole donnée, Senânkh se tut. Révisant son jugement, il fut heureux de compter le Secrétaire de la Maison du Roi au nombre des défenseurs les plus ardents de Sésostris.

Le bateau d'Isis abordait un autre monde, celui de la Basse-Égypte. Après avoir serpenté entre deux déserts, le Nil prenait ses aises et formait un vaste delta. Du fleuve naissaient sept branches, alimentant un nombre incalculable de canaux qui irriguaient une région verdoyante, peuplée de palmeraies.

Au port secondaire de Memphis, Sékari avait procédé à un changement d'équipage. Ravis de rentrer chez eux, les archers de Sarenpout n'oublieraient pas le courage de la prêtresse. À tour de rôle, ils la remercièrent de sa protection.

Les nouveaux marins appartenaient aux forces spéciales fondées par Nesmontou. Le nouveau capitaine, baroudeur mal embouché, connaissait le moindre recoin de ces contrées sou-

Les provinces de Basse-Égypte

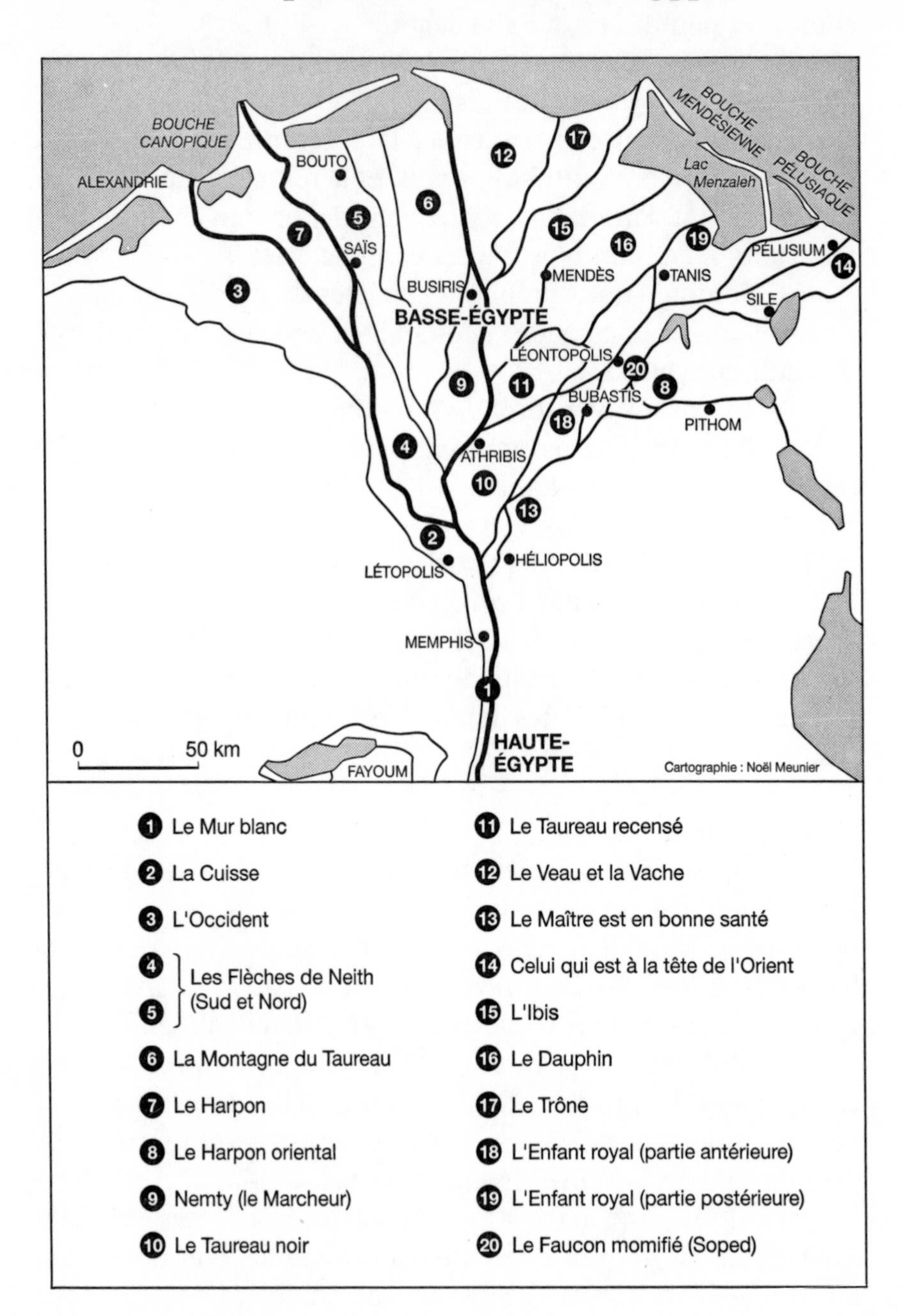

vent inhospitalières et savait naviguer de nuit comme de jour. Originaire d'un village des marais côtiers, il ne redoutait ni serpents ni insectes, et n'utilisait pas de cartes.

— Une femme ! s'exclama-t-il en découvrant la Veuve. Elle ne songe pas à voyager sur mon bateau ?

— C'est *son* bateau, précisa Sékari, et tu lui obéiras.

— Tu plaisantes ?

— Jamais lorsque je suis au service de la Supérieure d'Abydos.

Le capitaine considéra Isis d'un œil suspicieux.

— J'ai horreur qu'on se moque de moi. Ça signifie quoi, cette histoire ?

— Notre pays court un grave péril, révéla-t-elle. Je dois rapidement rassembler des reliques éparpillées en Basse-Égypte. Sans votre aide, je n'y parviendrai pas.

— Alors, vous seriez vraiment...

— Es-tu prêt à partir ?

— Mon ami Sékari a choisi l'équipage, et je lui fais confiance. Néanmoins...

— Je te donne les destinations, tu commandes. Les rames bénéficient de la magie de Râ, les vents nous seront favorables. En revanche, de nombreux ennemis tenteront de nous abattre.

Le capitaine se gratta le crâne.

— J'ai rempli beaucoup de missions insensées dans ma bougresse de vie, mais celle-là les dépassera toutes ! Trêve de bavardages, on part. Si j'ai bien compris, le temps nous est compté. Première étape ?

— Létopolis, capitale de « la Cuisse », deuxième province de Basse-Égypte.

Doux, affable, le grand prêtre réserva un accueil enthousiaste à la Supérieure d'Abydos. Elle ne venait pas chercher une partie du corps osirien, mais l'un des sceptres du dieu.

— De graves dangers justifient-ils votre démarche ?

— Malheureusement oui.

— Le domaine d'Osiris serait-il menacé ?

— Ma mission consiste à le protéger. En me remettant le symbole de la triple naissance[1], vous me fournirez une aide précieuse.

— Vous satisfaire est un honneur.

Ensemble, Isis et son hôte évoquèrent les mystères de la lumière, de la matrice stellaire et de la terre.

Puis il ouvrit les portes d'une chapelle et en sortit le sceptre aux trois lanières de cuir.

Isis palpa la première.

Le matériau demeura inerte.

— Essayez encore !

La jeune femme toucha la deuxième, sans davantage de résultat.

— Il fallait commencer par la troisième !

La prêtresse suivit la recommandation.

Nouvel échec. Son interlocuteur vacilla.

— Non, marmonna-t-il, je n'y crois pas !

— Il s'agit d'un faux, conclut Isis. À part vous, qui accède à cette chapelle ?

— Mes deux adjoints, un nonagénaire né à Létopolis et un jeune temporaire. J'ai totale confiance en eux !

— Ne devriez-vous pas ouvrir les yeux ?

— Vous ne supposez pas...

— L'un d'eux a volé le véritable sceptre et lui a substitué une copie, dépourvue d'efficacité.

— Un tel forfait, ici, dans mon temple !

Le ritualiste eut un malaise, Isis l'empêcha de s'effondrer.

— Le déshonneur, la honte, le...

— Où logent vos assistants ?

— Près du lac sacré.

— Interrogeons-les.

---

1. Le *nekhakha*.

Vacillant, le grand prêtre se montra coopératif. À l'émotion et à la déception succédait une colère sourde. L'injure faite à sa dignité lui donnait envie de découvrir le coupable et de le livrer à la justice.

Arraché à sa sieste, le nonagénaire avait toute sa tête. Il précisa ses heures de service et remercia les dieux de lui accorder un tel bonheur. De son point de vue, aucun incident à signaler. Létopolis coulait des jours tranquilles et lui une vieillesse heureuse.

Le dignitaire frappa à la porte du second assistant.

Pas de réponse.

— Anormal... Il ne devrait pas être absent !

— Entrons.

— Violer son intimité...

— Cas de force majeure.

La petite demeure était vide, de même que les coffres à vêtements.

— Il s'est enfui, admit le grand prêtre, dépité. Lui, un voleur !

— Tâchons de trouver l'un de ses effets personnels.

Ne subsistait qu'une natte usée.

— Elle me suffira, estima Isis.

La jeune femme roula la natte et l'éleva à la hauteur de son regard. Peu à peu, elle entra en contact avec son propriétaire, le vit clairement et distingua son environnement.

Tétanisé, le voleur regardait le sceptre qu'il avait sorti de sa châsse et remplacé par une imitation fidèle.

Devenu disciple de l'Annonciateur, il espérait obtenir une énorme récompense en brisant ce symbole de la puissance d'Osiris.

Jusqu'à cet instant, sa tâche s'était révélée facile. Naïveté de son supérieur, absence de surveillance de la chapelle, nouvelle demeure à l'extérieur de la ville... Bientôt, on viendrait le chercher et on l'emmènerait loin de Létopolis afin de grossir les rangs des futurs maîtres de l'Égypte.

À l'orée de ce grand destin, il hésitait à détruire cet authentique trésor.

Sa fonction de temporaire lui avait offert tant de révélations qu'il éprouvait les pires difficultés à profaner l'objet sacré. Certes, la nouvelle religion l'attirait, surtout à cause des avantages accordés aux hommes et de l'absolue soumission des femmes, créatures perverses, promptes à exhiber leurs attraits. En raison de sa conversion, il se croyait apte à oublier ses devoirs et son existence passée, donc à faire disparaître ce simple manche en acacia auquel étaient accrochées trois lanières de cuir.

Pour la dixième fois, la lame de son couteau les effleura.

Et pour la dixième fois, il renonça.

Furieux contre lui-même, il se lacéra les bras et la poitrine. L'odeur du sang le calma. Demain, celui des impies coulerait à flots !

Cette certitude lui redonna du mordant.

Il vaincrait la magie d'Osiris ! Se saisissant à nouveau de son arme, il allait enfin se débarrasser de son encombrant larcin.

La porte de son repaire s'ouvrit à la volée.

Surpris, le prêtre suspendit son geste et vit foncer sur lui un homme râblé qui le plaqua aux jambes et le renversa. Étourdi, le voleur lâcha son couteau. Sékari lui passa une corde autour du cou.

Isis reprit le sceptre.

Perdant ses nerfs, le voleur fit l'apologie de l'Annonciateur et maudit ses adversaires. Las de ses invectives, l'agent secret l'assomma.

Quand Isis toucha la première lanière, celle de la naissance lumineuse, le bleu du ciel devint plus intense, sous l'effet d'un soleil éclatant. Des rayons d'or enveloppèrent le temple, le regard des statues fut animé d'une vie surnaturelle.

Le contact de la deuxième lanière provoqua, en plein jour, l'apparition de nombreuses étoiles. De la matrice stellaire, entourant le ciel et la terre, naissaient à chaque instant les innombrables formes de la création.

Lorsque la jeune femme mania la troisième lanière, des fleurs sortirent de terre, et le jardin, situé devant le sanctuaire, se para de mille couleurs.

La Veuve déposa le sceptre dans la corbeille des mystères et regagna le bateau.

34

L'ex-adjoint au maire de Médamoud multipliait les preuves de dévouement. Ne manquant pas de critiquer son ancien patron, de déplorer son propre égarement et de vanter les mérites du nouveau conseil municipal, il portait lui-même à manger et à boire aux soldats d'élite qui surveillaient le chantier du temple, en pleine activité, et interdisaient l'accès au bois sacré.

Le disciple de l'Annonciateur désespérait de trouver un bavard. Les rudes gaillards ne parlaient à personne et observaient strictement les consignes, se contentant de brefs remerciements.

Unique certitude : depuis son entrée dans le domaine interdit, là où se cachait le sanctuaire d'Osiris, le roi n'était plus réapparu.

Lors des funérailles de l'octogénaire, apprécié des villageois, son assassin avait dressé un vibrant éloge du disparu.

— Nous perdons la mémoire du village, regretta son confident, presque aussi âgé. Avec lui disparaissent bien des secrets.

— Comme il aurait aimé voir le nouveau temple ! s'exclama le meurtrier. Rencontrer le pharaon fut sa dernière grande joie. Dommage que notre roi soit parti si vite. Sa présence, lors de la cérémonie d'inauguration, lui aurait conféré un caractère exceptionnel.

Les mains du vieillard se crispèrent sur sa canne.

— Le pharaon n'a pas quitté Médamoud, murmura-t-il.

— Dirigerait-il le chantier en personne ?

— Je crois qu'il vit l'épreuve d'Osiris au sein du bois sacré.

— En quoi consiste-t-elle ?

— Je l'ignore. Seul le monarque est capable de l'affronter, en courant de grands risques. De son succès dépend la prospérité du pays.

— Prions pour sa réussite !

Le vieillard acquiesça.

L'assassin jubilait. Ainsi, le géant était en position de faiblesse ! Si le disciple de l'Annonciateur parvenait à pénétrer dans le territoire d'Osiris, peut-être réussirait-il à supprimer Sésostris.

Devenu un héros aux yeux de son maître et de ses adeptes, il obtiendrait une récompense dont il n'osait imaginer l'ampleur. Il se voyait déjà maire de Thèbes, adulé des citadins ! Les opposants seraient impitoyablement exterminés et la terreur frapperait les incroyants.

Restait à franchir le barrage militaire.

Ne pouvant compter sur des alliés, il n'avait aucune chance de poignarder un soldat, trop bien entraîné, sans attirer l'attention de ses collègues.

Il utiliserait donc une arme plus subtile : droguer la nourriture.

Médès, lui aussi, grossissait. À l'approche du jour fatidique, manger le calmait.

Affamé, il partagea le plantureux repas nocturne du Libanais. Le canard en sauce était digne d'une table royale. Quant aux grands crus, ils auraient enchanté les âmes des ancêtres le jour de la fête du vin.

— J'ai recueilli les confidences de Senânkh, révéla-t-il. Il ne m'apprécie guère et se méfie de moi, mais j'ai modifié son jugement en lui prouvant mon absolue fidélité à la monarchie en cette période de crise grave. Désespéré, notre bon ministre voulait s'enfuir et me conseillait de l'imiter ! Au lieu de l'approuver, je l'ai secoué. Notre devoir commun ne consiste-t-il pas à lutter contre l'adversité en affirmant à la population de Memphis qu'elle ne risque rien ?

Médès éclata de rire, le Libanais demeura glacial.

— Lançons l'offensive, recommanda le Secrétaire de la Maison du Roi. Nous ne rencontrerons qu'une résistance désorganisée. Memphis entre nos mains, le reste du pays s'effondrera.

— Pas de nouvelles de Sésostris ?

— Je serai le premier à en avoir, puisqu'il me faudra rédiger un décret dès son éventuel retour ! Malade ou impotent, le pharaon ne gouverne pas, et la faille causée par son absence s'élargit chaque jour.

— Le vizir ?

— Agonisant. Senânkh ne lui rend même plus visite.

— La reine ?

— Sur mon conseil, le ministre de l'Économie tentera de l'inciter à reprendre ostensiblement son rang afin d'affirmer la continuité du pouvoir. Échec assuré ! La dépression de la Grande Épouse royale ne confirme-t-elle pas la déchéance de Sésostris, incapable de tenir le gouvernail de l'État, voire sa mort ?

— L'armée ?

— Divisée en clans prêts à s'entre-tuer. Privée d'un général en chef, elle se décompose. Et la police ne vaut pas mieux. L'Égypte est souffrante, très souffrante ! Achevons-la avant qu'un improbable sursaut lui fasse espérer une guérison.

Le Libanais dégusta plusieurs sortes de fromages crémeux, accompagnés d'un vin rouge capiteux de la ville d'Imaou.

— Pourquoi l'Annonciateur reste-t-il silencieux ? s'inquiéta-t-il.

— Parce que les forces de l'ordre ont entièrement bouclé le site d'Abydos ! répondit Médès. Elles ne laissent sortir personne. Essayer de nous adresser un message serait suicidaire.

— J'ai besoin d'un ordre formel pour lancer l'attaque décisive, trancha le Libanais.

— Douterais-tu encore de la faiblesse de l'adversaire ?

— Et si Senânkh jouait la comédie ?

— J'y ai songé, moi aussi ! Rusé, méfiant, le bonhomme est habile tacticien. Mais il vient de perdre tous ses repères. Je sais juger les individus : celui-là succombe au désarroi.

— Trop beau, jugea le Libanais.

Médès explosa.

— Tu voulais voir la réaction à nos opérations ponctuelles, incendies, vols, dégradations diverses, et tu l'as vue : des patrouilles inefficaces et des enquêtes inutiles, comme d'habitude ! De mon côté, je te procure des informations de première main et je me situe au centre de la pseudo-résistance d'un État en pleine déliquescence ! Prends tes responsabilités, l'Annonciateur te récompensera.

— Mon instinct me dicte la prudence.

Médès leva les bras au ciel.

— À cause de ça, nous renonçons à la prise de Memphis !

— Jusqu'à présent, il m'a évité bien des désagréments.

— À l'heure de t'emparer du pouvoir, aurais-tu peur ?

Les petits yeux noirs du Libanais fixèrent Médès.

— Je travaille aux côtés de l'Annonciateur depuis beaucoup plus longtemps que toi et ne permettrai à personne de m'accuser de couardise. Souviens-t'en, et ne recommence jamais.

— Ta décision ?

— Une ultime vérification, sous forme d'un attentat spectaculaire et de la dénonciation d'une de nos cellules. La réaction des autorités correspondra-t-elle à tes prévisions optimistes ?

Après le départ de Médès, le Libanais termina le plateau de desserts. Dès sa nomination à la tête de la police politique et religieuse, il éliminerait l'arrogant Secrétaire de la Maison du Roi.

— Direction ? demanda le capitaine à Isis.

— « L'Occident », troisième province de Basse-Égypte.

Le voyage avait changé de nature et ne ressemblait nullement à la descente de la vallée du Nil, d'Éléphantine à Memphis. Isis tenterait de recueillir les reliques osiriennes du Delta en passant d'abord par l'ouest, puis en obliquant vers l'est avant de prendre la direction du sud et d'atteindre la province d'Héliopolis, appelée « le Maître est en bonne santé ». Si les dieux lui permettaient de réussir, elle posséderait alors la totalité des éléments permettant de reconstituer le corps osirien, support indispensable de la résurrection d'Iker.

Le capitaine se régalait. Température idéale, vent parfait, conditions de navigation idylliques, équipage de costauds ne rechignant pas à l'effort... Fallait-il réviser son opinion sur les femmes embarquées ? Non, car celle-là ne ressemblait à aucune autre.

À l'approche du Château de la Cuisse, temple principal de la province, Isis songea au « Bel Occident », la merveilleuse déesse au doux sourire qui accueillait les justes de voix dans l'au-delà. Ils y reposaient en paix, dotés d'une vie transfigurée, nourrie de Maât. Un destin trop précoce pour Iker ! Son mari n'avait pas épuisé ses qualités, il devait poursuivre son chemin terrestre et prolonger l'œuvre de Sésostris.

Lors de l'accostage, Vent du Nord poussa un tel braiment que dockers et badauds se figèrent.

— Des ennuis en perspective, constata Sékari.

L'attitude agressive de Sanguin ne le démentit pas.

Une délégation de prêtres et de soldats demanda à monter à bord. Isis préféra descendre la passerelle. Un quadragénaire aux joues creuses l'apostropha.

— Repartez immédiatement, cet endroit est maudit !

— Je dois me rendre au sanctuaire.

— Impossible, personne ne saurait franchir le champ des scorpions. Des monstres se sont réveillés, ils ont tué la plupart de mes collègues. Un énorme crocodile habite à présent le lac sacré, empêchant toute purification.

— Je vais essayer de conjurer le sort.

Le rescapé s'énerva.

— Repartez, je vous l'ordonne !

Isis avança.

Lorsqu'un soldat tenta de la ceinturer, le molosse s'élança et le plaqua au sol. Au signal de Sékari, les archers visèrent le cortège.

— On ne traite pas ainsi la Supérieure d'Abydos.

— J'ignorais, je...

— Décampez, tas de froussards ! On prend la situation en main.

Doutant du résultat, Sékari ne voulait pas manquer de panache.

Et quand il vit le nombre de scorpions noirs et jaunes grouillant dans le jardin et sur le parvis du temple, il douta plus encore.

Isis ne recula pas.

— Thot a prononcé la grande parole qui donne la plénitude aux dieux, rappela-t-elle. Elle assemble Osiris pour qu'il vive. Vous, les enfants de Serket, déesse du passage étroit vers la lumière de la résurrection, régente de la hauteur du ciel et de l'élévation de la terre, ne vous opposez pas à la Veuve ! Instillez votre venin au cœur de l'impureté, brûlez le périssable, piquez l'ennemi ! Puisse votre flamme immobiliser mes adversaires et dégager ma route.

Les dangereuses créatures s'immobilisèrent. Une à une, elles se glissèrent sous les pierres. Sékari crut à l'efficacité des paroles magiques, jusqu'à ce qu'un scorpion noir grimpât le long de la tunique d'Isis.

Elle tendit la main.

L'aiguillon venimeux semblait prêt à frapper.

— Indique-moi l'emplacement de la relique.

L'arachnide se calma. Isis le reposa et le suivit

Il la mena au lac sacré.

La prêtresse descendit les premières marches de l'escalier. Montant des profondeurs, un gigantesque crocodile surgit.

Sur son dos, les cuisses d'Osiris.

Après avoir traversé à son tour le champ des scorpions, Sékari retint sa Sœur.

— Prends garde, je t'en prie ! Ce monstre n'a pas l'air conciliant.

— Souviens-toi des mystères du mois de khoiak, mon Frère du Cercle d'or. Osiris n'y prend-il pas la forme de l'animal de Sobek afin de traverser l'océan primordial ?

Sékari se rappela l'exploration du Fayoum au cours de laquelle Iker, condamné à la noyade, avait été sauvé par le maître des eaux, un crocodile géant.

Le génie du lac s'approcha d'Isis, immergée jusqu'à la poitrine. Sa gueule s'ouvrit, laissant apparaître des dents menaçantes.

— Toi, le séducteur au beau visage, le ravisseur de femmes, continue ton travail de rassembleur !

Une sorte de tendresse émana de l'œil minuscule du crocodile. Isis tendit les mains et recueillit les reliques.

Le capitaine éprouva l'intense plaisir de prouver ses qualités de navigateur en choisissant le meilleur itinéraire à destination de la dix-septième province de Basse-Égypte, « le Trône ». Même expérimenté, un autre marin se serait perdu dans ce dédale aquatique, proche de la côte méditerranéenne. Ressentant les moindres caprices de ces eaux parsemées de pièges divers, il s'y adaptait à chaque instant.

Tantôt rapide, tantôt inexistant, le courant variait souvent. Il exigeait une extrême vigilance et des réactions promptes.

— Destination précise ? demanda le capitaine à Isis.

— L'île d'Amon.

— Je l'ai toujours évitée ! Selon la légende locale, des fantômes en interdisent l'accès. Je n'y crois pas, mais les curieux n'ont pas échappé au naufrage.

— Nous aborderons à la pointe nord, exposée aux vents marins.

Le capitaine ne songea pas à discuter et se préoccupa de sa manœuvre. Inquiet, Sékari tenta de repérer d'éventuels agresseurs.

L'île semblait déserte.

— Je m'y aventure le premier, décida l'agent secret.

Isis accepta.

Accompagné d'un Sanguin à l'humeur folâtre, Sékari découvrit un morceau de terre désertique. Seuls habitants, des moustiques.

Aucun sanctuaire, aucune chapelle susceptibles de contenir une relique.

Vent du Nord explora les lieux à la recherche de nourriture. Il s'immobilisa devant une plante à tige rouge et aux fleurs blanches.

Isis s'agenouilla et creusa la terre meuble, d'où elle sortit les poings d'Osiris.

35

Angoissé, Gergou buvait trop. L'approche de l'attaque finale le rendait nerveux. Pourtant, la situation s'éclaircissait chaque jour davantage, et Memphis tomberait comme un fruit mûr entre les mains des partisans de l'Annonciateur. L'avenir lui réservait donc un poste de haute responsabilité, une somptueuse villa et autant de femmes qu'il en exigerait.

Les femmes, c'était précisément le problème majeur du moment. À cause de sa violence, les meilleures maisons de bière n'acceptaient plus de le recevoir et de lui en fournir, même des étrangères. Il lui fallut se rabattre sur un établissement de troisième ordre, situé près de la maison que Médès avait attribuée à la danseuse Olivia, une pimbêche utilisée pour piéger Séhotep. Un rude échec, sanctionné par la mort brutale de l'incapable.

La taverne ne payait vraiment pas de mine.

— Je veux une fille, exigea Gergou.

— On paie d'abord, précisa le propriétaire.

— Ce bracelet en cornaline, ça va ?

— Oh, mon prince ! Je dispose de deux petites, étrangères et dévouées. Emmène-les où tu voudras.

Accompagné des drôlesses, Gergou demanda au portier qui habitait en face la clé de la maison appartenant à un certain Bel-Tran. Sous ce nom-là, Médès possédait plusieurs locaux où il entreposait quantité de richesses provenant de ses opérations commerciales illicites.

D'abord coopératives, les filles déchantèrent dès que Gergou les frappa. Apeurées, elles se mirent à hurler, et l'une d'elles parvint à s'enfuir.

Furieux, Gergou expulsa l'autre à coups de pied, claqua la porte, remit la clé au portier et alla chercher fortune ailleurs.

Indicateur discret, le tavernier n'apprécia pas le traitement réservé à ses filles. Il prévint son officier traitant et lui raconta l'incident.

Le policier interrogea le portier.

— Connaissais-tu ce bonhomme ?

— Oui et non. J'ignore son nom, il n'est pas du quartier. Mais il me semble l'avoir déjà vu, à l'époque où une jolie danseuse comptait habiter cette maison.

— À qui appartient-elle ?

— À un négociant, Bel-Tran.

— Et tu as donné la clé à cette brute ?

— Oui, puisqu'il venait de la part du propriétaire.

En temps ordinaire, le policier aurait classé l'affaire. Étant donné le climat actuel, il avait reçu l'ordre, comme ses collègues, d'exploiter le moindre incident pouvant conduire à la découverte d'une cache de terroristes. Il demanda au portier une description précise de Gergou, en fit un dessin et se promit de fouiller discrètement la demeure de Bel-Tran à la nuit tombée.

Afin de se détendre en se vengeant sur un faible, Gergou se rendit au village de la Butte fleurie. Abusant de sa position, il contraignait le responsable des greniers à lui verser des pots-de-vin pour éviter de lourdes amendes sanctionnant des fautes imaginaires et la perte de son emploi. Terrorisé, le malheureux redoutait un rapport signé de l'inspecteur principal dont personne ne mettrait la parole en doute.

Voir surgir Gergou lui glaça le sang.

— Je... je suis en règle !

— Tu crois ça ? La liste de tes négligences me paraît interminable. Heureusement, je t'aime bien.

— Je vous ai payé il y a moins d'un mois !

— Taxe supplémentaire.

L'épouse du responsable des greniers intervint.

— Comprenez-nous, c'est impossible de...

Gergou la gifla.

— Silence, femelle, et retourne à ta cuisine !

Le responsable racketté était peureux, mais ne supportait pas que l'on touche à sa femme. Cette fois, Gergou dépassait les bornes. Incapable de l'affronter, il dut pourtant se soumettre.

— Entendu, je satisferai vos exigences.

L'épouse de Médès éclata en sanglots.

Le docteur Goua attendit la fin de cette nouvelle crise de larmes, écouta la voix du cœur et rédigea une ordonnance.

— Excellente santé physique. Je n'en dirai pas autant de votre psychisme.

D'une douceur inhabituelle, le praticien voulait comprendre pourquoi cette femme riche et comblée souffrait de maux aussi graves.

— Auriez-vous subi un traumatisme sérieux, pendant votre enfance ?

— Non, docteur.

— Comment qualifieriez-vous vos relations avec votre mari ?

— Merveilleuses ! Médès est un époux parfait.

— Un souci vous rongerait-il ?

— Maigrir sans me priver... Et je n'y parviens pas !

Ce trompe-l'œil irritait le docteur Goua. Il ne se contenterait pas de la formule « une maladie que je ne connais pas et que je ne peux pas guérir ». Se sentant proche de la vérité, il envisageait une méthode aléatoire, parfois efficace.

— Prenez scrupuleusement vos remèdes, conseilla-t-il Néanmoins, ils seront insuffisants. J'envisage donc une nou· velle thérapeutique.

— Je ne pleurerai plus et je me sentirai bien ?

— Je l'espère.

— Oh ! docteur, vous êtes mon bon génie ! Ce sera... dou loureux ?

— Pas du tout.

— Quand commencez-vous ?

— Bientôt. D'abord, les médicaments.

Ils prépareraient l'épouse de Médès à subir une expérience délicate : l'hypnose. Elle seule révélerait peut-être les angoisses que cette patiente cachait au tréfonds d'elle-même.

En direction de la quinzième province de Basse-Égypte, « l'Ibis », le capitaine démontrait sa maestria. Très à l'aise dans ce monde aquatique, il prenait d'instinct les bonnes décisions.

— Où dois-je accoster ? demanda-t-il à Isis.

— J'attends un signe.

Ici, Thot avait séparé Horus de Seth, lors de leur terrifiant combat dont dépendait l'équilibre du monde. En apaisant les deux guerriers, à jamais adversaires, et en reconnaissant la suprématie légitime d'Horus comme successeur d'Osiris, le dieu de la connaissance s'était fait l'interprète de Maât.

Sékari scrutait les barques de pêcheurs qui adressaient des signes de bienvenue aux voyageurs. Soudain, l'âne et le chien se réveillèrent et observèrent le ciel.

Un immense ibis descendait des hauteurs en direction du bateau.

Majestueux, il se posa à la proue, contempla longuement la prêtresse et reprit son vol.

Le grand oiseau avait déposé deux vases d'albâtre, la pierre dure par excellence, placée sous la protection de la déesse Hathor.

— Ils sont remplis de l'eau du *Noun*, précisa Isis. Elle facilitera la régénération du corps d'Osiris.

Ne s'étonnant plus de rien, le capitaine prit le cap que lui indiquait la Supérieure d'Abydos : sud-est, la vingtième province de Basse-Égypte, « le Faucon momifié ».

En s'éloignant du rivage de la Méditerranée, l'équipage se sentit beaucoup mieux. Moins de marécages, moins d'insectes agressifs, davantage de champs cultivés et de palmeraies. Le bateau emprunta l'une des larges branches du Nil. Grâce au vent du nord soutenu, il progressait vite.

— Destination précise ? interrogea le capitaine.

— L'île de Soped.

— Territoire interdit ! Enfin, interdit... aux profanes. Ça ne nous concerne pas, je suppose.

Le léger sourire d'Isis le rassura, et il se fit un point d'honneur à manœuvrer en souplesse.

Sur l'île vivait une petite communauté de ritualistes, chargée d'entretenir le sanctuaire de Soped, le faucon momifié portant la barbe osirienne. Deux plumes de Maât ornaient sa tête.

La Supérieure, une brune élancée au visage grave, accueillit Isis.

— Qui est la maîtresse de vie ?

— Sekhmet.

— Où se cache-t-elle ?

— Dans la pierre vénérable.

— Comment l'obtiendras-tu ?

— En perçant son secret avec l'épine d'acacia, précise et pointue[1], dédiée à Soped.

La brune guida Isis jusqu'au sanctuaire. Au pied du faucon momifié, l'épine en turquoise.

---

1 L'épine *sepedet*, liée à Soped.

La prêtresse l'éleva à la hauteur de ses yeux.

— De Râ, être de métal, naquit une pierre destinée à faire croître Osiris, déclara la Supérieure d'Abydos. Cette œuvre cachée transforme l'inerte en or. Elle m'est aujourd'hui nécessaire pour accomplir la résurrection.

Le regard du faucon flamboya.

De la pointe de l'épine, Isis toucha les deux plumes. Le corps du rapace s'entrouvrit, laissant apparaître une pierre cubique en or.

Bubastis, la capitale de la dix-huitième province de Basse-Égypte, « l'Enfant royal », était une ville animée, à la prospérité évidente. On y célébrait une grande fête en l'honneur de la déesse chatte Bastet au cours de laquelle les participants oubliaient toute pruderie.

Plusieurs soldats accompagnèrent Isis.

— Étrange, estima Sékari. Pourquoi les créatures de l'Annonciateur ne se manifestent-elles pas ? Comme il ne renonce jamais, il doit avoir prévu un traquenard mieux organisé que les précédents. Ici, peut-être. Surtout, ne baissons pas la garde.

Vent du Nord et Sanguin demeuraient vigilants. À la vue du molosse, quantité de chats gagnèrent des positions élevées, hors de sa portée.

Devant le temple principal, un colosse incarnait le *ka* de Sésostris. La petite troupe lui rendit hommage, Isis le pria de lui donner la force d'aller jusqu'au terme de sa Quête.

La jolie Supérieure du collège sacerdotal, aux yeux en amande, reçut son homologue d'Abydos dans un jardin où poussaient une centaine d'espèces de plantes médicinales. Adeptes de la redoutable Sekhmet, les médecins y recueillaient les dons de la douce Bastet, nécessaires à la préparation des remèdes.

Sous le siège de sa maîtresse, un énorme chat noir d'une taille surprenante dévisagea Isis, puis s'installa confortablement et émit un ronronnement de satisfaction. Il acceptait cette visiteuse inattendue.

— Ce jardin perçoit-il la clarté de la fenêtre du ciel ? interrogea Isis.

— Elle vient de se refermer, déplora la grande prêtresse, et le rayonnement de l'au-delà n'illumine plus le coffre mystérieux. Désormais, il restera scellé.

— Son contenu est indispensable à la célébration des mystères, révéla Isis. As-tu prononcé les formules de conjuration ?

— Sans succès.

Sékari voyait juste : l'Annonciateur ne renonçait pas. En occultant la fenêtre de Bubastis, il condamnait un lieu de passage majeur entre visible et invisible, et empêchait la Veuve de recueillir un trésor nécessaire à la reconstitution du corps osirien.

— L'un de tes proches aurait-il eu un comportement étrange ?

— Un permanent s'est enfui en emportant le *Livre des lucarnes célestes*, avoua la grande prêtresse.

Isis fit quelques pas dans le jardin.

Alors qu'elle s'approchait d'une plantation de camomilles, l'énorme chat bondit. Ayant repéré la vipère qui se préparait à attaquer la promeneuse, il planta ses griffes avec une remarquable précision et tua le reptile d'une seule morsure.

La grande prêtresse de Bubastis était décomposée. Jamais un serpent n'avait violé ce sanctuaire.

— Le chat du soleil triomphe du tueur des ténèbres, constata Isis. Mène-moi à la chapelle de la déesse.

Sept flèches la protégeaient.

Une à une, la Veuve les décocha vers le ciel.

S'emboîtant, elles formèrent un long trait lumineux. Il déchira l'azur, tel un tissu, et retomba au seuil de la chapelle dont Isis ouvrit la porte de bronze.

À l'intérieur, un coffre.

— Je vois l'énergie que tu renfermes, je lie la force de Seth et celle de l'ennemi, afin qu'elles ne lèsent pas les parties du corps d'Osiris.

S'aidant de la pointe de la flèche, à la fois une et septuple, Isis tira le verrou.

Du coffre, elle sortit quatre étoffes rituelles. Correspondant aux points cardinaux, elles symbolisaient l'Égypte réunie à la gloire du Ressuscité et serviraient à envelopper la momie osirienne.

— Elles te reviendront à l'issue du rituel d'Abydos, promit Isis à la grande prêtresse.

— Le voleur utilisera contre vous le *Livre des lucarnes célestes* !

— Rassure-toi, il n'ira pas loin. Et je te ferai parvenir un nouvel exemplaire de ce texte.

Le chat sculptural réclama des caresses que la Veuve lui dispensa volontiers avant de rejoindre son bateau.

Perchée au sommet du mât, la vigie signala une anomalie.

Dérivant au fil de l'eau, le cadavre du prêtre vendu à l'Annonciateur. Sa main droite serrait un papyrus trempé, devenu illisible.

36

Le Grand Trésorier Senânkh tenait au respect absolu de l'ordre et de la méthode. Aussi les bureaux de la Double Maison blanche, le ministère de l'Économie, étaient-ils des modèles de rangement et de propreté. Chaque fonctionnaire connaissait son rôle précis, et ses devoirs passaient avant ses droits. Rien n'exaspérait davantage Senânkh que les petits chefs qui tentaient d'abuser de leur position au détriment d'autrui et, notamment, des contribuables. Ceux-là, il finissait toujours par les repérer et mettait un terme brutal à leur carrière. Aucun emploi n'étant garanti à vie, personne ne flemmardait. Et l'ensemble de la hiérarchie se savait responsable d'un aspect essentiel de la prospérité des Deux Terres.

Lorsque cinq hommes armés firent irruption dans l'une des salles d'archives du ministère, le préposé n'en crut pas ses yeux. Après avoir assommé un garde et deux scribes, ils clouèrent le malheureux au mur en le menaçant d'un couteau, déchirèrent des dizaines de papyrus comptables, déclenchèrent un incendie et s'enfuirent.

Ne songeant pas à sa propre sécurité, le préposé ôta sa tunique, tenta d'éteindre le feu et appela à l'aide. Désespéré de voir détruire ces précieux documents, il se brûla les mains et les bras, et aurait péri sans l'intervention rapide des secours.

Officiellement à l'agonie, le vizir Sobek ne travaillait qu'avec un nombre restreint de collaborateurs, des fidèles qu'il avait formés à l'époque où il réorganisait la police. Compétents, efficaces et silencieux, ils admiraient leur chef.

— Une action terroriste particulièrement spectaculaire, remarqua l'un d'eux, au terme de son rapport détaillé. Heureusement, les jours des blessés ne sont pas en danger. Ce sinistre exploit a bouleversé l'un des membres du réseau, puisqu'il nous a adressé une lettre de dénonciation. Nous connaissons les coupables et leur domicile.

— Plausible ? interrogea Sobek.

— Vérification faite, affirmatif. Je suppose que nous continuons à appliquer notre stratégie et que nous n'intervenons pas ?

Le vizir réfléchit.

— D'habitude, ils organisent une série d'attentats. Cette fois, une opération isolée et cette dénonciation. Du jamais vu ! Une mise à l'épreuve... Oui, c'est ça ! Le patron du réseau teste notre réelle capacité d'action. Si nous restons inertes face à une telle aubaine, il jugera cette attitude anormale, percevra le piège et ne lancera pas la grande offensive. Trop heureux de détenir enfin une bonne piste, nous allons donc tenter d'arrêter des criminels. J'ai bien dit : tenter.

En dégustant un confit d'oie, le Libanais écouta le compte rendu de son portier.

Exploitant la lettre, trois brigades de policiers avaient encerclé le domicile des terroristes, lesquels n'étaient pas prévenus. Le Libanais voulait une véritable vérification.

Mal coordonné, à cause des dissensions entre les chefs de

brigade qui prônaient des tactiques incompatibles, l'assaut des forces de l'ordre avait abouti à un fiasco. Intrigués par des mouvements voyants, les guetteurs s'étaient empressés d'alerter leurs camarades, obligés d'égorger l'un d'eux, malade et incapable de se déplacer. Quoique mouvementée, la fuite des membres de la cellule avait réussi.

Les conclusions s'imposaient.

D'abord, la police ne disposait d'aucune piste sérieuse. Désemparée, elle se jetait sur la première information venue. Ensuite, Sobek le Protecteur ne commandait plus ses troupes, visiblement désorganisées, livrées à elles-mêmes et privées de tête pensante.

Le Libanais se rangeait à l'avis de Médès.

Le moment approchait de s'emparer de Memphis en préparant la totalité des groupes terroristes à lancer une offensive destructrice à laquelle ne résisteraient ni la caserne principale ni le palais royal. Il faudrait frapper fort et vite, répandre une terreur telle que les ultimes défenses de la capitale s'effondreraient sans réellement combattre.

Beaucoup de travail en perspective, mais la possibilité d'un éclatant succès ! Ici, à Memphis, se jouerait l'avenir de l'Égypte. Après son triomphe, le Libanais en deviendrait le maître absolu. La nouvelle religion de l'Annonciateur ne le gênerait guère, et il lui offrirait suffisamment d'exécutions d'infidèles pour le satisfaire.

Deux statues de Sésostris protégeaient le temple majeur de la onzième province de Basse-Égypte, « le Taureau recensé ». Le grand prêtre réserva un accueil enthousiaste à Isis et lui confia la précieuse relique, les doigts d'Osiris, dont les pouces correspondaient aux piliers de Nout, la déesse Ciel.

Étonné de tant de facilité, Sékari redoutait les étapes suivantes, à commencer par Djedou, la capitale de la neuvième province, « le Marcheur ». Cependant, l'endroit s'annonçait des plus favorables, puisqu'il s'agissait de « la demeure d'Osiris, maître du pilier[1] », centre de culte du dieu où, chaque année, était organisée une fête en son honneur. Liée à Abydos, la ville de Djedou baignait dans une atmosphère recueillie. Déjà commençaient les préparatifs des cérémonies du mois de khoiak.

Sur le parvis du temple, un étrange personnage. Coiffe ornée de deux plumes de Maât, pagne de berger, sandales rustiques, long bâton à la main, il incarnait l'infatigable pèlerin en quête des secrets d'Osiris.

— Je suis le préposé à la parole divine, déclara-t-il. Qui la connaît atteindra le ciel en compagnie de Râ. Saurez-vous la transmettre, de la proue à la poupe de la barque sacrée ?

— La barque de ce temple s'appelle « l'Illuminatrice des Deux Terres », répondit Isis. Elle porte cette grande parole jusqu'à la butte d'Osiris.

Le Marcheur pointa son bâton vers Sékari.

— Que ce profane s'éloigne.

— Le Cercle d'or purifie et réunit, déclara l'interpellé.

Stupéfait, le Marcheur s'inclina. Il n'imaginait pas qu'un initié aux grands mystères, connaissant la formule d'ouverture des chemins, pût avoir cette allure-là.

— Un grand malheur nous accable, révéla-t-il. La plante d'or[2] d'Osiris a disparu, l'oiseau de lumière ne survole plus la butte plantée d'acacias. Seth a désormais le champ libre, Osiris restera inerte.

Des chèvres avaient envahi le jardin du temple et commençaient à dévorer les feuilles des acacias.

— Elles ne redoutent pas mon bâton, déplora le Marcheur, et je ne parviens pas à les chasser.

— Utilisons une autre arme, proposa Sékari en jouant de la flûte.

Dès les premières notes d'une mélodie grave et recueillie,

1. *Per-Ousir-neb-djed*, Bousiris.
2. La plante *nebeh*, avec jeu de sons sur *noub*, « l'or ».

les animaux cessèrent leur pillage, semblèrent esquisser des pas de danse et s'éloignèrent du lieu sacré.

Au pied d'un acacia pluricentenaire, la plante d'or d'Osiris sortit de terre.

Hélas ! l'oiseau de lumière demeurait absent.

— Le sanctuaire a-t-il été profané ? interrogea Isis.

— Puisse la Supérieure d'Abydos le parcourir et rétablir l'harmonie.

En s'attaquant à Djedou, la cité osirienne du Delta, l'Annonciateur affaiblissait Abydos. Était-il parvenu à endommager la relique ?

Isis franchit le grand portail, pénétra dans le domaine du silence et descendit l'escalier menant à une crypte dont Anubis gardait le seuil. Le chacal lui accorda le passage, elle découvrit le sarcophage abritant le corps glorieux du dieu de la résurrection.

Les fleurs composant la couronne du maître de l'Occident avaient été éparpillées.

Isis les rassembla, reconstitua la couronne et la posa au front du sarcophage.

Quand elle sortit du sanctuaire, un splendide ibis *comata* au bec et aux pattes rouges, et au plumage d'un vert éclatant, survolait la butte sainte.

— Les âmes de Râ et d'Osiris communient à nouveau, constata le Marcheur.

L'oiseau *akh* connaissait les desseins des dieux et révélait une lumière qui n'était pas donnée naturellement aux humains mais qu'il leur fallait conquérir. Sans elle, Iker ne sortirait pas de la mort.

Le bel ibis se posa au sommet de l'éminence.

C'est là qu'Isis recueillit la relique de la province, la colonne vertébrale d'Osiris.

Et le Marcheur lui offrit les deux plumes de Maât ornant sa coiffe.

— Vous seule saurez les manier et utiliser leur énergie.

Le portier du Libanais avait l'air satisfait.

— Les trois quarts de nos cellules ont été contactées. Toutes se réjouissent à l'idée de passer enfin à l'action.

— Les consignes de sécurité sont-elles strictement respectées ?

— Nos hommes se montrent prudents à l'extrême.

— Aucun signe alarmant ?

— Pas le moindre. Des patrouilles, des perquisitions, des interpellations, quelques parades de soldats... Les autorités continuent à piétiner.

— Que nos agents de liaison ne brûlent pas les étapes. Un faux pas remettrait en cause l'ensemble de l'opération.

— Chacun connaît vos exigences et les respectera. Puis-je faire entrer votre visiteur ?

— A-t-il été fouillé ?

— Pas d'arme, mot de passe correct.

Jeune, athlétique, le regard vif, le compatriote du Libanais travaillait pour lui depuis longtemps.

— Bonnes nouvelles ?

— Malheureusement non.

— Cette prêtresse poursuivrait-elle son invraisemblable voyage ?

— Elle sera bientôt en vue d'Athribis, la capitale de la dixième province de Basse-Égypte, et d'Héliopolis, la vieille ville sainte du soleil divin. Elle y obtiendra des pouvoirs redoutables.

— Redoutables, redoutables, n'exagérons rien ! Cette Isis n'est qu'une femme, et son errance ressemble au parcours d'une folle qui ne se remet pas de la mort de son mari.

— D'après les échos, insista l'informateur, son passage soulève l'enthousiasme parmi le personnel des temples. Elle semble capable de briser les maléfices et de déjouer les pièges. Je n'en sais pas davantage, car des soldats d'élite l'escortent, et je ne peux m'approcher.

Ce détail intrigua le Libanais.

Isis remplissait donc une mission précise, sous haute surveillance. Tentait-elle de remonter le moral des grands prêtres et des grandes prêtresses ? Leur apportait-elle un message confidentiel du roi ? Les mettait-elle en garde contre d'éventuelles attaques des partisans de l'Annonciateur ?

À supposer qu'elle n'ait pas sombré dans la démence, le champ d'action de la Veuve demeurait limité. Perfectionniste, le Libanais préféra néanmoins ne pas courir de risque.

— Nous allons lui réserver une petite surprise, décida-t-il. Nous disposons bien d'un agent, à Héliopolis ?

— Le meilleur de Basse-Égypte.

— Puisque cette prêtresse aime voyager, je vais lui donner l'occasion de faire un long voyage... sans retour.

Nesmontou ne tenait plus en place. Jamais, au cours de sa longue carrière, il n'avait été tenu si longtemps éloigné du terrain. Privé de son quartier général, de la caserne, des hommes de troupe, il se sentait inutile. Le confort de la demeure de Séhotep devenait insupportable. Seul dérivatif : plusieurs séances quotidiennes de gymnastique que n'aurait pas supportées un jeune soldat en excellente santé.

L'ex-Porteur du sceau royal lisait et relisait les textes des sages. Unissant les deux Frères du Cercle d'or d'Abydos, une franche amitié leur permettait d'endurer cette pénible attente.

Enfin, la visite de Sobek !

— Le chef du réseau terroriste est un joueur de première force, déclara le vizir. Rusé, méfiant, il juge la situation trop favorable.

— Notre absence de réaction l'a intrigué, jugea Nesmontou, et il ne croit pas à la décomposition de l'État ! Autrement dit, notre stratégie tourne court.

— Au contraire, objecta le Protecteur, qui relata les derniers événements.

— Toi aussi, estima Séhotep, tu es un redoutable joueur ! Penses-tu remporter cette partie ?

— Je l'ignore. Il ne me semble pas avoir commis d'erreur, mais l'adversaire mordra-t-il à l'hameçon ?

— Les contre-feux ? s'inquiéta Nesmontou.

— En place, assura le vizir. Voici le détail.

L'exposé dura une bonne heure, et le général mémorisa le dispositif.

— Il existe encore une dizaine de points faibles, analysa-t-il. Pas un quartier de Memphis ne doit échapper à notre quadrillage. Quand les terroristes sortiront de leurs trous à rats, soit ils seront pris en tenailles, soit ils se heurteront à des murs infranchissables.

Sobek nota les améliorations à son plan.

— Général, cette retraite forcée n'a pas altéré ta lucidité.

— Manquerait plus que ça ! Si tu savais à quel point j'espère cette offensive ennemie... Enfin, nous allons voir les visages de ces assassins et combattre l'armée des ténèbres en terrain découvert.

— Le risque me paraît élevé, jugea le vizir. Nous ne connaissons pas le nombre exact des partisans de l'Annonciateur et leurs objectifs précis.

— Le palais royal, les bureaux du vizir et la caserne principale ! affirma Nesmontou. En s'emparant de ces points stratégiques, ils provoqueront une débandade. C'est pourquoi mes régiments se dissimuleront autour de ces bâtiments. Surtout, ne renforçons pas la garde visible !

Nesmontou dirigeait déjà la manœuvre.

Le vizir s'adressa à Séhotep.

— La procédure avance.

— À charge, je suppose ?

— Je ne suis intervenu d'aucune manière, assura Sobek. Le tribunal ne tardera pas à te convoquer et à prononcer son jugement.

37

Naviguer jusqu'au port d'Athribis, la capitale de la dixième province de Basse-Égypte, « le Taureau noir », ne posa guère de problèmes au capitaine. Il fut néanmoins satisfait d'accoster avant le déclenchement d'un orage. Venant de l'ouest, de lourds nuages s'amoncelaient au-dessus de la région, un vent violent ne cessait de se renforcer, et des vagues furieuses rendaient le Nil dangereux.

— Ici repose le cœur d'Osiris, révéla Isis à Sékari. C'est la dernière partie de son corps que je dois recueillir.

Des éclairs zébrèrent le ciel, le tonnerre gronda.

— La voix de Seth, constata l'agent secret. Il ne paraît pas décidé à te faciliter la tâche.

Pourtant composé d'hommes rudes habitués au danger, l'équipage n'en menait pas large.

— Amarrez solidement le bateau, ordonna Isis, et mettez-vous à l'abri.

Malgré les premières gouttes de pluie, l'âne et le chien accompagnèrent la jeune femme. Conformément à ses habitudes, Sékari la suivit à bonne distance, prêt à intervenir en cas d'agression.

La ville était déserte.

Pas une seule maison ouverte.

Isis emprunta la voie processionnelle menant au temple, « le sanctuaire du Milieu ».

Les deux animaux s'immobilisèrent, Sanguin grogna.

Alors, elle vit apparaître le gardien du temple.

Un gigantesque taureau noir, un mâle haut de deux mètres au garrot. Plus puissant qu'un lion, il ne craignait même pas le feu, savait se cacher pour surprendre ses adversaires et devenait furieux à la moindre provocation. Les meilleurs chasseurs ne se risquaient pas à l'affronter, abandonnant cette tâche au pharaon. La redoutable bête ne portait-elle pas le nom de *ka*, puissance créatrice et indestructible, transmise de roi en roi ?

— Du calme, recommanda Isis en caressant l'âne et le chien.

Sékari s'interposa.

— Reculons doucement, préconisa-t-il.

— Vous trois, décida Isis, battez en retraite. Moi, je continue.

— C'est de la folie !

— Je n'ai pas le choix. Iker m'attend.

Excellent père de famille et bon éducateur, protecteur de ses semblables blessés, le taureau sauvage se montrait sociable et pacifique au sein de son clan. Réduit à la condition de solitaire, il pouvait déployer une violence inouïe.

Cependant, Isis marcha vers lui.

L'unique mort qu'elle appréhendait, c'était celle d'Iker.

Ni l'âne, ni le chien, ni Sékari ne s'enfuirent. À la moindre attaque du monstre, ils porteraient secours à la jeune femme.

Le taureau grattait le sol de ses sabots. De l'écume recouvrait sa barbe raide.

Isis parvint à capter son regard et comprit pourquoi les habitants et les prêtres d'Athribis avaient quitté leur cité.

— Tu souffres, n'est-ce pas ? Permets-moi de t'aider.

Un mugissement douloureux lui répondit.

Elle s'approcha jusqu'à toucher le colosse affaibli.

— Yeux remplis de pus, tempes fiévreuses, racines des dents enflammées... Une maladie que je connais et que je guérirai. Couche-toi sur le côté.

À la demande de la prêtresse, Sékari se hâta de lui rapporter du bateau les remèdes nécessaires. Vent du Nord et Sanguin avaient rejoint Isis, qui instilla un collyre désinfectant et frotta les gencives, puis le corps entier du taureau avec des tampons d'herbes médicinales.

La pluie cessa, l'orage s'éloigna.

Le gardien du temple du Milieu suait d'abondance.

— Excellente réaction, estima la prêtresse. Le mal sort de ton corps, la fièvre s'étrangle et ta vigueur revient.

— Ne serait-il pas prudent de s'écarter ? suggéra Sékari.

— Nous n'avons rien à craindre de ce précieux allié.

Le monstre se releva et dévisagea un à un les membres du clan salvateur. Un brusque mouvement de tête ne rassura pas l'agent secret, car les cornes pointues frôlèrent sa poitrine.

Isis caressa l'énorme front.

— Je vais au temple du Milieu, lui annonça-t-elle.

Acceptant la présence de l'âne et du chien, le taureau noir réservait à Sékari un œil plutôt suspicieux. Se forçant à sourire, ce dernier jugea préférable de s'asseoir et de ne pas bouger, tout en espérant un retour rapide de la Supérieure d'Abydos.

La grande porte de l'édifice était entrouverte.

Affolés par le maléfice qui accablait leur génie protecteur et rendait la cité inhabitable, les prêtres avaient laissé le sanctuaire à l'abandon.

Aussitôt, soixante et onze génies gardiens s'étaient empressés de monter la garde autour de la chapelle contenant le cœur d'Osiris. Êtres hybrides, fauves, flammes, avaleurs d'âmes, ils formaient une armée indestructible et impitoyable.

Isis brandit le couteau de Thot en argent massif.

— Voici la grande parole. Elle tranche le réel et discerne le bon chemin. Je ne suis pas venue en voleuse mais en servante d'Osiris. Puisse son cœur animer celui de l'Égypte et préserver le Grand Secret.

Accordant libre accès à la Veuve, les génies gardiens rentrèrent dans la pierre et redevinrent figures sculptées ou hiéroglyphes.

Devant le vase contenant la précieuse relique, un scarabée en jaspe.

— Toi, le maître potier, le façonneur du nouveau soleil, vis à jamais et sois stable comme le pilier de la résurrection. Révèle-moi l'or céleste, le chemin de la vie en éternité. Qu'hier, aujourd'hui et demain accomplissent le temps d'Osiris et créent les transformations au-delà de la mort.

Quand Isis sortit du temple, le soleil brillait au zénith. Revenus des faubourgs et de la campagne, les habitants d'Athribis virent la Supérieure d'Abydos déposer la relique sur le dos de l'énorme taureau noir. Visiblement en pleine santé, il guida jusqu'au port une procession improvisée.

À sa vue, le sang du capitaine se glaça.

Un accès de colère, et les cornes du géant endommageraient gravement son bateau !

Le calme d'Isis le rassura. Néanmoins, il ne fut pas mécontent de larguer les amarres et de prendre la direction de la cité du soleil, Héliopolis, l'illustre capitale de la treizième province de Basse-Égypte, à la pointe sud du Delta, au nord de Memphis.

ÉmÉmu et admiratif, Sékari contemplait Isis.

— Toutes les parties du corps osirien ont été rassemblées, tu es parvenue au terme de ta Quête.

— Reste encore une étape.

— En principe, simple formalité !

— Crois-tu que la réputation d'Héliopolis empêcherait l'Annonciateur d'agir ?

— Probablement pas... Mais il a échoué ! En dépit de la

multiplication des pièges et des agressions, il n'a pas réussi à interrompre ton voyage.

— Le sous-estimer serait une erreur fatale.

Sékari inspecta le bateau de fond en comble.

L'un des membres de l'équipage aurait-il prêté allégeance à l'Annonciateur ? Certes, Sékari les connaissait tous. Mais l'un d'eux avait peut-être succombé aux promesses d'un brillant avenir ou à l'attrait d'une fortune facilement gagnée.

Ni le chien ni l'âne ne manifestaient le moindre soupçon envers ces policiers d'élite, élèves de Sobek et formés à la dure.

Quel type de danger leur réservait Héliopolis ?

Un bras du fleuve étincelant sous le soleil, une contrée verdoyante, de vastes palmeraies, une cité-temple paisible et austère... Là se dressait l'obélisque unique, rayon de lumière pétrifiée. Là régnaient Atoum, le Créateur, et Râ, la lumière en acte. Là avaient été conçus les *Textes des Pyramides*, ensemble de formules permettant à l'âme du pharaon de vaincre la mort et d'accomplir de multiples transmutations dans l'autre monde. Résultant des perceptions spirituelles des initiés d'Héliopolis, les grandes pyramides de l'Ancien Empire traduisaient, de manière colossale, l'éternité osirienne.

Le centre de la ville se composait de sanctuaires à la fois indépendants et complémentaires où travaillaient un nombre réduit de spécialistes. Nul trouble ne semblait avoir atteint ce territoire sacré.

Au débarcadère, plusieurs prêtres au crâne rasé accueillirent Isis.

— Supérieure d'Abydos, dit leur porte-parole, nous nous réjouissons de votre visite. Les échos de votre voyage se propagent, et notre aide vous est acquise.

De telles déclarations auraient dû réconforter Sékari. Curieusement, elles aggravèrent son inquiétude. Trop simple, trop facile, trop évident... Que cachait cette attitude onctueuse ?

— J'aimerais voir le grand prêtre, sollicita Isis.

— Impossible, malheureusement. Il vient d'être victime d'une syncope et a perdu l'usage de la parole.

— Qui le remplace ?

— À titre provisoire, l'un de ses assistants. En cas de décès, les permanents proposeront le nom d'un successeur à Sa Majesté.

— Je désire m'entretenir avec ce substitut.

— Nous le prévenons immédiatement de votre arrivée. En l'attendant, vous pourrez vous désaltérer et vous reposer.

Un temporaire conduisit Isis, Sékari, Vent du Nord et Sanguin au palais réservé aux hôtes de marque. L'âne et le chien apprécièrent un copieux repas et s'endormirent, l'un contre l'autre.

Nerveux, l'agent secret ne but que de l'eau et parcourut l'ensemble des pièces décorées de peintures représentant des fleurs, des animaux et plusieurs sanctuaires.

Il ne décela rien d'anormal.

Lors de la venue du substitut du grand prêtre, Sékari se cacha derrière une porte et ne perdit pas un mot de la conversation.

— Votre présence nous honore, dit le dignitaire.

— Cette province s'appelle « le Maître est en bonne santé », rappela Isis. Ici, vous préservez le sceptre magique d'Osiris qui lui permet de maintenir sa cohérence en reliant les parties de son corps. Consentez-vous à me le remettre ?

— Vous servira-t-il à la célébration des mystères du mois de khoiak ?

— En effet.

— Le grand prêtre aurait accepté, je suppose ?

— J'en suis certaine.

— Permettez-moi de consulter les principaux permanents.

Les délibérations furent brèves.

Le substitut rapporta le sceptre, enveloppé dans un linge

blanc, et le remit à la jeune femme. Sa mine sombre trahissait une profonde contrariété.

— La réussite de votre Quête nous autorise à croire à la pérennité d'Abydos. Malheureusement, votre voyage n'est pas terminé.

— Que voulez-vous dire ?

— Héliopolis ne détenait pas seulement ce sceptre osirien, mais aussi le sarcophage où doivent être rassemblées les reliques. En dehors de lui, elles demeureront inertes.

— Aurait-il disparu ?

Le prêtre parut embarrassé.

— Non, certes, non ! À cause des dégradations, le grand prêtre a décidé de l'envoyer à Byblos, la capitale de la Phénicie. Un menuisier d'élite y remplacera les parties défaillantes avec un pin de première qualité.

— Quand la restauration sera-t-elle achevée ?

— Je l'ignore.

— Le mois de khoiak approche, je n'ai pas le loisir de patienter.

— Je comprends, je comprends... Si vous désirez aller à Byblos et rapatrier le sarcophage, nous disposons d'un bateau spécialisé dans les liaisons entre l'Égypte et la Phénicie[1].

— L'équipage est-il prêt à partir ?

— Rassembler les marins prendra peu de temps. Souhaitez-vous que je m'en occupe immédiatement ?

— Agissez au plus vite.

Le substitut s'inclina et s'en fut d'un pas pressé.

Fulminant, Sékari sortit de sa cachette.

— Une voix de hyène hypocrite ! Visqueux et dégoulinant à ce point-là, jamais entendu !

— Je n'apprécie guère ce personnage, concéda Isis, mais il m'a procuré de précieuses informations.

— Il ment et te tend un piège !

1. Le Liban actuel correspond partiellement à la Phénicie.

— Possible.

— Certain ! Ne l'écoute pas, Isis. Les prêtres d'Héliopolis ont commis une faute, ce sarcophage a été détruit, et ils inventent n'importe quoi afin d'étouffer l'affaire ! En t'envoyant en Phénicie, ils veulent t'éloigner et sans doute t'éliminer.

— Probable.

— Alors, ne prends pas ce bateau !

— S'il existe une chance, une seule chance de réussir, je dois essayer.

— Isis...

— Je le dois.

38

L'esprit de Sésostris voyageait.

Il parcourait l'univers, dansait avec les constellations, accompagnait les planètes infatigables dans leurs mouvements incessants et se nourrissait de la lumière des étoiles indestructibles.

Au-delà du sommeil, du jour et de la nuit, de l'écoulement du temps, son *ka* rencontrait celui des ancêtres. Apparemment endormi, exposé à des atteintes extérieures dont le protégeait sa garde personnelle, le roi puisait un maximum d'énergie hors de la sphère terrestre.

Elle lui était indispensable pour se régénérer, vivre la fête de la renaissance du temple d'Osiris et affronter l'Annonciateur.

Bientôt, ses yeux s'ouvriraient.

L'ex-adjoint du maire de Médamoud servit aux gardes un excellent ragoût additionné de somnifère, s'éloigna et ne revint à proximité du bois sacré que deux heures plus tard.

Affalés à leur poste, les militaires dormaient. Deux luttaient encore contre le sommeil, incapables de se déplacer.

Prudent, le terroriste patienta.

Enfin, il se décida à pénétrer dans le bois sacré !

Le silence l'effraya, il faillit renoncer. Mais l'occasion était trop belle. Écartant de lourdes branches, il découvrit l'ancien temple d'Osiris.

L'entrée d'une crypte.

Contenait-elle un trésor ?

Oui, à l'évidence, puisque le roi avait imposé d'importantes mesures de sécurité ! Et lui, où se cachait-il ?

L'ex-adjoint osa explorer l'étroit boyau qui conduisait à la chambre funéraire. Des parois émanait une lumière douce.

Étendu sur un lit, immobile, un géant.

Lui, le pharaon !

D'abord, le disciple de l'Annonciateur crut qu'il était mort. Non, il respirait ! À deux pas de lui, Sésostris, sans défense.

L'étrangler ou lui trancher la gorge ? Un coup violent et précis suffirait. Le souverain se viderait de son sang, et l'assassin se targuerait d'un fabuleux exploit !

Le couteau se leva.

Les yeux du pharaon s'ouvrirent.

Épouvanté, le criminel lâcha son arme, sortit de la crypte en courant, traversa le bois et se heurta aux soldats de la relève.

Gesticulant, il en bouscula un et tenta de s'enfuir.

Une lance le cloua au sol.

Se désintéressant de cette médiocre victime, l'officier supérieur secoua vigoureusement les endormis, promis à de sévères sanctions.

— Le roi... Quelqu'un a-t-il vu le roi ?

— Je suis ici, déclara la voix grave du monarque.

Le substitut du grand prêtre d'Héliopolis vint chercher Isis. Onctueux, révérencieux, il la conduisit jusqu'au quai où était amarré un bateau imposant, construit en Phénicie.

— Voici une lettre destinée au prince de Byblos, Abi-Shémou, fidèle allié de l'Égypte. Il vous réservera un parfait accueil et vous remettra le précieux sarcophage. Puissent les vents vous être favorables.

Sanguin et Vent du Nord montèrent la passerelle à vive allure et s'installèrent sur le pont, provoquant les réactions indignées du capitaine, un grand gaillard au visage émacié.

— Pas d'animaux à bord ! éructa-t-il. Ou bien ils descendent, ou bien je les abats.

— Ne t'en approche pas, recommanda Isis. Ils m'accompagnent et me protègent.

L'attitude du molosse dissuada le capitaine de mettre ses menaces à exécution. Haussant les épaules, il rassembla ses dix-huit marins et leur donna ses consignes pour le départ.

— Ne manie pas le gouvernail, lui intima la jeune femme.

— Vous vous moquez de moi ?

— Ignores-tu que seule la déesse Hathor peut guider notre navigation ?

— Je la respecte et je connais ses pouvoirs, mais je choisis notre itinéraire !

— Les heures m'étant comptées, nous éviterons le cabotage et nous prendrons la pleine mer.

— Vous... vous n'y pensez pas ! Trop dangereux !

— Laisse Hathor commander.

— Pas question !

Un marin cria.

— Le bateau... Il avance tout seul !

Le capitaine se saisit du gouvernail. Obéissant à une force supérieure, la lourde pièce de bois ne répondit pas à ses sollicitations.

— Ne t'acharne pas, l'avertit Isis. Sinon, le feu de la déesse te consumera.

Les mains brûlées, le capitaine hurla de douleur.

— Cette femme nous ensorcelle, affirma un Phénicien. Jetons-la à la mer !

Levant un bras menaçant, il n'eut pas le temps de terminer son geste, car Sanguin bondit sur lui et le renversa, tandis que Vent du Nord, montrant les dents, se plaçait devant la prêtresse.

— Ce ne sont pas de simples animaux, constata un lucide. N'essayons pas d'agresser la sorcière, ils nous tueraient !

— Soignez votre capitaine, recommanda Isis, restez à votre poste, et le voyage se passera bien. Hathor nous accordera des vents favorables et une mer calme. Vénérée à Byblos, elle sera heureuse de revoir son temple.

Les prédictions de la Supérieure d'Abydos se réalisèrent.

Stupéfiant les marins, le bateau progressait à une vitesse impossible.

Malgré ses souffrances, le capitaine n'acceptait pas l'humiliation. Employé du Libanais, il devait honorer son contrat afin de toucher une énorme récompense et ne se résignait pas à laisser passer une telle opportunité. À cause de la magie d'Hathor, le voyage s'annonçait très rapide, et Byblos serait bientôt en vue. Il ne lui restait guère de temps pour agir et il ne pouvait s'approcher de sa victime, toujours encadrée de ses deux protecteurs.

Une seule solution : grimper au mât principal et abattre la sorcière en lui plantant un harpon dans le dos. Particulièrement habile à cet exercice, le capitaine, en dépit de ses bandages, ne manquerait pas sa cible.

La jeune femme contemplait la mer en songeant à Iker et à la peur atroce qu'il avait dû éprouver, d'abord en se sachant condamné à périr noyé, ensuite lors du naufrage du *Rapide*.

Son mari vivait encore. Elle le percevait, elle le savait.

Sanguin grogna.

Une caresse ne le calma pas.

Le molosse chercha le danger autour de lui. Au moment où il levait la tête, le capitaine bascula du haut du mât, heurta violemment le bastingage et tomba à la mer.

— Portons-lui secours ! clama un marin.

— Inutile, estima l'un de ses collègues, auquel se rallia la majorité. Nous n'avons aucune chance de le récupérer. Puisque la déesse Hathor nous protège, oublions ce sale bonhomme. Il nous accablait de travail et nous versait des salaires de misère.

— Byblos ! annonça l'homme de proue. Nous arrivons !

La chute du capitaine n'était ni une maladresse ni un accident. Isis avait aperçu le poignard fiché dans sa poitrine, preuve de la dextérité de Sékari. Passager clandestin, l'agent secret savait se rendre invisible et veillait à la sécurité de sa Sœur du Cercle d'or.

À Byblos, l'accostage d'un bateau de cette taille donnait lieu à une fête que troubla à peine le rapport du second, expliquant la regrettable disparition du capitaine par une fausse manœuvre dont il s'était rendu lui-même coupable, mettant l'équipage en danger.

Le responsable du port salua Isis.

— Je suis la Supérieure d'Abydos et je dois remettre une missive au prince Abi-Shémou.

— Une escorte vous conduit immédiatement à son palais.

Isis se dirigea vers la vieille ville entourée de remparts.

Le chef du protocole lui témoigna des marques de respect démonstratives. Comme le prince célébrait au temple principal un rituel dédié à Hathor, il lui proposa de le rejoindre.

Inspiré de l'architecture égyptienne, l'édifice ne manquait pas de grandeur. Deux rampes, l'une à l'est, l'autre à l'ouest, permettaient d'y accéder. Parmi les cinq colosses adossés au mur est, la représentation d'un pharaon.

Un ritualiste purifia Isis avec l'eau d'une grande vasque. Ensuite, elle se prosterna devant les autels couverts d'offrandes, traversa une cour bordée de chapelles et pénétra dans le sanctuaire où trônait une superbe statue d'Hathor, portant le disque solaire sur sa tête.

Un petit homme rond, vêtu d'une tunique chamarrée, la salua chaleureusement.

— On vient seulement de me prévenir de votre arrivée, grande prêtresse ! Avez-vous fait bon voyage ?

— Excellent.

— Chaque matin, je remercie Hathor de la prospérité qu'elle accorde à mon petit pays. L'amitié indéfectible de l'Égypte nous garantit un avenir heureux, et nous nous réjouissons du renforcement de nos liens. Que pensez-vous de ce sanctuaire ?

— Magnifique.

— Oh ! bien sûr, il ne saurait se comparer à vos temples, mais les artisans locaux, sous la conduite de maîtres égyptiens, ont rendu un vibrant hommage à Hathor. À cette occasion, le pharaon m'a offert un diadème en or, orné de motifs magiques, les signes de la vie, de la prospérité et de la durée. Je ne manque pas de le porter lors des grandes occasions ! Mes sujets raffolent du style égyptien.

Le prince et la prêtresse gagnèrent le vaste parvis du temple.

— Une vue superbe ! Les remparts, la vieille ville, la mer... On ne s'en lasse pas. Pardonnez ma curiosité : Abydos n'abrite-t-il pas les secrets majeurs de l'Égypte ?

— C'est pourtant l'un d'eux que je suis venue chercher ici.

Abi-Shémou parut étonné.

— Un secret osirien, à Byblos ?

— Un sarcophage.

— Un sarcophage, répéta le prince, accentuant chaque syllabe. Feriez-vous allusion à la légende selon laquelle il aurait dérivé jusqu'au jardin de ce palais où un tamaris, en croissant de manière miraculeuse, l'aurait dissimulé aux regards profanes ? Il s'agit d'une simple fable !

— Accepteriez-vous néanmoins de me montrer l'endroit ?

— Bien entendu, mais vous serez déçue.

— Voici un message à votre intention, de la part d'un prêtre d'Héliopolis.

Signé du Libanais, le texte était écrit en phénicien. Succédant à une série de formules de politesse, un ordre clair :

Élimine discrètement Isis, la Supérieure d'Abydos. Que sa mort ressemble à un accident. L'Annonciateur ne s'attaquera pas à ton pays et te récompensera. Nos opérations commerciales reprendront.

Le terme « commercial » provoquait chez Abi-Shémou une incomparable jouissance. Pourvoyeur des marchandises illicites transportées par la flottille du Libanais, le maître de Byblos supportait mal l'interruption du trafic. Puisque cette frêle jeune femme semblait en être responsable, elle disparaîtrait.

— Désirez-vous vous reposer et...

— J'aimerais visiter ce jardin.

— À votre guise. Des affaires urgentes m'appelant au palais, mon chef du protocole vous y conduira.

Des cèdres, des pins, des tamaris, des oliviers... Isis parcourut lentement les allées, recherchant les vieux tamaris, suffisamment développés pour abriter un sarcophage. Resté à bord du bateau, son protecteur lui manquait.

Devant elle, un groupe de femmes au visage sévère.

Derrière, un autre. Et deux autres encore, sur les côtés. Aucune possibilité de fuir.

Élégamment vêtues, maquillées, elles appartenaient à la haute société phénicienne. Lentement, elles resserrèrent l'étau.

— Voleuse et profanatrice ! accusa l'une d'elles. Tu croyais pouvoir nous envoûter et nous rendre stériles ! Grâce à la vigilance de notre prince, nous t'empêcherons de nuire.

— Vous vous trompez.

— Accuserais-tu notre souverain de mensonge ? Tu es une étrangère criminelle, reconnue coupable de magie noire en Égypte ! Ensemble, nous te piétinerons et jetterons ton cadavre à la mer.

La meute se rapprocha.

— Je suis Isis, Supérieure d'Abydos et...

— Tes divagations ne nous intéressent pas ! Nous n'éprouvons pas d'indulgence à l'égard des perverses.

Face à la troupe de tueuses, Isis ne baissa pas les yeux et délia ses cheveux en signe de deuil. Sékari ne s'était pas trompé : un piège parfait, une mort accidentelle par noyade.

La meneuse allait donner le signal de la curée.

— Attendez ! ordonna une belle femme d'âge mûr, à l'autorité naturelle. Le parfum délicat de cette chevelure n'est pas celui d'une traînée.

Les excitées se rendirent à l'évidence.

— Oseriez-vous mentir à la princesse de Byblos et vous affubler d'un titre usurpé ?

— Mon père, le pharaon Sésostris, m'a effectivement élevée à la dignité de Supérieure de la ville sainte d'Osiris.

— Que faites-vous ici ?

— Je dois convoyer à Abydos le sarcophage d'Osiris dissimulé en ce jardin. Le prince, votre époux, m'y a autorisée.

Exclamations, murmures et commentaires variés dissipèrent l'agressivité des dames de la cour. Un geste de la princesse les dispersa.

— Suivez-moi, ordonna-t-elle à Isis. J'exige des explications.

39

Vêtu de la tunique blanche osirienne, Sésostris unit quatre fois le ciel à la terre en s'adressant à chaque point cardinal. Le cou protégé par une écharpe de lin rouge, symbole de la lumière de Râ dispersant les ténèbres, il consacra le nouveau temple dédié à Osiris. Six dépôts de fondation contenaient des vases, des coupes en terre cuite, des polissoirs de grès, des outils miniatures en bronze, des bracelets de perles de cornaline, des briques de terre crue, des fards verts et noirs, une tête et une épaule de taureau en diorite. Revêtu d'argent, le sol purifiait de lui-même les pas des ritualistes.

Le souverain éclaira le naos pour la première fois et l'encensa.

— Je te donne toute force et toute joie comme le soleil, dit-il à Montou, le maître du sanctuaire.

Son représentant terrestre, le taureau sauvage, maintiendrait la vitalité du *ka* de l'édifice où se développaient les scènes de la fête de régénération du pharaon. Sur le linteau d'un porche monumental, Horus et Seth lui présentaient la tige des millions d'années, le signe de la vie perpétuellement renouvelée et celui de la puissance.

Des statues figuraient le roi âgé adossé au roi jeune. En son être symbolique s'associaient le début et la fin, le dynamisme et la sérénité. Une cour s'ornait de piliers osiriaques, affirmant le triomphe de la résurrection.

Une petite rue séparait le temple du quartier résidentiel réservé aux prêtres permanents qui se purifieraient avec l'eau du lac sacré. Parmi eux, des spécialistes affectés au laboratoire. Là seraient entreposés des onguents, des aromates et de l'or de Pount.

En rétablissant la tradition osirienne à Médamoud, Sésostris s'octroyait une arme de première grandeur contre l'Annonciateur.

Restait à la rendre efficiente.

Le roi se dirigea vers l'enclos du taureau. À son approche, le quadrupède céda à une violente colère.

— Apaise-toi, ordonna le pharaon. Tu souffres de cécité à cause de l'absence du soleil féminin. La construction du nouveau temple le ramènera au jour.

La nuit durant, chants et danses réjouirent le cœur de la déesse d'or. Nourrie de musique, elle consentit à réapparaître en dissipant l'obscurité.

Pacifié, le taureau laissa pénétrer le pharaon dans l'enclos. Au centre, une petite chapelle, à l'ombre d'un vieil acacia.

À l'intérieur, le vase scellé contenant les lymphes d'Osiris, source de vie et mystère de l'œuvre divine.

La princesse de Byblos était stupéfaite.

— Ainsi, conclut-elle à l'issue des déclarations d'Isis, mon mari aurait décidé de vous supprimer en vous tendant un piège atroce ! Êtes-vous consciente de la gravité de telles accusations ?

— Sans votre intervention, les dames de votre cour m'auraient assassinée. Vous faut-il une preuve supplémentaire ?

Excédée, la princesse leva les yeux au ciel.

— Votre pays trahirait-il l'Égypte ? demanda la Veuve.

— Nos intérêts commerciaux sont prioritaires, et le prince multiplie les partenaires, parfois au détriment de la parole donnée.

— D'autres soucis vous hantent, princesse.

— Mon fils est souffrant. Guérissez-le, et je vous divulguerai le véritable emplacement du sarcophage.

Affecté d'une forte fièvre, l'enfant délirait.

Isis disposa soixante-dix-sept torches autour de lui afin d'attirer les génies gardiens capables de repousser les forces de destruction.

Lorsqu'elle posa son index sur ses lèvres, le petit malade se calma et lui sourit.

— Le mal se dissipe, la douleur s'estompe. Ta vitalité revient.

Une à une, les lampes s'éteignirent. L'enfant reprit des couleurs.

— Un tamaris protégeait le sarcophage, révéla la reine. Le prince a reçu un message l'enjoignant de le dégager et de le dissimuler dans une colonne de sa salle d'audience. Partez, Isis. Sinon, vous mourrez.

— L'Annonciateur serait-il devenu le maître de votre territoire ?

La princesse blêmit.

— Comment... comment le savez-vous ?

— Conduisez-moi au palais.

— Isis, ce serait une folie !

— Ne désirez-vous pas sauver Byblos ?

La stratégie du prince exigeait finesse et diplomatie. Sans mécontenter l'Égypte, il récoltait d'énormes bénéfices en favorisant les opérations commerciales du Libanais. La doctrine de l'Annonciateur ne l'intéressait guère, mais certaines concessions s'avéraient parfois nécessaires.

Le prince aimait beaucoup sa salle d'audience, décorée de magnifiques peintures représentant les paysages de la campagne phénicienne. Il s'asseyait, le dos tourné à une fenêtre ouverte sur la mer. Quand elle se déchaînait, la crête des vagues montait jusque-là. Le prince éprouvait alors le sentiment de dominer la nature, en se tenant à l'abri de ses fureurs.

Son épouse entra.

— Que veux-tu ?

— Te présenter une thérapeute qui vient de guérir notre fils. Un authentique miracle ! La fièvre est enfin tombée, il s'alimente normalement et recommence à jouer.

— Je vais la récompenser !

— Lui accorderas-tu tout ce qu'elle te demandera ?

— Tu as la parole d'Abi-Shémou.

La princesse regarda son mari d'un œil ironique.

— Méfie-toi de la déesse Hathor. Ne châtie-t-elle pas les parjures ?

— Douterais-tu de ma promesse ?

— Pas cette fois, cher mari ! Nul ne saurait plaisanter avec l'existence de son propre enfant. Voici donc notre guérisseuse.

La princesse introduisit Isis.

Piqué au vif, Abi-Shémou se leva.

— Vous, mais...

— Je devrais être morte, victime d'un accident. Selon l'un de nos sages, le mensonge ne parvient jamais à bon port. Imaginez-vous la réaction du pharaon Sésostris à l'annonce de la disparition de sa fille ?

Le prince baissa les yeux.

— Vos exigences ?

— Le sarcophage.

— Il a été détruit !

— Grâce à votre épouse, je connais la vérité.

Isis toucha chacune des colonnes de la salle et s'immobilisa à la septième.

— Tenez votre promesse, prince.

— Je ne vais quand même pas faire détruire cette colonne pour vous prouver qu'elle ne contient pas ce que vous cherchez !

— Hathor, protectrice de Byblos, peut se transformer en Sekhmet. À la fureur de la lionne s'ajoute le venin du cobra. Trahir la parole donnée serait une faute impardonnable.

Les doigts d'Abi-Shémou se crispèrent sur le pommeau de son poignard. La meilleure solution ne consistait-elle pas à supprimer cette prêtresse ?

Agrippé au rebord de la fenêtre, Sékari observait le prince de Byblos. La garde du bateau confiée à Sanguin et à Vent du Nord, considérés comme deux génies redoutables, il avait retrouvé la trace d'Isis.

Le poignard sortit lentement du fourreau.

Sékari se prépara à bondir et à empêcher Abi-Shémou de commettre un geste fatal.

La princesse apostropha son mari.

— La Supérieure d'Abydos a sauvé notre enfant. N'injurie ni les divinités ni le pharaon, et exprime ta reconnaissance.

Conscient des risques encourus, le prince céda.

Un charpentier dégagea délicatement le sarcophage de sa gangue. En bois d'acacia, imputrescible, il s'ornait de deux yeux complets lui permettant de voir l'invisible.

Lorsque Isis sortit de la salle en compagnie de la princesse, Sékari abandonna son poste de guet et rejoignit le bateau à la nage.

— Puisse le pharaon ne pas sanctionner trop durement Abi-Shémou, implora la princesse. Mon mari tient tant à la prospérité de sa ville qu'il commet de regrettables imprudences.

— Qu'il chasse les partisans de l'Annonciateur. Sinon, ils l'élimineront et transformeront Byblos en enfer.

— Je saurai me montrer convaincante, Isis.

L'âne et le chien fêtèrent bruyamment le retour de la jeune femme, et Sanguin ne manqua pas de se dresser et de poser les pattes sur ses épaules.

Soigneusement enveloppé dans d'épais tissus et solidement

amarré par des cordages à l'intérieur de la cabine centrale, le précieux sarcophage ne risquait pas d'être endommagé.

— Subsiste un petit problème, précisa Sékari. À la suite de la disparition du capitaine, les marins croient ce navire hanté. Impossible de dénicher un équipage.

— Hathor le remplacera et nous guidera. Hisse la grand-voile, je m'occupe du gouvernail.

Isis prononça les formules de la navigation heureuse, placée sous la protection de la souveraine des étoiles.

Un vent soutenu se leva, le bateau quitta le port de Byblos et s'élança en direction de l'Égypte.

Vent du Nord et Sanguin avaient dormi pendant tout le voyage de retour, plus rapide encore que l'aller. Dès l'accostage au port fluvial d'Héliopolis, Isis présenta à la déesse Hathor une offrande composée de fleurs et de vin.

— Ne quittez pas de l'œil le sarcophage, demanda-t-elle à Sékari et à ses deux collègues.

— Ne devrais-je pas t'accompagner au temple ?

— Je ne cours aucun risque, affirma-t-elle.

Au seuil du domaine sacré, le substitut du grand prêtre, décomposé, bredouilla des salutations.

— Vous... vous êtes revenue ?

— Me prendriez-vous pour un fantôme ?

— Votre voyage...

— Pas d'incident majeur.

— Ce fut si bref, si...

— La souveraine des étoiles a contracté le temps. Comment se porte le grand prêtre ?

— Pas mieux, hélas ! Nous redoutons une issue fatale. Auriez-vous retrouvé... le sarcophage ?

— Le prince de Byblos me l'a donné. Il est à présent sous haute protection.

— Parfait, parfait ! Souhaitez-vous vous restaurer, vous...

— Je repars immédiatement. Veuillez me remettre la corbeille des mystères, contenant les reliques osiriennes, que je vous avais confiée.

Le substitut faillit éclater en sanglots.

— C'est affreux, horrible ! Jamais un tel drame n'aurait dû se produire, surtout ici, à Héliopolis !

— Expliquez-vous.

— Je ne trouve pas les mots, je...

— Faites un effort.

— La corbeille a été volée, avoua le dignitaire d'une voix étranglée.

— Avez-vous mené une enquête ?

— Sans résultat, malheureusement !

— Tel n'est pas mon avis, déclara une voix sonore qui stupéfia le substitut.

Après Isis, un deuxième fantôme !

— Vous, grand prêtre, mais... Vous étiez mourant !

— Je devais en persuader mes proches afin de débusquer la créature de l'Annonciateur tapie parmi nous. Il me fallait une preuve formelle. Tu me l'as procurée en dérobant la corbeille des mystères.

— Vous vous trompez, vous...

— Inutile de nier.

Les gardes assurant la sécurité du temple entourèrent l'accusé.

Il changea d'attitude.

— Eh bien oui, je suis au service du futur maître de l'Égypte, de celui qui abattra vos sanctuaires et imposera partout la nouvelle croyance ! Votre défaite est consommée, car Osiris ne ressuscitera pas. L'homme auquel j'ai remis la corbeille des mystères l'a brûlée.

— La voici, déclara le grand prêtre en la confiant à la Supérieure d'Abydos. Ton complice a été arrêté avant de perpétrer un abominable crime. Coupables de haute trahison, vous serez exécutés ensemble. Comme il s'est exprimé d'abondance, nous savons que l'Annonciateur ne dispose plus d'aucun espion à Héliopolis.

La Quête d'Isis s'achevait.

La corbeille des mystères contenait la totalité des parties du corps d'Osiris qu'elle tenterait de reconstituer à Abydos, sans certitude d'y parvenir.

Iker l'attendait.

Et son amour pour lui ne cessait de grandir.

LES MYSTÈRES DU MOIS DE KHOIAK

Le processus de résurrection évoqué dans les pages qui vont suivre est révélé par des documents égyptiens fondamentaux, tels les *Textes des Pyramides*, les *Textes des Sarcophages*, le *Livre de sortir à la lumière*, les textes osiriens des temples ptolémaïques, notamment Dendera (voir les traductions d'Émile Chassinat et de Sylvie Cauville), et plusieurs autres sources comme le Papyrus Salt 825.

MOIS DE KHOIAK,

PREMIER JOUR (20 octobre),

ABYDOS

À l'issue du rituel de l'aube, le Chauve et Nephtys se rendirent à la Maison de Vie. Le prêtre récita les formules de préservation de la momie, la prêtresse la magnétisa. L'absence de tout signe de décomposition prouvait qu'Iker continuait à vivre d'une existence intermédiaire, entre le néant et la renaissance.

À partir de midi, de nouveaux interrogatoires débutèrent. Vint le tour de Asher.

— D'après les rapports de tes supérieurs, observa le Chauve, tu sais forer des vases, fabriquer des récipients rituels, et tu nettoies les objets du culte de manière exemplaire.

— Ce jugement me touche. J'essaie de me rendre utile.

— Quelles sont tes ambitions, Asher ?

— Fonder une famille et travailler le plus longtemps possible à Abydos.

— Souhaiterais-tu accéder à la dignité de prêtre permanent ?

— Un simple rêve !

— Et s'il devenait réalité ?

— L'Égypte n'est-elle pas le pays des miracles ? Je n'ose y

croire, mais j'abandonnerais volontiers mes activités profanes pour servir Osiris.

— La rigueur de notre Règle ne t'effraie-t-elle pas ?

— Au contraire, elle conforte mes convictions ! Abydos ne demeure-t-il pas le socle de la spiritualité égyptienne ?

— Réponds-moi clairement : as-tu remarqué des faits insolites ou des comportements douteux ?

L'Annonciateur réfléchit.

— Je perçois une harmonie qui unit l'au-delà et l'ici-bas. Ici, chaque seconde de notre existence prend un sens. Temporaires et permanents accomplissent des tâches précises, à leur heure et selon leurs capacités. L'esprit d'Osiris nous emporte au-delà de nous-mêmes.

L'Annonciateur ne formula ni accusation ni soupçon. D'après ses déclarations, Abydos ressemblait au paradis.

Nephtys mangeait du bout des doigts.

— Tu n'as pas faim ? s'étonna l'Annonciateur.

— Nous sommes le premier jour du mois de khoiak, celui de la célébration des mystères dont dépend la survie des Deux Terres.

— Serais-tu inquiète ?

— Le processus de la résurrection osirienne reste une aventure périlleuse, et nous attendons notre Supérieure avec impatience. Sans elle, impossible de commencer le rituel.

— Jouerait-elle un rôle aussi déterminant ?

— Elle détient le Grand Secret.

— Accorder une telle importance à une femme, n'est-ce pas excessif ?

Brutalement dégrisée, Nephtys oublia le charme d'Asher. Parvenant à se contrôler, elle ne modifia pas son attitude d'amoureuse envoûtée.

— Excessif... Peut-être as-tu raison.

— L'Égypte se trompe et s'affaiblit en accordant trop de prérogatives à ton sexe.

— Face au Chauve, pourtant si rugueux, ta prestation fut éblouissante !

— Pourquoi as-tu gardé le silence ?

— Ta promotion me paraissait acquise !

— J'évoquais ma volonté de fonder une famille. Accepterais-tu de devenir mon épouse ?

L'Annonciateur serra tendrement les mains de Nephtys.

— C'est une grave décision, murmura-t-elle. Je suis très jeune et...

— Obéis-moi, je te rendrai heureuse. Une femme ne doit-elle pas se soumettre à son mari et satisfaire ses moindres désirs ?

— Et... mes devoirs de prêtresse ?

— De simples illusions ! Le domaine de l'esprit n'est-il pas inaccessible aux femmes ? Toi, tu as assez d'intelligence pour le comprendre. Et tu admettras aussi qu'une seule épouse ne suffit pas à un homme. Les pulsions des femelles sont limitées par la nature, pas celles des mâles. Respectons la loi divine qui dicte la supériorité de l'homme.

Docile, la belle prêtresse n'osa pas regarder en face le séducteur.

— Ce langage est si nouveau, si inattendu...

L'Annonciateur enlaça Nephtys.

— Bientôt, nous scellerons notre union. Tu partageras ma couche et deviendras ma première épouse, la mère de mes fils. Et tu n'imagines pas l'avenir radieux dont tu jouiras.

Le commandant des forces de sécurité arpentait le quai d'Abydos. Tout militaire qu'il fût, il connaissait l'importance vitale du mois de khoiak. En l'absence de la Supérieure, les rites ne seraient-ils pas inefficaces ?

— Bateau en approche ! le prévint une sentinelle.

Aussitôt, les soldats se déployèrent.

À la vue du géant qui se tenait à la proue, les inquiétudes du commandant se dissipèrent. Le retour du pharaon permettrait aux résidents de respirer plus librement.

Porteur du vase scellé, Sésostris se dirigea à grands pas vers la Maison de Vie, surveillée jour et nuit. L'accueillirent le Chauve et Nephtys.

— Voici la source de l'énergie osirienne, déclara-t-il. Déposez-la à la tête d'Iker.

Pendant que les deux ritualistes s'acquittaient de leur tâche, le roi ordonna de tripler la garde. Des archers d'élite occupèrent le toit de la Maison de Vie, transformée en forteresse imprenable. À chaque soldat fut remis un couteau en obsidienne, chargé de magie.

— Le roi est revenu ! s'exclama Bina.

— Ainsi, s'étonna l'Annonciateur, son âme a voyagé de l'autre côté de la vie, réintégré son corps et célébré sa fête de régénération à Médamoud. Une force nouvelle l'habite, il veut en faire profiter Abydos.

— Deviendrait-il une menace ?

— Sésostris n'a jamais cessé de l'être ! Il faut découvrir ses projets.

— Seigneur... vous avez encore dîné avec cette Nephtys.

L'Annonciateur caressa les cheveux de Bina.

— Une jeune femme soumise et compréhensive. Elle se ralliera à la vraie croyance.

— Vous... l'épouserez ?

— Toutes les deux, vous m'obéirez et me servirez, car telle est la loi divine. Inutile d'en reparler, ma douce.

Un Béga affolé fit irruption chez l'Annonciateur.

— Le pharaon vient d'arriver, porteur d'un vase scellé ! Et un autre bateau accoste : celui d'Isis !

Aux angles intérieurs de la Maison de Vie, le Chauve avait disposé quatre têtes de lions crachant du feu, quatre uræus, quatre babouins et quatre brasiers. Ainsi, nulle force négative ne pénétrerait à l'intérieur de l'édifice aux murs de pierre auquel on accédait par une porte monumentale en calcaire blanc.

Le plafond de la cour principale était la voûte céleste de la déesse Nout, son sol sablé celui du dieu Terre, Geb. Au centre, une chapelle abritait la barque d'Osiris où reposait le corps d'Iker.

Enfin, Isis le revoyait !

Ne pouvant retenir ses larmes, elle se reprocha cette faiblesse et se mit aussitôt à l'œuvre, en présence du pharaon, du Chauve et de Nephtys. Iker n'avait pas besoin de manifestations de deuil, mais de la réussite d'une transmutation qui le ramènerait à la lumière.

La résurrection exigeait un transfert de mort.

Celle d'Iker devait passer dans le corps de l'être perpétuellement régénéré[1], Osiris, vainqueur du néant. Lui seul absorbait toutes les formes de trépas et les transformait en vie.

Encore fallait-il recréer trois Osiris et suivre une démarche rituelle d'une absolue précision, sans commettre d'erreur.

Et les ritualistes ne disposaient que des trente jours du mois de khoiak.

Isis assembla le corps de pierre d'Osiris en réunissant les reliques recueillies au cours de sa Quête : la tête, les yeux, les oreilles, la nuque et la mâchoire, la colonne vertébrale, la poitrine, le cœur, les bras, les poings, les doigts, le phallus, les jambes, les cuisses et les pieds. Grâce au sceptre d'Héliopolis, elle assura la cohérence des parties de ce corps de résurrection ; et le sceptre en or de la colline de Thot les pourvut d'une force surnaturelle.

Alors, le roi ouvrit le vase scellé contenant les lymphes du

1. *Ounen-nefer*, l'un des noms les plus courants d'Osiris.

dieu, le mystère de l'œuvre alchimique et la source de vie. L'écoulement osirien, semblable au flot de l'inondation, lia solidement entre elles les parties assemblées de la statuette. S'en dégagea le parfum de Pount.

Isis toucha la momie avec la pierre vénérable recueillie sur l'île de Soped, afin d'animer ce qui semblait inerte et de faire battre le cœur minéral. Elle lui appliqua ensuite trois couches d'onguent, l'enveloppa de quatre étoffes symbolisant quatre états de la lumière révélés lors de l'ouverture de la fenêtre du ciel, et la glissa à l'intérieur de la peau de bélier provenant de Thèbes.

— Ton nom est Vie, déclara le roi. Notre mère, la déesse Ciel, t'engendrera à nouveau et te dévoilera ta nature secrète en la transmettant à ton fils, l'Osiris Iker.

Sésostris plaça le premier Osiris, composé de métal et de minéral, dans le ventre de la vache cosmique en bois doré, parcourue d'étoiles et de constellations, la véritable origine des vivants. En cet athanor s'accomplirait une résurrection invisible aux yeux des humains, indispensable pour assurer la totalité des mutations.

— De Râ, la lumière créatrice, divulgua le pharaon, naît une pierre métallique. Par elle, l'œuvre cachée se réalise. Constituée de métaux et de pierres précieuses, elle transforme Osiris en arbre d'or. Ma Sœur Isis, poursuis le travail alchimique.

Sur un châssis en bois, Isis tendit une toile de lin. En son centre, elle dessina la silhouette d'Osiris, puis la façonna avec du limon humide et fertile, des grains d'orge et de blé, des aromates et de la poudre de pierres précieuses.

— Tu es présent parmi nous, la mort ne te corrompt pas. Que l'orge devienne or, que ta renaissance prenne l'aspect de tiges verdoyantes qui pousseront de ton corps lumineux. Tu es les dieux et les déesses, tu es le flot fécondateur, tu es le pays entier, tu es la vie[1].

---

1. S. Cauville, *Le Zodiaque d'Osiris*, Leuven, 1997, p. 57.

Le deuxième Osiris avait pris forme. Intimement lié au premier, le deuxième processus de résurrection débutait.

Le troisième aurait dû être la momie du dieu reposant dans sa demeure d'éternité d'Abydos et ressuscité à la neuvième heure de la nuit, le dernier jour du mois de khoiak de l'année précédente. L'immortalité passait ainsi du dieu au dieu.

En violant la tombe et en détruisant la momie d'Osiris, l'Annonciateur pensait empêcher toute renaissance.

Cette fois, un Fils royal et Ami unique servirait de support au rituel. Mais serait-il un matériau assez résistant pour endurer l'épreuve ?

La Veuve contemplait son époux.

— Sois le troisième Osiris, implora-t-elle, et accomplis l'ultime résurrection.

Il ne restait que vingt-neuf jours.

MOIS DE KHOIAK,

DEUXIÈME JOUR (21 octobre),

ABYDOS

— La garde a été triplée, indiqua Béga, et chaque soldat est équipé, outre ses armes habituelles, d'un couteau en obsidienne capable de percer la carapace des spectres. Isis, Nephtys et le Chauve ne sont pas ressortis de la Maison de Vie.

— As-tu consulté les autres permanents ? demanda l'Annonciateur.

— Tous émettent la même opinion : les rites de résurrection viennent de débuter.

— À partir de quel support ?

— Iker, répondit Bina, les yeux hallucinés.

L'Annonciateur la prit par les épaules.

— Iker est mort, ma douce. J'ai anéanti la momie d'Osiris et le vase contenant la source de vie. Abydos se réduit à une coquille vide, les rites sont dépourvus d'efficacité.

— Iker navigue entre la vie et la mort, affirma-t-elle. Ses yeux demeurent ouverts. Isis et le roi tentent de le ramener au jour.

— Il faut les en empêcher ! éructa Béga.

— Ordonne à Shab d'étudier le dispositif de protection. S'il existe un moyen de pénétrer dans la Maison de Vie, il le découvrira.

Heureux de se dégourdir les jambes, le Tordu prit mille précautions afin de ne pas attirer l'attention des gardes. Contrairement à ses espérances, la nuit ne lui procura pas d'opportunités supplémentaires, car des centaines de lampes éclairaient l'édifice et ses alentours. Fréquemment relevés, les archers ne souffraient ni de la fatigue ni du manque de sommeil, et leur vigilance ne se relâchait pas.

Ses conclusions furent péremptoires : zone inaccessible.

L'Annonciateur calmait Bina, en proie à des convulsions. Depuis sa vision, elle ne cessait de trembler.

— Je redoute les pouvoirs du pharaon et de cette maudite Supérieure, avoua Béga. Vous devriez quitter Abydos, seigneur. Tôt ou tard, les enquêtes aboutiront.

— Tu as participé au rituel des grands mystères. Comment procède le roi ?

— Il utilise l'Osiris de l'an passé dont l'énergie est épuisée, en façonne un nouveau et organise une triple résurrection, minérale, métallique et végétale. Les lymphes du vase scellé sont indispensables. Les archives de la Maison de Vie, « les Âmes de lumière », enseignent la méthode à suivre.

— De victime, Iker serait donc devenu un support osirien, conclut l'Annonciateur, intrigué. Une seule personne me donnera des informations de première main : Nephtys. Dès qu'elle réapparaîtra, préviens-moi.

Isis et Nephtys disposèrent autour d'Iker les quatre vases formant l'âme recomposée. À l'occident, le premier, à tête de faucon[1], contenait l'intestin, les vaisseaux et les conduits

1. *Kebeh-senouf*, « celui qui donne l'eau fraîche à son frère ».

d'énergie d'Osiris ; à l'orient, le deuxième, à tête de chacal [1], l'estomac et la rate ; au midi, le troisième, à tête d'homme [2], le foie ; au septentrion, le quatrième, à tête de babouin [3], les poumons.

Réunis, les quatre fils d'Horus, successeur d'Osiris, renforçaient le *ka* et le cœur de leur père.

Les deux Sœurs soulevèrent les couvercles et prononcèrent les formules de vénération envers le faucon, le chacal, l'homme et le babouin. De nouveaux organes, encore embryonnaires, animèrent la momie d'Iker.

À cet instant, les trois Osiris, le minéral et métallique, le végétal et l'humain, fonctionnèrent en symbiose. Désormais indissociables, ils ressusciteraient ou sombreraient ensemble.

Seuls le pharaon et le Chauve quittèrent la Maison de Vie à la nuit tombée. Le doyen de la confrérie réunit les prêtres et les prêtresses permanents, et leur annonça le début de la célébration des grands mystères du mois de khoiak.

— Le vase scellé n'a-t-il pas disparu ? s'étonna Béga.

— Le roi a retrouvé celui du temple de Médamoud. Les conditions sont réunies pour voir renaître Osiris.

1. *Doua-moutef,* « celui qui vénère sa mère ».
2. *Imseti,* « le fécondateur (?) ».
3. *Hepy,* « le rapide ».

MOIS DE KHOIAK, TROISIÈME JOUR (22 octobre), ABYDOS

Les sept prêtresses de la déesse Hathor choisirent les plus belles dattes. Elles en déposèrent une partie sur un plateau d'argent et pressèrent les autres afin d'en extraire le suc, donnant une liqueur qui symbolisait les lymphes régénératrices d'Osiris.

Leur travail achevé, elles confièrent les fruits et l'alcool au pharaon. Au terme du rituel de l'aube célébré dans son temple des millions d'années, il retourna à la Maison de Vie et présenta l'offrande aux trois Osiris.

— Voici l'incarnation du feu bénéfique. Puisse-t-il vous aider à renaître avec l'année nouvelle, au cœur du mystère.

— Ici s'accomplit le travail secret à jamais celé, ajouta Isis. En ton corps de lumière, Osiris, le soleil se lèvera.

La première nourriture solide et liquide des trois Osiris était assurée. Le Chauve devait à présent préparer la procession des bœufs gras et leur abattage, prévu pour le sixième jour du mois de khoiak.

Seule Isis demeura auprès d'Iker.

— Un prêtre temporaire m'intrigue, confia Nephtys au Chauve. J'avoue être attirée par lui, et il vient de me demander en mariage. C'est un excellent technicien, apprécié de tous, et vous envisagez même de l'accepter comme permanent.

— De qui s'agit-il ?

— D'Asher, ce temporaire de grande taille, si séduisant. D'une voix douce, aimable, presque tendre, il m'a tenu un discours effroyable concernant les femmes. Aucune ne lui apparaît digne d'être prêtresse, et il affirme la supériorité absolue de l'homme. J'ai fait semblant de l'approuver.

— Plaisantait-il ou était-il sérieux ?

— Je ne crois pas à une plaisanterie, mais je veux obtenir confirmation.

— Sois prudente ! S'il s'agit d'un disciple de l'Annonciateur, tu es en danger.

— En ce cas, il me mènera à son maître.

— Pourquoi te conduirait-il à lui ?

— Parce que je peux lui dévoiler les secrets de la Maison de Vie.

— Prévoyons ta protection.

— Qu'elle ne soit surtout pas voyante ! Sinon, Asher se méfiera et j'échouerai.

— Prends-tu bien conscience des risques ?

— Éradiquer le mal implanté à Abydos est impératif. Voici enfin, peut-être, l'occasion de réussir.

— Il existe une méthode moins dangereuse, estima le Chauve : réexaminer le dossier d'admission de cet Asher. Attends mes conclusions avant de sonder ton soupirant.

Nephtys songea aux souffrances et au courage de sa Sœur Isis. Fût-ce au péril de sa vie, elle contribuerait à écarter la menace de la demeure de résurrection.

MOIS DE KHOIAK,

QUATRIÈME JOUR (23 octobre),

MEMPHIS

À la mine très sombre du vizir Sobek, le général Nesmontou pressentit une catastrophe.

— Une attaque terroriste ?

— Non, le tribunal vient de rendre son jugement.

— Ne me dis pas...

— Condamnation maximale.

— Séhotep n'a tué personne !

— Selon le tribunal, l'intention valait l'action. Circonstances aggravantes, le coupable appartenait à la Maison du Roi.

— Il faut faire appel de cette décision.

— Elle est définitive, Nesmontou. En ces temps troublés, la justice doit se montrer exemplaire. Même le pharaon ne peut plus rien pour Séhotep.

Un membre du Cercle d'or d'Abydos condamné à mort en raison d'une preuve maquillée !

Désemparé, le vieux soldat crut un instant au triomphe de l'Annonciateur. Son instinct de guerrier reprenant le dessus, il songea à rassembler ses fidèles, à attaquer la prison et à libérer son Frère.

— Ne commets pas de folie, recommanda le vizir. Où te

mènerait un coup de force ? D'un jour à l'autre, les terroristes déclencheront leur offensive. Il te reviendra de coordonner notre riposte. La survie de Memphis dépendra de ton intervention.

Le Protecteur avait raison de lui rappeler ses devoirs.

— Surtout, reste caché ici. Si tu apparaissais, le chef du réseau terroriste comprendrait que nous lui tendons un piège. Des soldats garderont cette villa réquisitionnée à la suite de l'exécution de son propriétaire.

La voix de Sobek tremblait. Ni lui ni le général n'étaient hommes à exprimer leur désarroi.

Dormant deux heures par nuit, Sobek continuait à examiner les comptes rendus des enquêtes de police, aussi minimes soient-ils. Il espérait y trouver un indice susceptible de différer l'exécution du jugement.

Un dessin représentant un suspect l'intrigua. Il ressemblait vaguement à Gergou, l'inspecteur principal des greniers. Peut-être, d'après le rapport de l'enquêteur, serait-il mêlé, de près ou de loin, à l'affaire Olivia. La fouille discrète d'une maison appartenant à un certain Bel-Tran procurait un curieux résultat : de nombreuses marchandises de valeur soit volées, soit non déclarées.

Le Protecteur se souvint qu'Iker lui avait demandé d'enquêter sur ce Gergou. Les investigations s'étaient révélées stériles.

Un second dossier concernait le même personnage.

Cette fois, pas de simples soupçons, mais une plainte en bonne et due forme. Le responsable des greniers du village de la Butte fleurie accusait Gergou d'agression, d'extorsion de fonds et d'abus de pouvoir. Trop de fonctionnaires se comportaient ainsi, et il revenait au vizir de les châtier lourdement. Si les faits étaient avérés, le bandit irait en prison.

Avant de l'arrêter, ne convenait-il pas de le suivre et de savoir s'il était lié ou non aux terroristes ?

MOIS DE KHOIAK,
CINQUIÈME JOUR (24 octobre),
MEMPHIS

— Me garantis-tu l'efficacité de ce produit ? demanda le docteur Goua.

— Au nom d'Imhotep le guérisseur, je m'y engage ! assura le pharmacien Renséneb.

— Ni conséquences catastrophiques ni effets secondaires désastreux ?

— J'ai testé sur moi-même ce mélange subtil d'essences de lotus, de pavot et d'une dizaine de fleurs rares, à des dosages très précis. Votre patiente n'éprouvera aucune souffrance et ne ressentira aucun trouble au sortir de son hypnose. Seule recommandation : posez peu de questions, parlez d'une voix ferme et calme, ne manifestez pas d'impatience.

Goua prit le sachet de pilules et se rendit chez Médès, où l'épouse du Secrétaire de la Maison du Roi le reçut avec enthousiasme.

— Enfin, docteur ! En dépit de vos excellents remèdes, je ne cesse de pleurer. Mon existence devient un enfer !

— Je vous avais prévenue, il faut passer à une nouvelle thérapeutique.

— Je suis prête !

— Puis-je parler à votre mari ?

— En raison des événements, il rentrera tard. Vous vous rendez compte ? Plus de pharaon, plus de vizir, plus de général en chef ! Memphis court à sa perte.

— Préoccupons-nous de votre santé.

— Oh oui ! docteur, oh oui !

— Absorbez ces quatre pilules.

L'épouse de Médès s'empressa d'obéir. Goua vérifia son pouls.

— Vous éprouverez rapidement un merveilleux bien-être. Ne résistez pas à l'envie de dormir. Je reste près de vous.

La drogue ne tarda pas à agir.

Le médecin fit absorber deux pilules supplémentaires à sa patiente.

Complètement détendue, l'hystérique s'abandonna.

— C'est moi, le docteur Goua. Vous m'entendez ?

— Je vous entends, répondit une voix rauque.

— Soyez rassurée, je vais vous délivrer de la maladie qui vous accable. Acceptez-vous de me dire la vérité, toute la vérité ?

— Je... J'accepte.

— La vérité sera votre remède. Le comprenez-vous ?

— Je... je le comprends.

— Êtes-vous l'épouse de Médès, le Secrétaire de la Maison du Roi ?

— Je le suis.

— Habitez-vous Memphis ?

— Oui, j'y habite.

— Êtes-vous heureuse ?

— Oui... Non... Oui... Non, non !

— Votre mari vous frappe-t-il ?

— Jamais ! Parfois, oui...

— Vous l'aimez ?

— Je l'aime, c'est un mari merveilleux, tellement merveilleux !

— Donc, vous lui obéissez ?

— Toujours !

— Vous a-t-il ordonné de commettre un acte que vous regrettez ?

— Non, oh non ! Si... je regrette. Mais c'était pour lui ! Non, non, je ne regrette rien.

— Nous atteignons la racine de votre mal. En l'extirpant, je vous guérirai. Accordez-moi votre confiance, et vous ne souffrirez plus. Qu'a exigé votre mari ?

Le ventre de la patiente se souleva, ses membres tremblèrent, ses yeux se révulsèrent.

— Je suis le docteur Goua, je vous soigne, nous touchons au but. Parlez-moi, délivrez-vous de vos tourments.

Les spasmes s'espacèrent, la malade se calma.

— Une lettre... J'ai écrit une lettre en imitant l'écriture du Grand Trésorier Senânkh afin de le discréditer. Je possède un don, un don exceptionnel ! Médès était content, si content... Hélas ! nous avons échoué. Alors...

— Alors ?

Elle se crispa de nouveau.

— Je suis le docteur Goua, je vous soigne. La guérison est toute proche. Parlez-moi, dites-moi la vérité.

— J'ai écrit une seconde lettre en imitant l'écriture de Séhotep pour le faire accuser de traîtrise et de meurtre. Cette fois, nous avons réussi ! Médès était heureux, si heureux... Comme je me sens bien, à présent ! Guérie, je suis guérie...

Le foie de Médès disait la vérité, lui aussi. Privé de Maât, il révélait le caractère d'un homme envieux et haineux.

Le docteur Goua venait de découvrir un allié majeur des terroristes, sans doute le personnage-clé de leur réseau, et il pouvait innocenter Séhotep.

À qui transmettre ces informations vitales ? Le vizir agonisait, le général Nesmontou était mort, la reine ne recevait personne.

Restait Senânkh, le Grand Trésorier, en proie à une dépression. Accepterait-il de l'écouter et serait-il en mesure d'agir ?

Une abominable hypothèse effleura l'esprit du docteur Goua : et si le ministre de l'Économie était complice de Médès ?

MOIS DE KHOIAK,

SIXIÈME JOUR (25 octobre),

ABYDOS

Le vétérinaire avait examiné les bœufs gras, ornés de colliers de fleurs, de plumes d'autruche et d'écharpes colorées. Chaque individu jugé pur marcha lentement vers l'abattoir du temple. Le maître boucher confirmerait la qualité de la viande à la suite d'un nouvel examen. Elle devait contenir un maximum de *ka*.

Précédé de Vent du Nord, Sanguin surveillait les énormes bêtes. D'ordinaire, leur arrivée provoquait la joie des temporaires, certains de participer à plusieurs banquets célébrant la renaissance d'Osiris.

Mais les événements dramatiques qui avaient frappé Abydos restaient présents dans toutes les mémoires, et nul ne songeait à la fête.

Une fois encore, Bina voulut apporter de la nourriture aux soldats chargés de garder la Maison de Vie.

Un officier lui barra le passage.

— Es-tu agréée ?

— J'ai l'habitude de...

— Nouvelles consignes. Retourne d'où tu viens.

Bina offrit son plus beau sourire.

— Je ne vais pas jeter ces pains et...

— Souhaites-tu être arrêtée ?

La jolie brune s'éloigna et déposa son fardeau sur l'un des autels du temple des millions d'années de Sésostris où officiait Béga.

Le prêtre s'assura qu'aucune oreille indiscrète ne les écoutait.

— Le Chauve a réuni les permanents, révéla-t-il. D'après les rites que nous devons pratiquer ici et les formules à psalmodier, j'ai acquis une certitude : une transmutation s'opère au cœur de la Maison de Vie.

— Connais-tu la nature du support ?

— Les parties du corps osirien et l'orge à transformer en or. Et peut-être... Non, impensable ! Tu ne peux pas avoir raison. Iker est mort, bien mort ! Personne ne saurait le ramener à la vie. Pourtant, dans le cas d'Imhotep... Mais ce Fils royal ne saurait lui être comparé ! Et puis une telle tentative est forcément vouée à l'échec.

— Sésostris n'est-il pas revenu de Médamoud porteur d'un nouveau vase scellé ?

Béga fut troublé.

— Auras-tu accès à la Maison de Vie ? demanda Bina.

— Malheureusement non. Seuls peuvent y pénétrer le pharaon, le Chauve, Isis et Nephtys.

« Encore cette maudite femelle », songea l'unique épouse de l'Annonciateur, furieuse.

Ou bien elle parlerait, ou bien elle mourrait.

MOIS DE KHOIAK,
SEPTIÈME JOUR (26 octobre),
ABYDOS

Le premier quartier de la lune ascendante brillait dans le ciel, ouvrant le chemin de Râ, la lumière divine plus puissante que les ténèbres, cachée au sein de l'esprit comme de la matière.

Isis attendait ce moment avec angoisse. Sous l'effet conjoint des deux luminaires, le soleil du jour et celui de la nuit, les trois Osiris allaient-ils croître en harmonie ?

L'Osiris minéral et métallique se confortait hors du regard humain, à l'intérieur de l'athanor, la vache céleste. Nourries du rayonnement des étoiles, les parties du corps osirien se liaient solidement.

L'Osiris végétal servait de témoin et de preuve à cette évolution secrète.

Une première graine venait de germer.

— Aie confiance, murmura Isis à Iker, toutes les conditions d'une vie nouvelle sont réunies. D'ores et déjà, tu es associé aux deux formes d'éternité, celle de l'instant de transmutation et celle des cycles naturels. Maintenant, la Maison de Vie devient réellement la Demeure de l'or.

À l'extérieur, devant l'édifice, le pharaon célébra un banquet en compagnie de l'âme des rois morts et ressuscités. Y participèrent le Chauve et les prêtresses et prêtres permanents. Ils partagèrent le *ka* des bœufs gras et un pain à la fleur d'acacia, provenant de la campagne des félicités où festoyaient les divinités.

Sésostris apporta ensuite leur repas aux trois Osiris, qui absorbèrent l'essence subtile de ces nourritures sacralisées.

Relié aux deux autres, l'Osiris Iker sortait progressivement du monde intermédiaire.

Le processus ne prenait pas de retard, mais les étapes majeures et les principaux dangers restaient à venir.

— La mort d'Iker cède du terrain et commence à se transférer, déclara le monarque. Néanmoins, cette première phase n'est pas décisive. L'Osiris métallique manque encore de cohérence et de puissance. Or, aucun décalage ne doit subsister entre les trois formes du Grand Œuvre. Tel un feu, ton amour l'anime, Isis; sans lui, les éléments vitaux se dissocieraient. Et lui seul, parce qu'il n'est pas de ce monde, pourra vaincre le destin imposé par l'Annonciateur.

Inlassablement, la Veuve prononçait les formules de transformation en lumière.

Portant le masque d'Anubis, le roi déverrouilla la porte du ciel, gravée dans un calcaire d'une blancheur éclatante.

Désormais, les forces du cosmos empliraient la Demeure de l'or.

Indispensables à la poursuite de la transmutation, elles représentaient un sérieux péril.

L'Osiris Iker supporterait-il leur impact ?

MOIS DE KHOIAK,

HUITIÈME JOUR (27 octobre),

ABYDOS

Bina pestait à en devenir laide.

Pourquoi Nephtys ne rendait-elle pas visite à son fiancé, l'Annonciateur ? Elle, Bina, saurait la faire parler en la torturant comme jamais personne n'avait été torturé ! La prêtresse révélerait le secret des rites et avouerait de quelle manière Isis et le pharaon parvenaient à empêcher Iker de s'éteindre.

Car nul n'en doutait plus : le Fils royal servait de support à la résurrection osirienne ! Et il ne restait plus que vingt-deux jours pour réussir l'impossible.

— Ils échoueront ! éructa-t-elle.

— Assurément, ma douce, murmura l'Annonciateur en lui caressant les cheveux.

— Impossible de pénétrer dans cette maudite bâtisse, seigneur ! Shab l'a examinée sous toutes les coutures, pas de point faible. Et Béga n'y a pas accès.

— Grâce à Nephtys, nous saurons comment gangrener la Maison de Vie et éviter qu'elle ne nous nuise.

— Elle devrait être ici, à vos pieds !

— Rassure-toi, elle viendra.

— Nos archives mentionnent le dénommé Asher depuis plusieurs années, confirma le Chauve à Nephtys. Les renseignements qu'il t'a fournis sont exacts, et ses déclarations ne varient pas au cours des interrogatoires. Il est effectivement originaire d'un hameau proche d'Abydos et foreur de vases. Ce modeste artisan donne satisfaction, remplit à la perfection ses devoirs de temporaire, deux ou trois mois chaque année, et n'a fait l'objet d'aucune critique.

— Modeste, dites-vous ? Cela ne correspond guère à son caractère. Qui l'a engagé ?

— Un instant, je vérifie... Le prêtre permanent Béga. Et il vient de certifier aux enquêteurs les qualifications de ce temporaire dont, comme ses collègues, il pense le plus grand bien.

— Béga...

— Ne t'abandonne pas à ton imagination, recommanda le Chauve. Ce vieux ritualiste manque de souplesse et d'amabilité, mais il est insoupçonnable. N'incarne-t-il pas la rigueur et l'honnêteté ?

— Dès que possible, je m'entretiendrai de nouveau avec Asher, décida Nephtys. Cette fois, nous y verrons clair.

La tête d'Iker toucha le firmament. Ce qu'Isis avait vécu lors de son initiation au Cercle d'or, elle le lui transmit.

Au même instant, des grues, des pélicans, des flamants roses, des canards sauvages, des spatules blanches[1] et des ibis noirs tracèrent de grands cercles au-dessus de la Demeure de l'or. Surgissant du *Noun,* de l'océan d'énergie où naissaient toutes les formes de vie, ils parlaient le langage de l'au-delà et l'enseignaient à la Veuve afin qu'elle poursuive l'accomplissement du Grand Œuvre.

1. Échassiers à bec large.

LE GRAND SECRET

Tenant dans ses griffes deux anneaux, symboles des deux éternités, un oiseau à tête humaine se posa sur la momie d'Iker.

Revenue du cosmos, l'âme animait le corps osirien.

Jusqu'au douzième jour du mois de khoiak, la Veuve devait respecter un silence absolu.

MOIS DE KHOIAK,

NEUVIÈME JOUR (28 octobre),

MEMPHIS

Ivre, Gergou se rendit à l'atelier du sculpteur qui fabriquait de fausses stèles, vendues à de riches clients, persuadés d'acheter des œuvres inestimables en provenance d'Abydos. Ne comportaient-elles pas la formule osirienne, garante de leur authenticité ?

Médès inaccessible en raison de la préparation de l'assaut final, Gergou avait besoin d'argent. Il voulait se payer une Syrienne compréhensive, mais onéreuse, et comptait donc prélever immédiatement sa part.

L'artisan l'entraîna au fond de son atelier.

— Des lingots de cuivre, des amulettes, des étoffes, tout de suite ! exigea Gergou.

— Calmez-vous, voyons !

Furieux, l'inspecteur général des greniers frappa violemment son complice, le renversa et le piétina.

— Ma part... Donne-moi ma part !

Une poigne puissante agrippa les cheveux de l'agresseur et le plaqua contre un mur.

— Vizir Sobek ! s'exclama Gergou, incrédule. Vous... vous êtes mourant !

— À l'idée de t'interroger, ma santé s'améliore. La danseuse Olivia, la maison du négociant Bel-Tran, ça ne te rappelle rien ?

— Non, non, rien !

— Et la plainte du responsable des greniers de la Butte fleurie ?

— Une erreur... une erreur administrative !

— Tu vas parler, mon gaillard !

— Je ne peux pas, ils me tueraient !

— Moi, je parle ! décida l'artisan au visage tuméfié, terrorisé par Sobek le Protecteur et la dizaine de policiers dont certains fouillaient son atelier.

Mieux valait avouer et solliciter l'indulgence du vizir en rejetant la responsabilité principale sur cet alcoolique dangereux qui avait failli le tuer.

Face aux révélations de son complice, Gergou craqua.

Il avoua ses exactions, implora le pardon des autorités et pleura à chaudes larmes.

— Le vrai coupable, c'est Médès.

— Le Secrétaire de la Maison du Roi ? s'étonna Sobek.

— Oui, il me manipulait et me forçait à travailler pour lui.

— Vol, trafic et recel de marchandises sous le nom de Bel-Tran ?

— Il voulait faire fortune.

— Est-il mêlé à l'affaire Olivia ?

— Bien sûr !

— Toi et ton patron, seriez-vous liés au réseau terroriste ?

Gergou hésita.

— Lui peut-être, moi pas du tout !

— N'aurais-tu pas vendu ton âme à l'Annonciateur ?

— Non, oh non ! Comme vous, je le déteste et je...

La main droite de Gergou s'enflamma, lui arrachant un horrible cri de douleur. Puis son bras, son épaule et sa tête s'embrasèrent.

Frappés de stupeur, Sobek et les policiers n'eurent pas le temps d'intervenir.

Brûlé vif, Gergou s'effondra.

Le docteur Goua s'était résolu à révéler ses trouvailles à Senânkh, lequel l'avait aussitôt emmené chez le vizir.

— Sobek agonise, rappela le praticien. On m'a même interdit de le voir.

— Son rétablissement est un secret d'État.

Face au Premier ministre, Goua exposa les faits avec brièveté et précision.

— En utilisant les dons de faussaire de sa femme, conclut Senânkh, Médès a tenté de me discréditer et de supprimer Séhotep légalement ! Et il projetait de détruire la Maison du Roi.

— Il est aussi un voleur, ajouta le vizir, et probablement un allié des terroristes. Vous, docteur, silence absolu. Toi, Senânkh, présente immédiatement au tribunal la déposition de Goua. Voici l'ordre de libération de Séhotep, marqué au sceau du vizir.

Sobek déplorait le peu d'informations recueillies au cours de l'interpellation de Gergou et de l'interrogatoire poussé de l'artisan.

Il espérait obtenir davantage de la bouche de Médès, tant en ce qui concernait le réseau de Memphis que ses complicités en Abydos.

MOIS DE KHOIAK,

DIXIÈME JOUR (29 octobre),

MEMPHIS

Demain, Médès régnerait sur Memphis.

La totalité des cellules terroristes se lancerait à l'assaut du palais royal, des bureaux du vizir et de la caserne principale. Une seule consigne : semer la terreur. Pas de prisonniers, des exécutions sommaires, des massacres de femmes et d'enfants.

Privées de chef et d'instructions, les forces de l'ordre se disloqueraient vite et n'opposeraient qu'une faible résistance.

En allant féliciter le Libanais, Médès l'étranglerait de ses propres mains. Officiellement, l'obèse aurait succombé à l'émotion de la victoire, saluée par un excès alimentaire.

Après l'élimination de la reine, du vizir, de Séhotep et de Senânkh, Médès se couronnerait lui-même pharaon et imposerait sa loi à l'Égypte entière où l'Annonciateur répandrait sa croyance.

Il lui faudrait aussi se débarrasser de cet ivrogne de Gergou, puis de son épouse hystérique qui, depuis la dernière visite du docteur Goua, ne cessait de dormir. Enfin, une maison tranquille !

Des bruits insolites brisèrent cette quiétude : un cri étouffé, une porte claquée, des pas précipités. Et, de nouveau, le silence.

Médès appela son intendant.

Pas de réponse.

De la fenêtre de son bureau, il observa son jardin et son étang entouré de sycomores.

Des policiers, surgissant de partout ! Et leurs collègues grimpaient déjà l'escalier intérieur après avoir maîtrisé les domestiques.

S'enfuir... Mais comment ? Une seule issue : le toit.

Affolé, balourd, Médès réussit néanmoins à l'atteindre.

En équilibre au faîte de sa somptueuse demeure, le pied chancelant, Médès hésitait à sauter de l'autre côté de la rue.

— Rends-toi, lui ordonna une voix impérieuse. Tu ne nous échapperas pas.

— Sobek ! Tu... tu n'étais pas mourant ?

— C'est fini, Médès. Tu as échoué. Et l'Annonciateur ne te sauvera pas.

— Je suis innocent, je ne connais pas d'Annonciateur, je...

Horrifié, Médès vit sa main s'enflammer.

Perdant l'équilibre, il tomba du haut du toit et s'empala sur les pointes métalliques garnissant le mur d'enceinte de sa propriété.

— L'avide n'aura pas de tombe, décréta le vizir, citant le sage Ptah-Hotep.

Par bonheur, Médès notait tout, et ses dossiers parlèrent pour lui. Ainsi, Sobek apprit qu'il avait affrété *Le Rapide* en maquillant des documents officiels, corrompu des douaniers, trafiqué avec le Libanais, entreposé des marchandises illicites sous le nom de Bel-Tran, utilisé des bateaux de l'État afin de transmettre des consignes aux terroristes, ordonné à un faux policier de tuer Iker... La liste de ses méfaits semblait interminable.

Les derniers mots tracés de sa main annonçaient sans doute le pire :

Le onze khoiak, opération finale.

MOIS DE KHOIAK,

ONZIÈME JOUR (30 octobre),

MEMPHIS

Trois coups furent frappés à la trappe fermant l'accès au souterrain.

— On y va, dit le Bouclé à ses hommes.

Comme chaque chef de cellule terroriste, il avait reçu du Libanais l'ordre de passer à l'attaque avant l'aube. La propriétaire de la maison, leur complice, venait de donner le signal.

À de multiples endroits de la ville, au même moment, les troupes de l'Annonciateur sortaient de leurs cachettes et fonçaient vers leurs objectifs.

La conquête de Memphis débutait.

Une véritable curée dont le Bouclé se réjouissait, tant il aimait tuer !

Il souleva la trappe, mais n'eut pas le temps de se hisser au niveau du sol, car une poigne puissante l'extirpa de son trou et l'envoya se fracasser le dos contre un mur.

— Content de te voir, ordure ! s'exclama le général Nesmontou.

— Vous ?

— Bon pied bon œil !

À demi assommé, le Bouclé tenta de s'enfuir.

Les deux poings réunis de Nesmontou lui brisèrent la nuque.

— Enfumez-moi tout ça, ordonna le général à ses soldats. Puisque ces rats apprécient les souterrains, ils y termineront leur sinistre carrière.

Pétillant, Nesmontou se rendit à un autre point stratégique.

Enthousiasmés par son retour, officiers et soldats suivaient ses consignes à la lettre. Aucun des groupes terroristes n'eut le loisir de commettre le moindre méfait.

En ce onze khoiak, à Memphis, le mal était conjuré.

Le Libanais dévorait des pâtisseries.

Le soleil commençait son ascension, et toujours pas de nouvelles !

Les troupes de l'Annonciateur rencontraient forcément un peu de résistance. Quelques insensés jouaient les héros et retardaient l'échéance.

— Un visiteur, le prévint son portier. Il m'a montré son laissez-passer, le petit morceau de cèdre sur lequel est gravé le hiéroglyphe de l'arbre.

Le Libanais avala la moitié d'un gros gâteau à la crème.

Médès, enfin ! Il ne devait venir qu'à l'issue des combats, lorsque la victoire serait acquise. La prise de Memphis avait donc été aussi rapide que prévu.

— Qu'il monte.

Le Libanais but goulûment une coupe de vin blanc. Il prendrait un plaisir particulier à supprimer Médès en choisissant un supplice interminable. Ce serait la première exécution d'un incroyant au centre de Memphis. De nombreuses conversions s'ensuivraient, et l'Annonciateur féliciterait le chef de sa police religieuse.

Le Libanais reçut le petit morceau de cèdre en pleine figure.

Stupéfait, il lâcha sa coupe.

Devant lui, un colosse.

— Je suis le vizir Sobek. Et toi, le chef du réseau terroriste implanté à Memphis depuis longtemps, si longtemps. Tu es le commanditaire de nombreux meurtres et d'atrocités impardonnables.

— Vous vous trompez, je ne suis qu'un honnête négociant ! Ma respectabilité...

— Médès est mort. Grâce au bavardage de ses archives privées, j'ai enfin pu remonter jusqu'à la tête du monstre. Tes commandos ont été anéantis, Nesmontou ne déplore que des blessés légers dans les rangs égyptiens.

— Nesmontou, mais...

— Le général, lui, est bien vivant.

Incapable de se lever, le Libanais renonça à d'inutiles protestations d'innocence.

— Tu dirigeais le réseau de Memphis, reprit Sobek. Au-dessus de toi, le chef suprême, l'Annonciateur. Où se cache-t-il ?

La colère empourpra l'obèse.

— L'Annonciateur, ce fou qui m'a gâché l'existence ! Au lieu du pouvoir et de la fortune, il m'inflige la déchéance. Je le hais, je le maudis, je le...

La longue cicatrice du Libanais se creusa et fendit son corps en deux.

Souffrant trop pour hurler, il vit son sang inonder sa tunique et son cœur surgir de sa poitrine.

La reine, le vizir et le général Nesmontou marchèrent à la rencontre des Memphites qui laissaient éclater leur joie. Chaque quartier organisait un banquet à la gloire de Pharaon, protecteur de son peuple.

En dépit de cet indéniable succès, ni le vizir ni les membres du Cercle d'or ne ressentaient le soulagement des citadins.

L'Annonciateur restait actif, le roi absent.

Et que se passait-il réellement en Abydos ?

Autre motif de satisfaction : la libération de Séhotep. Il devenait donc possible de réunir les membres du Cercle d'or et de combattre plus efficacement les forces des ténèbres.

Mais il fallait d'abord s'assurer de la pacification définitive de Memphis. Le général Nesmontou ne quitterait pas la ville avant d'en avoir acquis la certitude.

— Déjà le onze khoiak, rappela Senânkh. Le trente, Osiris ressuscitera-t-il ?

— Le pharaon et Isis mettent en œuvre le rituel du Grand Secret, rappela Séhotep, et ils ne cessent de lutter.

— Le douze est une date inquiétante. En cas d'erreur, le processus de résurrection s'interrompra. Et l'Annonciateur aura planté l'arbre de mort à la place de l'acacia d'Osiris.

MOIS DE KHOIAK,
DOUZIÈME JOUR (31 octobre),
ABYDOS

La nuit régnait encore sur la Grande Terre lorsque l'Annonciateur se réveilla en sursaut, les yeux rouge vif.

— Bina, un linge mouillé, vite !

Arrachée à ses rêves, la jeune femme ne perdit pas une seconde.

À plusieurs reprises, l'Annonciateur dut éteindre la flamme qui surgissait de la paume de sa main droite et lui rongeait les chairs.

La plaie horrifia Bina.

— Seigneur, il vous faut immédiatement des soins !

— Du sel suffira. Ce soir, la blessure aura disparu. Les larves m'ont trahi, Médès l'avide et Gergou le répugnant sont morts.

— Ne comptiez-vous pas les supprimer ?

— Des pions condamnés à disparaître, en effet. Quant à l'obèse, il a péri déchiré, tel un tissu usé.

— Le Libanais, chef du réseau memphite ?

— Au lieu de m'adresser des louanges et de proclamer la grandeur de mon nom, il m'a injurié. Son châtiment fut exemplaire et servira de leçon aux impies.

— Avons-nous conquis Memphis ?

— Mes fidèles ont péri en combattant pour la vraie croyance et gagné le paradis. Je vais faire parler cette Nephtys, obtenir le moyen de pénétrer à l'intérieur de la Maison de Vie et ruiner les espoirs de résurrection. Ensuite, nous quitterons Abydos.

— Les nombreux gardes, seigneur, votre sécurité, votre...

— Tu raisonnes comme une femme. Prends deux sacs de sel et rendons-nous au repaire de Shab.

Les nerfs à vif, le Tordu était sur pied à la moindre alerte. Par chance, ni soldats ni policiers ne troublaient la sérénité de ce village de tombes où des pierres vivantes communiaient avec Osiris.

Shab écarta les branches de saule masquant l'entrée de sa cachette et aperçut la haute silhouette de l'Annonciateur, accompagné de sa servante.

Il sortit et s'inclina.

— Désolé, seigneur ! La Maison de Vie se révèle toujours inaccessible. La garde est fréquemment relevée, jour et nuit, et le nombre de lampes allumées ne laisse subsister aucune zone d'ombre. Même une simple approche, à bonne distance, présente des risques.

— Prend-on jamais assez de risques lorsqu'on a la chance de servir l'Annonciateur ? s'insurgea Bina.

Shab haïssait cette femelle nerveuse et impulsive. Tôt ou tard, son maître s'en lasserait. À moins que Bina ne le trahisse, d'une manière ou d'une autre. Alors, le couteau du Tordu l'empêcherait de nuire.

— Je sais apprécier le danger, rétorqua-t-il.

— Nephtys nous offrira la clé de la Maison de Vie, prédit l'Annonciateur. Ici, devant cette tombe, elle deviendra mon épouse et ne me refusera rien. Si elle a la malencontreuse idée de me résister, tu t'en occuperas, mon ami. La pointe de ton arme la rendra loquace.

— Seigneur, supplia Bina, pourquoi ne pas simplement la torturer ?

L'Annonciateur caressa la joue de sa compagne.

— Tu as perdu la capacité de te transformer en lionne terrifiante. De Nephtys, je ferai une arme nouvelle contre Abydos.

— Épouser cette Égyptienne, cette...

— Il suffit, Bina ! Souviens-toi des commandements divins : l'homme a le droit de posséder plusieurs épouses.

Le Tordu acquiesça. Néanmoins, l'attitude de la brune l'inquiéta. Possessive et jalouse, ne tenterait-elle pas de se venger de son maître ?

— Shab, répands ce sel jusqu'au désert. Tu traceras ainsi le sentier qui nous permettra de franchir les barrages.

— Où irons-nous ?

— À Memphis.

— Nous avons donc triomphé !

— Pas encore, mon ami. Nos adversaires croient que leur supériorité militaire les met désormais à l'abri d'un cataclysme. Ils se trompent lourdement.

En cette aube du douzième jour du mois de khoiak, Isis devait franchir une étape capitale. En cas d'échec, elle serait responsable de la seconde mort d'Iker, cette fois irréversible.

Avait-elle eu tort ou raison d'affronter le destin, de refuser l'inéluctable et de repousser le cours habituel de la momification pour tenter l'impossible ? Initiée au chemin de feu, pouvait-elle se comporter comme une épouse ordinaire ?

Le doute l'envahissait. Pourtant, seul l'amour guidait sa pensée et ses gestes. Amour de la connaissance, amour de la vie lumineuse au-delà de la mort, amour des mystères qui traçaient son chemin, amour de l'œuvre divine, amour d'un être exceptionnel qu'elle voulait libérer d'injustes tourments.

En déverrouillant les portes du ciel, en transformant la Maison de Vie en Demeure de l'or, le pharaon avait relié le mode d'existence des trois Osiris. Il fallait à présent concrétiser la présence des forces transmutatrices du cosmos en dégageant l'aspect éternel de la vie commune au minéral, au métallique, au végétal, à l'animal et à l'humain.

Isis alluma une seule lampe.

Dans la pénombre, elle distingua la clarté émanant de l'athanor dont le rayonnement touchait à la fois l'Osiris végétal et la momie d'Iker.

Ôtant ses vêtements, nue face à l'invisible, la Veuve commença le travail mystérieux consistant à régénérer son Frère.

— Je t'apporte les membres divins que j'ai réunis, lui annonça-t-elle, et je bâtis les supports de ta résurrection.

D'abord, le travail de l'abeille, symbole de la monarchie pharaonique et productrice d'or végétal à transformer en or métallique.

Maniant l'or vert de Pount, Isis fabriqua un moule double d'une coudée, destiné aux parties antérieure et postérieure du corps d'Osiris. Sous ses doigts, le métal souple se rigidifia.

À l'intérieur du moule, Isis disposa un voile de lin, évocation de la barque solaire permettant au ressuscité de parcourir l'univers.

Puis, mélangeant du sable et de l'orge en prenant comme mesure l'œil d'Osiris, elle façonna une momie à tête humaine, celle d'Iker, coiffée de la couronne blanche.

Le cœur d'Isis se serra.

Son époux assassiné supporterait-il le poids de la royauté en esprit ?

Le moule ne se brisa pas.

Accomplissement parfait de l'or, Osiris acceptait de servir de réceptacle à Iker. L'Orient s'unissait à l'Occident.

La Veuve déposa le moule dans une cuve en bronze noir percée de deux trous et formée de deux carrés, au côté d'une coudée et deux palmes[1], et profonde de trois palmes et trois doigts[2]. Quatre supports en pierre miraculeuse, provenant de l'Ouadi Hammamat, incarnaient les piliers célestes.

En dessous, un autre bassin en granit rose.

La Veuve prit la pierre de transmutation, à savoir des grains d'orge dont le germe et la pulpe, à l'abri de leur enveloppe, célébraient l'union du principe mâle et du principe femelle. À la lueur de la flamme, les céréales changeaient de nature. Elle déclenchait la fusion du feu fécondateur masculin et du feu nourricier féminin, les deux aspects complémentaires et indissociables présidant à la renaissance.

Aux angles de la cuve, des vautours et des uræus dressaient une barrière magique infranchissable. Nul élément impur ne la souillerait.

Opération particulièrement difficile : la régulation de ces feux afin d'éviter une surchauffe fatale. Leur énergie devait se transférer peu à peu à la momie d'Iker, sans la moindre brusquerie.

Isis se servit des vases rapportés de l'Ibis, quinzième province de Basse-Égypte. Recouvert d'or fin, l'albâtre émettait des rayons minces et précis.

À chacune de ses interventions, la prêtresse versait une infime quantité d'eau du *Noun*. Résistant à n'importe quelle forme de pollution, elle se régénérait elle-même.

Au fil de la nuit s'écoulèrent les lymphes d'Osiris qui contenaient la totalité des vibrations de la matière, visible et invisible.

L'Osiris végétal était devenu noir, preuve de l'enchaînement réussi des mutations.

La Veuve souleva le bassin de granit, réceptacle du fluide.

À l'instant d'en humecter la momie d'Iker, elle hésita.

Trop corrosive, l'œuvre au noir la détruirait. Trop faible, elle ne lui redonnerait qu'un semblant d'existence et déclencherait la décomposition.

1. 65 cm.
2. 28 cm.

Impossible de revenir en arrière.

Telle l'inondation, telle l'eau des purifications issue du lac sacré, le liquide osirien lava de la mort la momie d'Iker.

— Que la déesse Ciel te mette au monde, murmura Isis, que l'orge mêlée au sable devienne ton corps, que renaisse l'esprit lumineux parcourant la voûte céleste.

Cet esprit volatil, il fallait le fixer dans le minéral et le végétal, capables d'absorber le temps du trépas et de renaître après leur apparente disparition.

Ni brûlure, ni tache suspecte, ni signe d'altération.

Intacte, la momie du Fils royal se nourrissait du fluide régénérateur.

Jusqu'au vingt et un khoiak, chaque nuit, la Veuve poursuivrait sans relâche ce transfert d'énergie.

MOIS DE KHOIAK,

TREIZIÈME JOUR (1er novembre),

ABYDOS

— Je désire te parler loin des oreilles et des regards indiscrets, dit l'Annonciateur à Nephtys. N'avons-nous pas de graves décisions à prendre ?

Enfin, elle était revenue, belle, élégante et souriante !

Usant de son charme et de sa voix enjôleuse, il en ferait son esclave.

Le couple emprunta la voie processionnelle menant à l'escalier du Grand Dieu.

— J'apprécie cet endroit solitaire et tranquille, confessa l'Annonciateur. Pas de présence humaine, seulement des tombes, des stèles, des tables d'offrandes et des statues à la gloire d'Osiris. Ici, le temps n'existe pas. Pas de différence entre les grands et les humbles, associés à l'éternité du dieu assassiné et ressuscité. Un tel miracle peut-il se reproduire ?

— Pendant les mystères du mois de khoiak, indiqua Nephtys, Osiris revit à la fois cette tragédie et sa renaissance.

— Nous, les temporaires, sommes tenus à l'écart du véritable secret. Toi, prêtresse permanente, tu le connais.

— La règle du silence scelle ma bouche.

— Une épouse garderait-elle des secrets pour son mari ?

— Cette règle ne souffre pas d'exception.

— Il faudrait la modifier, suggéra l'Annonciateur sans hausser le ton. Rien ne doit laisser supposer à une femme qu'elle serait égale à l'homme, encore moins supérieure.

— D'où tiens-tu cette certitude ?

— De Dieu lui-même, dont je suis l'unique interprète.

— Osiris t'aurait donc transmis directement son message ?

L'Annonciateur sourit.

— Bientôt, Osiris mourra définitivement. Moi, j'appliquerai les commandements du vrai Dieu. À la tête de ses armées, j'imposerai au monde la nouvelle croyance. Ses opposants ne méritent pas de survivre.

Terrorisée, Nephtys gardait néanmoins bonne figure.

L'Annonciateur... Lui seul pouvait s'exprimer de cette manière !

— Asseyons-nous sur ce muret, ma douce. Ce jardinet n'est-il pas charmant ?

À travers le rideau de feuilles de saule, Shab observait son maître et l'Égyptienne.

L'Annonciateur prit tendrement les mains de Nephtys.

— Toi, tu seras sauvée, car tu oublieras l'enseignement osirien et me serviras aveuglément. Me le promets-tu ?

Effarouchée, Nephtys baissa les yeux.

— Cela bouleverserait mon existence, mais... je ne souhaite pas me séparer de toi.

— Décide-toi, et vite.

— Tout va trop vite, justement !

— Le temps presse, ma belle.

— Si nous quittons Abydos, d'autres disciples nous accompagneront-ils, tel Béga ?

— Pourquoi prononces-tu ce nom ?

— Le Chauve a découvert qu'il t'avait engagé.

— Béga a engagé Asher, il ignore que je l'ai remplacé. Stupide et rigoriste, ce vieux prêtre ne changera pas. Incapables de se convertir, lui et les adeptes d'Osiris périront ici. En revanche, le Serviteur du *ka* s'est détourné depuis longtemps des idées anciennes. Il sabote les rituels, affaiblit les liens d'Abydos avec les ancêtres et attend impatiemment le moment de me suivre et d'affirmer sa foi au grand jour. Ce courageux serviteur m'a permis de préparer la défaite d'Osiris au cœur de son royaume.

Nephtys connaissait à présent l'identité du principal complice de l'Annonciateur, un permanent irréprochable ! Béga n'était qu'un leurre, prévu pour attirer des soupçons injustifiés et détourner du coupable les investigations des enquêteurs.

— Abydos disparaîtra-t-il ?

— Toi, ma première épouse, m'aideras à précipiter sa perte.

— De quelle manière ?

— Pourquoi tant de gardes, jour et nuit, autour de la Maison de Vie ?

Si elle ne lui donnait pas des réponses satisfaisantes, il la tuerait. Sachant son existence en danger, Nephtys ne regrettait pas d'avoir couru un tel risque, puisqu'il lui permettait de découvrir la vérité. Encore fallait-il qu'elle survive afin de la transmettre.

Trahir le vrai secret était exclu, mieux valait mourir. Nephtys devait fournir des informations plausibles, recoupant celles que détenait probablement l'Annonciateur.

— Là se déroule le rituel majeur des grands mystères du mois de khoiak.

— N'es-tu pas autorisée à pénétrer dans cet édifice ?

— Pour assister ma Sœur Isis, en effet.

L'Annonciateur lui caressa les cheveux.

— Ma tendre épouse, as-tu contemplé le mystère ?

— Entraperçu... Seulement entraperçu.

— Isis ne dirige-t-elle pas le processus de résurrection ?

— Si, en compagnie du pharaon.

— Quel est le support de cette expérience ?

— Ils utilisent les multiples états de l'esprit et de la matière.

— Sois plus précise.

Brusquement, la voix devenait impérieuse.

Nephtys hésita longuement.

— Iker... Iker vogue entre la vie et la mort. Assimilé à la momie d'Osiris, il sera soumis aux épreuves de la transmutation.

— Isis aurait-elle triomphé des premières ?

— Les difficultés suprêmes restent à venir, et je ne crois guère au succès.

— Donne-moi davantage de détails et décris-moi les gestes qu'accomplit ta Sœur.

— Elle agit souvent seule et...

— Il faut tout me dire, ma douce. Absolument tout.

Shab se préparait à intervenir. De la pointe de son couteau en silex, il fouillerait les chairs de cette femelle et la forcerait à avouer.

Avant de recourir aux moyens extrêmes, l'Annonciateur adopta une autre stratégie. Sûr de son charme, il enlaça la belle Nephtys et l'embrassa, d'abord délicatement, puis avec la violence du mâle affirmant sa conquête.

Accroupie à quelques pas, dissimulée derrière une table d'offrandes et ne perdant pas une miette de l'entretien, Bina ne put demeurer passive.

Son existence entière s'écroulait.

Jamais elle ne permettrait à cette traînée de bénéficier des faveurs de son maître.

Surexcitée, Bina bondit, une pierre à la main, et hurla :

— Je vais te défoncer le crâne !

Croyant l'Annonciateur en danger, Shab saisit l'occasion de se débarrasser enfin de cette folle dangereuse.

Son couteau se planta dans la nuque de Bina à l'instant où le bras de la brune s'abaissait vers Nephtys.

L'Annonciateur écarta l'Égyptienne et contempla sa servante, au visage déformé par la haine.

— Je t'aimais... Tu n'avais pas... le droit de...

Elle s'effondra, morte.

Profitant du drame, Nephtys s'enfuit.

— Rattrape-la, ordonna l'Annonciateur à Shab.

Le Tordu n'aurait guère de peine à satisfaire son maître.

Le choc fut d'une extrême violence.

Courant à perdre haleine, il percuta la pointe de la lance que brandissait Sékari, jailli d'une chapelle voisine.

Le Tordu regarda l'agent secret d'un œil étonné.

— Toi, je ne t'avais pas repéré... Comment... comment est-ce possible ?

Le torse transpercé, le Tordu vomit un flot de sang, vacilla et tomba, la tête en avant.

Sachant Nephtys en sécurité, Sékari s'élança à la poursuite de l'Annonciateur qui jetait une poignée de sel à l'orée du chemin tracé par Shab.

Aussitôt, le sol s'embrasa. Formant une muraille protectrice, de hautes flammes lui permirent d'atteindre le désert et de sortir de la Grande Terre.

Éberlués, les archers tirèrent en vain de nombreuses flèches.

Le feu à peine calmé, Sékari examina le sentier couvert de cendres fumantes.

Pas trace de cadavre.

— J'ai appris l'identité du traître, lui confia Nephtys, encore tremblante.

Une question hantait déjà Sékari : quels étaient les projets de l'Annonciateur ?

MOIS DE KHOIAK, QUATORZIÈME JOUR (2 novembre), ABYDOS

Porteur du sarcophage osirien provenant de Byblos, le pharaon pénétra à l'aube dans la Demeure de l'or.

— Je t'apporte les provinces et les villes, dit-il à l'Osiris triple, chacune habitée d'une puissance divine. Elles s'unissent afin de te reconstituer.

Du sarcophage, il sortit quatorze vases correspondant aux parties du corps osirien.

Pour la tête, la colonne vertébrale, le cœur, les poings et les pieds, des vases en argent ; pour les yeux, la nuque, les bras, les doigts, les jambes et le phallus, des vases en or ; pour les oreilles, la poitrine abritant trachée et œsophage, et les cuisses, des vases en bronze noir.

Le roi versa l'eau de chaque vase sur la momie d'Iker. Le liquide régénérateur faisait renaître l'organe de l'être osirien dont il préservait l'embryon.

Puis le monarque mélangea de l'or, de l'argent, du lapis-lazuli, de la turquoise, du jaspe rouge, du grenat, de la cornaline, de la turquoise, de la galène, de l'encens et des aromates. Après broyage et tamisage, il obtint un produit destiné à l'ouverture des canaux d'énergie parcourant la momie d'Iker, à laquelle les provinces fournirent les lymphes, l'eau, le sang, les poumons, les bronches, la poche d'or de l'estomac, le ventre, les entrailles, les côtes et la peau.

— Le pays entier est ton *ka*, révéla le pharaon, chaque partie de ton corps la représentation secrète d'une province. Tout s'enlace et se délace, tout se mêle et se recompose, tout se mêle et se démêle, ce qui était éloigné se réintègre. Tu ne vis plus de l'existence d'un individu, mais de celle de la terre et du ciel.

Sésostris anima les quatorze *kas* de son fils : le verbe, la vénérabilité, l'action, l'épanouissement, la victoire, l'illumination, l'aptitude à gouverner, la nourriture abondante, la capacité de servir, la magie, le rayonnement, la vigueur, la lumière de l'Ennéade et la précision[1].

— Grâce à eux, prédit-il, se reformeront ta vision, ton entendement et ton intuition créatrice[2].

Une douce clarté enveloppa Iker.

Cette phase de la transmutation avait réussi.

— Je rassemble les membres de mon Frère, déclara Isis. Il s'unit à l'océan primordial et vit de son fluide.

Le roi recueillit dans un vase en or les larmes de la Veuve.

— Je dois partir, annonça-t-il à sa fille. L'Annonciateur s'est enfui. Ne pouvant menacer directement Abydos, il tentera de déclencher un cataclysme en utilisant son arme principale : le feu destructeur.

— Le chaudron de la Montagne Rouge, appartenant à la troisième province de Haute-Égypte, présentait des troubles inquiétants, rappela Isis.

— Les Âmes de Nekhen et ta Quête les ont dissipés, estima le roi. Il existe un second chaudron, énorme, près de Memphis. Si l'Annonciateur parvient à déverser son contenu, la ville sera anéantie. Moi seul peux l'affronter et l'empêcher de nuire.

---

1. *Hou, shepes, iri, ouadj, nakht, akh, ouas, djefa, shemes, heka, tjehen, ouser, pesedj, seped.*

2. *Maa, sedjem, sia.*

— Si vous n'êtes pas revenu le trente khoiak, nos efforts auront été vains. Osiris ne ressuscitera pas. Sans vous, impossible de mener l'œuvre à son terme.

Le géant étreignit sa fille.

— Nous venons de franchir une étape décisive, ne pense qu'à la suivante. Doutes, angoisses et peur d'échouer t'assailliront. Mais tu es la Supérieure d'Abydos et tu as parcouru le chemin de feu. Déjà, une vie nouvelle anime Iker. Fais-la croître et reverdir. Le trente khoiak, je serai à tes côtés.

Face au Chauve et à Sékari, Béga garda son sang-froid tout en manifestant un vif étonnement.

— Oui, j'ai bien engagé cet Asher comme beaucoup d'autres temporaires exerçant une activité artisanale et recommandés par les autorités de leur village. Il a subi la mise à l'épreuve réglementaire, puis effectué une période d'essai. Comme il donnait satisfaction à ses supérieurs, il est revenu à Abydos à intervalles réguliers.

— Ni attitudes ni propos surprenants ? interrogea Sékari.

— Je le voyais rarement et ne m'occupais pas de son travail. D'après les ritualistes chargés de le contrôler, aucune faute à lui reprocher.

— Que penses-tu du Serviteur du *ka* ? demanda le Chauve.

— Un parfait permanent, irréprochable et consciencieux. En raison de son mauvais caractère et de sa misanthropie, nous ne nous fréquentons guère.

— Rien d'anormal dans son comportement, ces derniers temps ? insista l'agent secret.

Béga parut étonné.

— De mon point de vue, vraiment rien ! De folles rumeurs circulent. Pourrais-je savoir ce qui se passe ?

— Les terroristes infiltrés en Abydos ont été éliminés, révéla le Chauve. Hélas ! leur chef a réussi à s'enfuir.

— Leur chef... Tu veux dire... ?

— L'Annonciateur, dissimulé sous l'identité d'Asher.

Béga simula à merveille la consternation.

— L'Annonciateur, ici ? Impensable !

— Le danger est écarté, affirma le Chauve. Les mystères du mois de khoiak seront célébrés normalement.

— Je suis abasourdi, avoua Béga. Néanmoins, j'assurerai au mieux mon service.

« L'Annonciateur, ici... » marmonna-t-il en quittant la salle d'interrogatoire.

— Rigoriste et naïf, jugea le Chauve. Ce vieux ritualiste n'a pas vu le Mal agresser Abydos. Exclusivement préoccupé de ses tâches, il oublie les convulsions du monde extérieur.

— Je continuerai quand même à observer ses faits et gestes, décida Sékari

— Intéresse-toi plutôt au Serviteur du *ka*. Comment a-t-il pu nous abuser, depuis tant d'années ? Une telle duplicité me stupéfie ! Pourquoi ne pas l'arrêter immédiatement ?

— Pour trois raisons. D'abord, il nous faut une preuve formelle, car le bonhomme niera. Ensuite, découvrons la mission que l'Annonciateur n'a pas manqué de lui confier, donc la manière dont il s'attaquera à la Maison de Vie. Enfin, nous devons savoir s'il dispose de complicités.

— Inquiétant programme, estima le Chauve. Surtout, ne le perds pas de vue !

— Mon Frère du Cercle d'or, tu as ma parole.

MOIS DE KHOIAK,

QUINZIÈME JOUR (3 novembre),

ABYDOS

La nuit durant, Isis avait versé l'eau du *Noun* sur la momie d'Iker, de manière à éviter tout excès du feu régénérateur, source de l'épanouissement des nouveaux organes du corps osirien.

Ressentant les difficultés qu'éprouvait le jeune soleil à sortir des ténèbres, elle contempla le ciel.

La patte du taureau[1] scintillait de manière anormale. La colère de Seth tentait de briser les métaux alchimiques composant le cosmos et de prévenir la croissance des minéraux et des plantes.

— Tais-toi, le transgresseur, l'ivrogne, l'excessif, l'orageux, le semeur de désordre, celui qui sépare et disjoint ! clama la Supérieure d'Abydos. Le soleil de la nuit repousse tes assauts, il apaise ton tumulte ! Tu n'empêcheras pas le laboratoire alchimique des étoiles de transformer la lumière en vie. Le ciel et les astres obéissent à Osiris et transmettent sa volonté. L'œil d'Horus, son fils, ne sera pas soumis à la mort.

1. La Grande Ourse.

LE GRAND SECRET

Des nuages noirs cachèrent la lune, le tonnerre gronda et la foudre tomba.

Puis la voûte céleste brilla de mille feux, paisible et sereine.

Le moment était venu de parfumer la momie d'Iker avec l'onguent vénérable. Il lui permettrait de vivre en compagnie des divinités, de connaître une authentique pureté à l'abri de toute souillure et de repousser la mort.

Isis broya de l'or, de l'argent, du cuivre, du plomb, de l'étain, du fer, du saphir, de l'hématite, de l'émeraude et de la topaze. Au matériau ainsi obtenu, elle ajouta du miel et de l'oliban qu'elle mouilla de vin, d'huile et d'essence de lotus. Après cuisson, naquit la pierre divine.

La Veuve l'appliqua longuement sur chaque partie du corps osirien, changeant le virtuel en réel.

Au coucher du soleil, Nephtys aida sa Sœur à déposer la momie d'Iker dans le sarcophage retrouvé à Byblos. Ornant l'intérieur du couvercle, la déesse Nout, Bel Occident et porte du soleil.

Les pieds du Fils royal touchèrent le signe de l'or, sa tête devint étoile.

— Tu reposes au cœur de la pierre, déclara Isis. Ce sarcophage n'est pas le lieu du trépas et de la décomposition, mais le corps de lumière d'Osiris, le pourvoyeur de vie, le creuset alchimique et la barque du grand voyage à travers les mondes. De leurs ailes, tes deux Sœurs te procureront le souffle vivifiant de la navigation heureuse.

MOIS DE KHOIAK,
SEIZIÈME JOUR (4 novembre),
ABYDOS

— J'ai vu l'Annonciateur, révéla Nephtys à Isis, en présence du Chauve qui venait d'apporter une statue de la déesse Nout, ciel des dieux, à laquelle la Supérieure d'Abydos devrait s'assimiler afin de poursuivre la réalisation du Grand Œuvre.

— T'a-t-il parlé d'Iker ?

— Non, il voulait m'épouser et faire de moi l'une de ses esclaves. Sa magie est terrifiante, ses pouvoirs redoutables. Il ne renoncera pas. La Demeure de l'or reste menacée.

Dans la chapelle du lit, haute de trois coudées et demie, large de deux et longue de trois[1], construite en bois d'ébène recouvert d'or, le Chauve déposa le moule du dieu Sokaris où il versa la matière alchimique que contenait un vase d'argent, résultat des quinze premiers jours de labeur. Sur le lit d'or d'une coudée et deux palmes[2] s'accompliraient les mutations du maître des profondeurs, parallèles à celles d'Osiris. Sokaris offrirait à l'âme des Justes la possibilité de connaître les chemins de l'autre monde.

1. 1,83 m; 1,05 m; 1,57 m.
2. 67 cm.

— La déesse Nout est le cosmos et la route céleste, rappela le Chauve. Parcours le corps de la Femme-ciel, Isis, traverse les douze heures de la nuit et recueille leur enseignement.

Face à la statue, la Supérieure d'Abydos entreprit le voyage.

À la première heure, les mains de la déesse la magnétisèrent, et elle entendit le chant des étoiles infatigables et des décans.

À la deuxième heure, Nout avala le vieux soleil, à bout de forces. Isis vit *Sia*, l'intuition des causes, examiner le cœur d'Iker et verser l'eau du *Noun* pour vaincre son inertie. Montant des profondeurs, le faucon de la royauté renouvela les facultés assoupies.

À la troisième heure, silencieuse, furent allumés des feux. Parmi les hautes flammes engendrant une intense chaleur, celles de l'Annonciateur assaillirent la Demeure de l'or. Un éclair les repoussa, une violente lumière enveloppa la momie d'Iker.

À la quatrième heure, des génies armés de couteaux tuèrent des ennemis d'Osiris. Isis contempla trois arbres, une région aquatique, des créatures à tête de poisson, mains liées derrière le dos. Régnaient confusion, incertitude et instabilité. En deuil, la jeune femme délia ses cheveux. Le nouveau soleil naîtrait-il ?

À la cinquième heure se produisit une violente attaque des partisans de Seth ! L'Annonciateur ne renonçait pas. Décapités et ligotés, ils échouèrent. Isis s'assit sur une plante, créatrice de *ka*, à l'ombre de l'arbre d'Hathor. Le cœur d'Iker se mit à battre, sa trachée artère à respirer, son estomac se reforma.

À la sixième heure, Isis se tint droite, juste au-dessus de la momie, lui donnant à la fois son amour et la capacité de se mouvoir en esprit. Dans une cornue où brûlait un feu vif, la Veuve introduisit les restes des ennemis séthiens, provoquant la séparation des matériaux anciens et d'une vie renaissante. Au fond du récipient, les résidus inutilisables du passé n'empêchaient plus l'âme de s'envoler. Le feu élimina les moisissures nocives.

Subsistèrent la chaleur douce et l'humidité nécessaires à la croissance. Le liquide séminal s'élabora.

À la septième heure, le soleil dansa et les contraires furent conciliés. Le foie reçut Maât, l'enfant divin à visage de faucon apparut.

À la huitième heure, Horus, entouré des ancêtres, procura une vie nouvelle à Osiris dont la vésicule retrouva sa fonction.

À la neuvième heure, une muraille et des flammes. Seul les franchissait l'être au cœur reconnu juste et perpétuellement régénéré. Les compagnons d'Osiris l'aidèrent à nager, à vaincre le flot et à atteindre la terre. Des torches illuminèrent le temple, les intestins ne préservèrent que l'énergie.

À la dixième heure, l'uræus flamboya et la peur fut maîtrisée. De la vulve de Nout naquit le plan de l'univers. Elle plaça son cœur dans celui d'Iker et lui donna la capacité de s'en souvenir. Alors, il se rappela ce qu'il avait oublié.

À la onzième heure, la pierre de lumière brilla de tous ses feux et l'œil de Râ s'ouvrit. Isis se laissa absorber par sa flamme, emprunta sa barque et revécut ses initiations successives.

À la douzième heure, l'ultime porte du voyage nocturne repoussa les forces de destruction et donna le passage à l'enfant alchimique, né du *Noun* et de la source de vie.

Épuisée, la Veuve contempla Iker.

— Ta tête est nouée à tes os, la déesse Ciel les assemble et réunit pour toi tes membres, elle t'apporte ton cœur. Elle t'ouvre les portes de l'univers où la mort n'existe pas. Tes yeux deviennent la barque de la nuit et la barque du jour. Traverse le firmament, associe-toi au rayonnement de l'aube.

MOIS DE KHOIAK,
DIX-SEPTIÈME JOUR (5 novembre),
ABYDOS

Le Chauve prit la tête d'une procession qui fit le tour du temple des millions d'années de Sésostris et de la nécropole principale de la Grande Terre. Les prêtres et les prêtresses permanents portaient quatre obélisques miniatures et des enseignes divines, appelant les forces de la création à concrétiser l'œuvre mystérieuse de la Demeure de l'or.

Innocenté, Béga avait songé à quitter Abydos ou bien à se contenter de ses fonctions en oubliant rancune et ambitions. Mais le rougeoiement de la minuscule tête de Seth et une douloureuse brûlure se chargeaient de l'en dissuader et de lui rappeler les ordres de l'Annonciateur. Après le départ de son maître et la mort de Shab le Tordu et de Bina, Béga restait seul.

Anxieux, les jambes enflées, le teint bilieux, le dernier disciple de l'Annonciateur présent à Abydos devrait aller jusqu'au bout et trouver le moyen d'interrompre le travail d'Isis.

À côté de lui, le Serviteur du *ka*, toujours aussi bougon. Égal à lui-même, le ritualiste ne parlait à personne et se concentrait sur son rôle.

Sékari observait les deux hommes. Le complice de l'Annonciateur ne manifestait ni inquiétude ni nervosité, comme s'il se sentait hors de portée des enquêteurs. Quant à Béga, il semblait aussi revêche que son collègue.

Étaient-ils de mèche ?

Une ombre.

Une ombre étroite et longue, naissant de nulle part.

Songeant à une agression de l'Annonciateur, Isis chercha le meilleur angle d'attaque et planta le couteau de Thot dans le ventre du spectre.

Cloué au sol, il se rétracta, absorbé par le sol de la Demeure de l'or.

Reprenant son souffle, la Veuve en explora le moindre pouce.

Plus aucune trace d'ombre.

À bord d'un bateau à destination de Memphis, l'Annonciateur se plia brusquement en deux.

Son voisin, un marchand de poteries, s'alarma.

— Es-tu malade ?

Lentement, l'Annonciateur se redressa.

— Non, juste une fatigue passagère.

— À ta place, je consulterais un médecin. Memphis en compte d'excellents.

— Ce ne sera pas nécessaire.

Blessé au ventre, l'Annonciateur épongea le sang avec un mouchoir de lin.

La Supérieure d'Abydos avait anéanti une partie de son être, l'ombre meurtrière capable de traverser les murs.

Peu importait.

Elle ne lui était pas nécessaire pour lancer l'assaut final.

MOIS DE KHOIAK,
DIX-HUITIÈME JOUR (6 novembre),
ABYDOS

Isis alluma des torchères en acacia, peintes en rouge. Leur flamme douce empêcherait toute force nocive d'agresser la Demeure de l'or.

Toujours reliés, les trois Osiris poursuivaient leur chemin vers la lumière, de même que la statuette de Sokaris dans la chapelle du lit.

La Veuve continuait d'humecter d'eau du *Noun* la momie d'Iker, de recueillir les lymphes et d'en nourrir le corps de résurrection.

Soudain, un ciel se forma au-dessus de lui. En naquit un disque solaire d'où jaillirent des rayons, illuminant le Fils royal.

Ainsi la croissance de ses organes bénéficia-t-elle d'une accélération foudroyante.

Le voyage d'Isis à travers la déesse Ciel et sa connaissance des douze heures de la nuit étaient à l'origine de ce succès, preuve du franchissement d'un nouvel obstacle entre la mort et la vie. La régulation des feux alchimiques venait de trouver un écho de l'au-delà.

Inlassable, la Veuve reprit son travail.

Béga n'avait aucun moyen de pénétrer à l'intérieur de la Maison de Vie.

Il lui faudrait donc intervenir le vingt-cinq khoiak.

Ce jour-là, en effet, Isis et la momie osirienne seraient contraintes de sortir de la Demeure de l'or et d'affronter rituellement les partisans de Seth, décidés à leur interdire d'atteindre le tombeau du bois de Péker, lieu d'accomplissement de l'ultime phase de résurrection.

Tuer une seconde fois Iker, ruiner l'œuvre d'Isis et proclamer le triomphe de l'Annonciateur ! À la suite de ce coup d'éclat, Béga ne désespérait pas de prendre le pouvoir en se présentant comme la seule autorité capable de maintenir l'ordre.

Restait un problème majeur : Sékari persistait à le soupçonner et ne lui laisserait pas les coudées franches. Seule solution, lui fournir la preuve de la culpabilité du Serviteur du *ka*.

Rassuré, le fouineur ne s'occuperait plus de Béga.

MOIS DE KHOIAK,

DIX-NEUVIÈME JOUR (7 novembre),

MEMPHIS

En arrivant à Memphis, le pharaon savait qu'Isis, à la huitième heure du jour, avait posé la statuette de Sokaris sur un socle d'or avant de l'encenser et de l'exposer au soleil.

La lumière repoussait peu à peu les ténèbres et insufflait une énergie nouvelle à la momie osirienne.

Le retour du géant ne passa pas inaperçu. Délivrée de toute crainte grâce à l'éradication du réseau terroriste, la ville fut rapidement prévenue de l'événement. Les amateurs de banquets, de danses et de musique allaient s'en donner à cœur joie.

En présence de la reine, Sésostris réunit la Maison du Roi.

— L'heure n'est pas aux réjouissances, déclara-t-il. L'Annonciateur avait emprunté l'identité d'un temporaire pour s'infiltrer à Abydos, assisté de plusieurs complices. Certains ont été éliminés, mais leur chef a pris la fuite.

— Combien d'alliés lui reste-t-il ? s'inquiéta Séhotep.

— Au moins un prêtre permanent d'Abydos continue à trahir sa confrérie. Sékari le débusquera.

— L'œuvre d'Isis s'accomplit-elle ? demanda Senânkh.

— De nombreuses étapes ont déjà été franchies, l'Osiris

Iker commence à revivre. Avez-vous anéanti le réseau terroriste ?

— Affirmatif, répondit Nesmontou. La moitié de ces rats ont péri enfumés au fond de leurs souterrains, l'autre percés de flèches et de lances. À mon sens, la ville est nettoyée. La stratégie du vizir Sobek était la bonne.

— Le mérite en revient à Sékari, précisa le Protecteur, qui fournit au monarque un rapport détaillé des événements et le nom des principaux coupables.

En tête, Médès, le Secrétaire de la Maison du Roi.

Sésostris songea à l'avertissement des sages : celui que tu auras nourri, élevé aux plus hautes fonctions, te frappera dans le dos.

— J'approuve Nesmontou, souligna le vizir, et considère Memphis comme pacifiée.

— Voici la dernière ruse de l'Annonciateur, révéla le monarque : nous faire croire à notre victoire. En Abydos, son dernier disciple tentera d'interrompre le processus de résurrection. Ici même, ce démon déclenchera un feu destructeur.

— De quelle manière ? interrogea la reine.

— En déversant sur Memphis le contenu du chaudron de la Montagne Rouge.

L'Annonciateur respira à pleins poumons l'air brûlant de la Montagne Rouge, une énorme carrière de quartzite, au sud d'Héliopolis[1]. Ici venait à l'existence la pierre de feu, couleur de sang, dont il détournerait la puissance afin de brûler le vieux soleil et d'empêcher la renaissance de son successeur, ressuscité lors de sa traversée du corps de la déesse Nout.

Chaque nuit, la totalité des temples d'Égypte participait à son combat contre les ténèbres. Imposeraient-elles leur règne ou bien une aube nouvelle se lèverait-elle ? Sans les rituels et

1. Le Gebel el-Ahmar.

la transmission des paroles de lumière, le monde était condamné à la déchéance. Et ce monde-là, affirmait la spiritualité pharaonique, n'avait pas besoin d'être sauvé par une croyance, mais gouverné et orienté selon la rectitude de Maât.

Voilà l'idée majeure qu'il fallait détruire, en imposant une vérité absolue à laquelle personne ne pourrait se soustraire.

Bientôt, Memphis ne serait que cendres et lamentations. Montant jusqu'au sommet du ciel, une flamme immense proclamerait le triomphe de l'Annonciateur.

MOIS DE KHOIAK, VINGTIÈME JOUR (8 novembre), ABYDOS

À la huitième heure du jour, purifiées, lavées d'*isefet*, épilées, leur nom inscrit sur l'épaule, la tête couverte d'une perruque rituelle, Isis et Nephtys tissèrent une grande pièce d'étoffe destinée à recouvrir le corps osirien lors du transfert à sa demeure d'éternité.

À l'extérieur de la Demeure de l'or, la vigilance ne se relâchait pas. Le Chauve assistait aux relèves de la garde et se rendait plusieurs fois par jour auprès de l'acacia qui ne manifestait aucun signe de faiblesse.

Sékari, lui, surveillait le Serviteur du *ka*.

De son pas ferme et régulier, sans jamais se retourner, le vieux ritualiste remplissait scrupuleusement ses devoirs. Allant de sanctuaire en sanctuaire, il rendait hommage aux ancêtres en prononçant les formules des premiers âges.

La tête haute, le regard droit, il répondait à peine aux salutations des temporaires. Tout au long de son parcours, il ne rencontra pas d'éventuel complice et retourna à sa demeure de fonction où lui était servi un déjeuner frugal.

Perplexe, Sékari aurait dû s'éloigner.

Mais son instinct l'enjoignit de ne pas bouger.

Et il assista à une scène surprenante. En proie à une violente colère, le Serviteur du *ka* sortit brusquement de chez lui, brisa une tablette en bois et enterra les débris de l'objet à coups de talon.

Sékari attendit le départ du ritualiste, récupéra les fragments et reconstitua la tablette.

Elle portait un signe finement gravé, facile à identifier : la tête de l'animal de Seth, au long museau d'okapi et aux oreilles dressées.

Le signe des adeptes de l'Annonciateur.

MOIS DE KHOIAK,
VINGT ET UNIÈME JOUR (9 novembre),
ABYDOS

Cette journée décisive et dangereuse marquait l'entrée au ciel de toutes les divinités et la fin de la germination de l'Osiris végétal.

Isis et Nephtys ôtèrent la pierre masquant une ouverture dans le toit de la chapelle où était déposé le moule, arrosé d'eau du *Noun* depuis le douze khoiak.

La relation entre les trois Osiris perdurait. Il fallait à présent effectuer une opération délicate : sortir de la cuve en bronze noir le moule en or composé de deux parties.

Si des fissures apparaissaient, cet espoir serait brisé.

Le visage grave, la main sûre et précise, Isis ne constata aucun défaut. Après avoir enduit d'encens les deux parties du moule, elle les lia solidement avec quatre cordelettes de papyrus.

Ainsi, la gorge, le thorax et la couronne blanche que portait la momie ne risquaient plus d'altération.

Le soleil inonda le moule, la cuve et l'Osiris végétant.

— Prends un peu de repos, recommanda Nephtys à Isis. Tu es épuisée.

La Veuve contempla Iker.

— Lorsqu'il sera délivré de la mort, je me reposerai auprès de lui.

Atterré, le Chauve regardait la tablette reconstituée.

— Le Serviteur du *ka* complice de l'Annonciateur... Je ne parviens toujours pas à y croire !

— En voici pourtant la preuve, précisa Sékari.

— Avait-il des complices ?

— Je ne le pense pas, mais je le maintiens sous constante surveillance.

— Ne vaudrait-il pas mieux l'arrêter et le faire parler ?

— Le bonhomme me paraît coriace, il se taira. Je préfère le laisser préparer son prochain crime et le prendre en flagrant délit.

— Très risqué, Sékari !

— Rassure-toi, il ne m'échappera pas. Demande à Béga de se montrer vigilant. S'il repérait le moindre agissement suspect, qu'il nous avertisse aussitôt.

MOIS DE KHOIAK,
MÊME JOUR,
MEMPHIS

Inconsciente du terrifiant danger qui la menaçait, Memphis avait repris son existence habituelle. Dès le retour de mission de son commando d'élite, le général Nesmontou se rendit chez le roi.

— Pas trace de l'Annonciateur, Majesté. La carrière de la Montagne Rouge est fermée et déserte. Mes garçons se sont montrés extrêmement prudents et n'ont décelé aucune présence humaine. Selon vos instructions, l'armée a bouclé le secteur. S'il se cache bien là, l'Annonciateur ne recevra pas d'aide de l'extérieur.

— Il s'y cache, affirma Sésostris, et personne ne pourra le repérer avant qu'il se manifeste.

— Ce monstre attendrait-il le vingt-cinq khoiak ?

— En effet, admit le monarque. Grâce à son complice, prêtre permanent d'Abydos, il connaît le déroulement des mystères. Le vingt-trois, si Isis parvient à réaliser l'œuvre au rouge, toutes les roches du pays seront rechargées d'énergie et le chaudron reprendra force et vigueur. Le vingt-quatre, Seth tentera de voler l'un des éléments du rituel. Et le vingt-cinq, il lancera ses partisans à l'assaut d'Osiris.

— Le Chauve et Sékari parviendront à le repousser !

— Je l'ignore, Nesmontou, car l'Annonciateur déclenchera le feu destructeur à l'aube de ce jour-là. De l'issue de notre duel dépendra le sort d'Abydos.

— Majesté, permettez-moi de combattre à votre place !

— Ton courage serait inutile. Moi seul peux déployer la puissance de la Double Couronne, sans certitude de vaincre un ennemi d'une telle envergure. Emmène les membres du Cercle d'or à Abydos, veillez sur la demeure de résurrection et sollicitez l'aide des ancêtres.

— Majesté...

— Je sais, Nesmontou. Même en cas de victoire, il me restera trop peu de temps pour être à Abydos le trente khoiak. En mon absence, Iker mourra. Un espoir, cependant : demain, un nouveau bateau aux capacités exceptionnelles sortira du chantier naval. Choisis des marins robustes, capables de naviguer jour et nuit. Le vent du nord et le fleuve seront nos alliés.

— Vous vaincrez, Majesté. Et vous arriverez au moment juste.

MOIS DE KHOIAK, VINGT-DEUXIÈME JOUR (10 novembre), ABYDOS

Coiffé d'une couronne végétale évoquant la résurrection d'Osiris, un ritualiste guidait trois bœufs, un blanc, un noir et un tacheté, qui tiraient une charrue traçant un sillon dans la terre meuble. Les suivaient des piocheurs maniant la houe, symbole de l'amour du divin[1], afin de parfaire ce canal ouvert par les animaux. En ce jour de l'ensevelissement du dieu, l'ensemble des justes de voix, vivants et décédés, célébraient une fête de régénération.

La sortant de petits sacs en fibres de papyrus tressées, les permanents mesuraient la semence à l'aide d'un boisseau en or, assimilé à l'œil d'Osiris, avant d'en nourrir le sillon. Un dernier labour la recouvrirait.

Ces funérailles étaient joyeuses, car elles annonçaient la renaissance des céréales nourricières après que la semence, à l'image du dieu, eut accompli ses mutations vers la lumière. En accomplissant ce rituel, la confrérie d'Abydos s'assurait le concours de Geb, le dieu Terre.

---

1. La racine *mer* signifie à la fois « houe », « amour » et « canal ». C'est également une référence à la pyramide (*mer*), corps osirien où circule l'amour créateur.

Lavé de tout soupçon, Béga s'en moquait. N'étant plus épié, il préparait l'attentat du vingt-cinq. Selon les recommandations du Chauve, il se tenait à proximité du Serviteur du *ka*, attentif au rituel des quatre veaux, le blanc, le noir, le rouge et le tacheté.

Provenant des points cardinaux, ils recherchaient, trouvaient et protégeaient la tombe d'Osiris de ses ennemis visibles et invisibles. Libérant du Mal le territoire sacré, ils purifiaient le sol en le piétinant et fermaient l'accès à la place du mystère.

En l'absence du roi — excellent signe aux yeux de Béga —, Isis tenait les quatre cordes destinées à contrôler les veaux. Leur extrémité avait la forme de l'*ânkh*, la clé de vie. À l'évidence, l'Annonciateur obligeait le monarque à lutter sur un autre front, tellement brûlant qu'il contraignait Sésostris à négliger Abydos !

Cette constatation raviva la haine et la rancœur de Béga. À l'instar de ses collègues, il planta une plume de Maât dans l'un des quatre coffres contenant les étoffes destinées au *ka* d'Horus, le successeur d'Osiris. Ainsi l'Égypte réunie, à l'image de l'univers, célébrait-elle la cohérence retrouvée du corps osirien.

Isis et Nephtys façonnèrent deux cercles d'or, le grand et le petit soleil, et allumèrent trois cent soixante-cinq lampes en plein jour, pendant que prêtres et prêtresses apportaient trente-quatre barques miniatures dont les statues des divinités formaient l'équipage.

À la tombée de la nuit, elles parcoururent le lac sacré.

Et l'orge de l'Osiris végétant devint or.

MOIS DE KHOIAK,

VINGT-TROISIÈME JOUR (11 novembre),

ABYDOS

Maître de la crypte des fluides divins, escorté de sept lumières, Anubis apporta à la momie osirienne le cœur qui attirerait la pensée des immortels, un scarabée en obsidienne. Puis il enveloppa le corps d'amulettes et de pierres précieuses, de manière à vider la chair de son caractère périssable.

Au même moment, Isis démoula la statuette du dieu Sokaris, la posa sur un socle de granit recouvert d'une natte de roseau, peignit ses cheveux en lapis-lazuli, son visage en ocre jaune, ses mâchoires en turquoise, dessina des yeux complets et lui remit les deux sceptres osiriens avant de l'exposer au soleil.

Le visage d'Iker prit une teinte identique.

Anubis lui présenta cinq grains d'encens.

— Sors du sommeil, éveille-toi. La Demeure de l'or te façonne, telle une pierre recréée par un sculpteur.

Isis éleva les deux plumes de Maât que lui avait données le Marcheur de la ville de Djedou. En jaillirent des ondes, vectrices de l'énergie assurant la cohérence de l'univers.

— J'ouvre ton visage, dit Anubis. Tes yeux te guideront à

travers les contrées obscures et tu verras le maître de la lumière quand il traverse le firmament.

Saisissant l'herminette en métal céleste, « la grande de Magie », il en posa l'extrémité sur les lèvres d'Iker.

Le sang les irrigua à nouveau.

L'œuvre au rouge venait de s'accomplir.

MOIS DE KHOIAK,

VINGT-QUATRIÈME JOUR (12 novembre),

ABYDOS

Le développement de l'Osiris végétal et la première manifestation de vie de l'Osiris Iker prouvaient que la croissance de l'Osiris minéral et métallique se déroulait de manière harmonieuse. À l'intérieur de l'athanor, le corps divin se reconstituait et sa cohérence s'affirmait chaque jour davantage. S'appliquant aux multiples états de l'esprit et de la matière, la pierre vénérable remplissait son office transmutatoire.

Isis aurait tant aimé enlacer Iker et l'embrasser ! Mais elle risquait d'éteindre la minuscule lueur d'espoir apparue grâce à l'œuvre au rouge. Sorti de l'inertie, ce corps de lumière devait rester pur de tout contact humain et ne serait doté de mobilité qu'après d'autres épreuves redoutables.

Les pierres des carrières se chargeaient d'énergie, le chaudron de la Montagne Rouge se remplissait de puissance. Bientôt, l'Annonciateur disposerait d'une arme terrifiante.

Isis songea à Sésostris.

Parviendrait-il, une nouvelle fois, à remporter la victoire lors d'un combat inégal ? Face à l'Annonciateur, l'intelligence, le courage et la magie du pharaon suffiraient-ils ? Demain, la Veuve perdrait peut-être son père. Et si le roi n'était pas présent à Abydos le trente khoiak afin de parachever le Grand Œuvre, Iker ne reviendrait pas à la vie.

En ce jour où l'on ensevelissait le symbole de résurrection à l'intérieur de l'atelier d'embaumement, Isis emmaillota la statuette de Sokaris avec des bandelettes neuves, l'enferma dans un coffre en sycomore et la déposa sur des branches de cet arbre, habitat terrestre de la déesse Ciel.

Durant sept jours, chacun comptant pour un mois, l'effigie connaîtrait une gestation liant la matière au cosmos. Iker en bénéficierait et renaîtrait au sein de sa Grande Mère.

Alors que Nephtys s'apprêtait à manipuler une étoffe rouge, sa Sœur la lui arracha des mains et la jeta au sol.

Le tissu s'embrasa, une flamme menaça la momie.

Provenant du vase d'or, l'eau du *Noun* effaça le danger.

— Une attaque de l'Annonciateur, estima la Supérieure d'Abydos. Par le biais de la rage séthienne, il a tenté de voler cette étoffe et d'interrompre l'œuvre.

— Sait-il tout ce qui se passe ici ? s'angoissa Nephtys.

— Son complice l'informe. Mais ni lui ni son maître ne franchiront les murs de la Demeure de l'or, car j'ai détruit son ombre.

— Demain, nous devrons sortir d'ici et affronter les Séthiens, rappela Nephtys. L'énergie de leur dieu est indispensable à la momie. Je redoute le pire. Si la créature de l'Annonciateur réussit à la détourner à son profit, Iker sera mortellement atteint.

— Nous n'avons pas le choix.

Le Chauve ayant accepté ses suggestions, Béga jubilait.

Demain, pendant la lutte entre les partisans d'Horus et ceux de Seth, il conviendrait de placer le Serviteur du *ka* parmi ces derniers. Soit il essaierait d'agir seul, soit ses éventuels complices seraient enfin obligés de se démasquer.

Non sans un héroïsme certain, Béga demeurerait auprès du

principal suspect, l'empêcherait de nuire et alerterait les forces de l'ordre au moindre geste suspect envers la momie osirienne.

En réalité, à la première halte de la procession, Béga tuerait Isis, disloquerait la momie et accuserait le Serviteur du *ka* d'avoir commis ces deux forfaits abominables.

Jouant le rôle d'un Séthien, le permanent disposait d'un gourdin. Il ne s'agissait pas d'un banal morceau de bois, mais du bâton du lac, en tamaris, capable de terrasser n'importe quel ennemi.

Surtout depuis que l'Annonciateur l'avait chargé de force destructrice.

MOIS DE KHOIAK, VINGT-CINQUIÈME JOUR (13 novembre), ABYDOS

De la Demeure de l'or, le Chauve, Isis et Nephtys sortirent la barque d'Osiris où reposait de nouveau la momie d'Iker, recouverte de l'étoffe tissée par les deux Sœurs. Œuvre du dieu de la lumière, langue de Râ, le vaisseau se composait de pièces d'acacia équivalant aux parties du corps d'Osiris reconstitué.

Seul un juste de voix y montait et voguait en compagnie des Vénérables[1], vainqueurs des ténèbres et capables de manier les rames, le jour comme la nuit.

— Dirigeons-nous vers la demeure d'éternité du Grand Dieu, ordonna le Chauve. Puissions-nous devenir puissants[2] et lumineux[3] dans sa suite.

En tête, deux ritualistes à tête de chacal, les Ouvreurs des chemins, puis Thot, Onouris, le manieur de lance chargé de ramener la déesse lointaine et d'apaiser la lionne terrifiante, le faucon Horus, les lecteur et lectrice de la Règle et du rituel, le

---

1. Les *imakhou.*
2. *Ouser.*
3. *Akh.*

porteur de la coudée de Maât, la porteuse du vase à libations et les musiciennes.

L'assaut des Séthiens se produisit à proximité du lac sacré.

Levant leurs bâtons, ils se heurtèrent au rayonnement de la barque, qui les figea sur place.

— Seth et le mauvais œil sont repoussés, déclara le Chauve, leur nom n'existe plus. Barque d'Osiris, tu les as empoignés ! Capturons les rebelles avec le panier de pêche, ligotons-les avec des cordages, transperçons-les avec des couteaux et livrons-les au billot de l'anéantissement !

Les Séthiens s'effondrèrent.

Le Chauve accomplit les gestes symboliques : leur couper la tête et leur arracher le cœur.

La première partie de la cérémonie terminée, le Serviteur du *ka* se releva en grommelant. Jouer le rôle d'un agresseur d'Osiris lui déplaisait, mais il n'avait pas coutume de discuter les ordres de son supérieur. Les autres Séthiens se réjouirent d'abandonner cette pénible fonction et de se préparer à la fête des oignons.

Toujours armé, Béga s'éclipsa.

Les membres de la procession s'étaient momentanément dispersés. Le moment idéal pour agir ! Ni Isis ni Nephtys ne sauraient lui résister. Elles rejoindraient Iker dans le néant.

Au comble de l'aigreur, il ne regrettait rien. En se vendant à l'Annonciateur, n'étanchait-il pas sa soif de vengeance et de pouvoir ?

— Ainsi, constata Sékari, c'était bien toi, le lâche entre les lâches, la plus infâme des pourritures !

Tendu à l'extrême, Béga se retourna.

— Tu m'espionnais encore !

— Je n'ai jamais cru à la culpabilité du Serviteur du *ka*. Question de flair et d'habitude... L'Annonciateur nous l'a jeté en pâture de manière à te dégager le chemin. Ta route s'arrête ici.

Déployant sa grande carcasse, le prêtre tenta d'assommer l'agent secret.

Sékari esquiva, mais ne se méfia pas assez du bâton du lac. Épousant sa feinte, le gourdin le frappa violemment à l'épaule. Étourdi, il roula à terre.

Isis et Nephtys se placèrent devant la momie.

— Vous et Iker allez enfin mourir ! rugit Béga, levant son arme redoutable.

Cabré au maximum, Vent du Nord retomba de tout son poids sur le dos du prêtre.

La colonne vertébrale brisée, le traître lâcha le bâton et poussa un cri rauque en s'affalant.

Confiant en son collègue, Sanguin n'avait pas jugé bon d'intervenir.

Les yeux emplis de terreur, le traître agonisait. Le molosse flaira le blessé et s'écarta, écœuré.

Les membres de la procession se réunirent autour de Béga qui venait d'expirer.

— Voici l'heure du premier jugement, rappela le porteur de la coudée de Maât. Ce prêtre permanent mérite-t-il d'être momifié et appelé au tribunal des divinités ? Si l'un d'entre nous a des reproches à lui adresser, qu'il s'exprime.

— Béga a violé son serment et servi la cause du Mal, déclara le Chauve. Il voulait détruire l'arbre de vie, souiller les mystères d'Osiris, assassiner la Supérieure d'Abydos et sa Sœur Nephtys. La liste de ses crimes suffit à le condamner. Il ne sera pas momifié, mais brûlé en même temps qu'une figurine de cire rouge représentant Seth. De lui, rien ne subsistera.

Le Chauve lava les pieds d'Isis dans la cuvette en argent de Sokaris, puis orna son cou d'une guirlande d'oignons. L'ensemble des participants aux mystères porterait ce même collier à la boucle en forme de clé de vie, avant de l'offrir, à l'aube, aux âmes des justes et de leur redonner ainsi la lumière [1]. Grâce

1. La racine *hedj* signifie à la fois « lumière » et « oignon ».

à l'oignon, le visage était purifié, le cœur en bonne santé, le serpent de la nuit écarté.

Au terme du rituel, les cinq sens d'Iker furent entrouverts. Les rendre efficaces exigeait de nouvelles mutations.

Seth maîtrisé, le Mal éloigné et la voie éclaircie, la barque d'Osiris retourna à la Demeure de l'or. L'épaule bandée, Sékari demeurait vigilant.

Isis ne pouvait se réjouir de succès pourtant remarquables, car l'angoisse l'étreignait.

Qui, du pharaon ou de l'Annonciateur, remporterait le combat de la Montagne Rouge ?

MOIS DE KHOIAK,

VINGT-CINQUIÈME JOUR (13 novembre),

MEMPHIS

Le pharaon prononça chaque phrase du rituel de l'aube comme s'il le célébrait pour la dernière fois.

D'ici quelques heures, les temples de Memphis auraient peut-être disparu, engloutis par un torrent de feu, lequel déferlerait ensuite sur Abydos.

Coiffé de la Double Couronne, portant un pagne à l'effigie du phénix, le roi quitta le sanctuaire en direction de la Montagne Rouge.

À bonne distance, il ordonna à son escorte de ne pas le suivre.

Isis avait réussi l'œuvre au rouge, Iker atteignait la lisière de la résurrection. Mais les dernières étapes s'annonçaient redoutables.

La carrière flamboyait, les pierres devenaient les aliments d'un formidable feu séthien. Il faisait bouillir la lave de ce gigantesque chaudron, capable de réduire à néant les travaux d'éternité des pharaons, entrepris depuis la première dynastie.

Débarrassé d'une troupe de médiocres, l'Annonciateur sentait croître sa capacité de destruction. En frappant l'Égypte, il frapperait le monde et le priverait de Maât.

À l'orée de la carrière, indifférent à l'effroyable chaleur et au sol brûlant, Sésostris.

— Enfin te voilà, pharaon ! Je savais que tu ne t'enfuirais pas et t'estimerais apte à m'affronter. Quelle vanité ! Tu seras donc le premier à mourir, avant les insensés qui ne se convertiront pas à la vraie foi.

— Tes alliés sont terrassés.

— Peu importe ! C'étaient des médiocres appartenant au passé. Moi, je prépare l'avenir.

— Une croyance imposée par la force, des dogmes intangibles et meurtriers... Appelles-tu cela un avenir ?

— Ma bouche exprime les commandements de Dieu, les humains devront s'y soumettre !

Le géant planta son regard dans celui de l'Annonciateur. Les yeux rouges fulminaient, ne supportant pas la présence de cet adversaire irréductible.

— Je détiens la vérité absolue et définitive, et personne ne pourra la modifier ! Pourquoi refuses-tu de le comprendre, Sésostris ? Ton règne s'éteint, le mien débute. Tôt ou tard, les peuples s'inclineront et se rallieront à moi.

— L'Égypte est le royaume de Maât, affirma le pharaon, non celui d'un fanatique.

— Agenouille-toi et vénère-moi !

La couronne blanche se transforma en un rayon de lumière, si éblouissante qu'elle força son adversaire à reculer.

Fou de rage, il saisit une pierre incandescente et la lança en direction de Sésostris.

Une boule de feu frôla le visage du monarque.

Plus précise, une seconde allait atteindre son front. En jaillit l'uræus, un cobra femelle. La flamme qu'elle émit fit éclater le projectile en mille morceaux.

L'Annonciateur distinguait mal son ennemi et ne trouvait en lui aucun appui d'*isefet* lui permettant de briser ses défenses.

Malgré la fournaise, Sésostris avançait.

La spirale ornant la couronne rouge s'en détacha et s'enroula autour du cou de l'Annonciateur. Il parvint à se délivrer de ce carcan, qui lui imprima une profonde blessure. Inondé de son sang, il hurla sa douleur jusqu'aux entrailles de la terre.

— Démons de l'enfer, surgissez des profondeurs, ravagez ce pays !

À l'instant où des fumées brûlantes perçaient le sol craquelé, Sésostris répandit le contenu du vase d'or.

Les larmes de la Veuve éteignirent l'incendie.

L'Annonciateur tenta vainement d'ouvrir le déversoir de lave. Le fleuve de feu se retourna contre lui, le transformant en torche vivante.

— Je disparais, Sésostris, mais je ne meurs pas ! Dans cent ans, mille ans, deux mille ans, je reviendrai et je triompherai !

Le corps de l'imprécateur se désagrégea, la chaleur s'atténua et la carrière retomba dans le silence.

Depuis sa naissance, l'Égypte avait empêché l'Annonciateur de répandre son poison. Et la victoire de la Double Couronne prouvait la permanence et le rayonnement de Maât.

Mais l'harmonie des Deux Terres et leurs liens avec l'invisible, trésors inestimables, demeuraient sans cesse menacés. Déjà, à la fin de l'âge d'or des grandes pyramides, le pays avait failli disparaître. Seule l'institution pharaonique s'était opposée à une déchéance apparemment inéluctable. En la restaurant, Sésostris affermissait l'œuvre de ses prédécesseurs.

Un jour, les digues céderaient, et l'Annonciateur utiliserait la brèche pour déclencher un assaut massif. Et il n'y aurait plus de pharaon en face de lui.

Sésostris devait se rendre au plus vite à Abydos afin de ramener Iker à la lumière.

Amarré au quai principal de Memphis, un bateau flambant neuf, prêt à partir.

À son bord, un équipage de marins aguerris.

— Nous naviguerons jour et nuit, annonça le monarque. Destination : Abydos. Nous l'atteindrons le trente khoiak.

Le capitaine blêmit.

— Impossible, Majesté ! Aucun vent, si puissant soit-il, ne pourra...

— Le trente khoiak.

— Bien, Majesté. Un dernier détail, indispensable à préciser : le nom à donner au bateau.

— Il s'appellera *Le Rapide*.

MOIS DE KHOIAK,

VINGT-SIXIÈME JOUR (14 novembre),

ABYDOS

Les ritualistes harponnèrent l'hippopotame de Seth, l'une des incarnations favorites du dieu des perturbations cosmiques, et firent griller la statuette en argile sur un autel à feu. Au seuil de journées décisives pour la résurrection d'Osiris, il fallait juguler toute manifestation de dysharmonie, susceptible d'interrompre le processus alchimique.

Avant le début d'une nouvelle procession, Isis contemplait la momie d'Iker.

Il n'était pas encore guéri de la mort, mais une vie latente imprégnait son corps de résurrection. La Veuve redoutait l'entrée dans la contrée de lumière, passage extrêmement dangereux.

Ni Iker ni son épouse n'avaient le choix.

Elle tenta d'entrer en contact avec son père, vit un immense brasier et une forme humaine dévorée par les flammes.

Puis l'incendie se calma, le rouge céda la place au bleu et le vent gonfla les voiles d'un bateau.

Sésostris revenait à Abydos !

Sésostris ou... l'Annonciateur ? Victorieux, ce dernier

n'était-il pas capable de troubler les pensées ? À bord de ce navire se trouvait peut-être une meute de fanatiques décidés à ravager le territoire d'Osiris.

Le Chauve s'approcha d'Isis.

— Un problème délicat se pose. Puisqu'il convient, à présent, de sacrifier une autre incarnation de Seth, l'âne sauvage, un ritualiste juge inadmissible la présence de Vent du Nord. Il réclame son expulsion ou, bien pire...

— Mettre à mort le compagnon d'Iker qui vient de nous sauver la vie et de châtier Béga ? Ce serait offenser les dieux et déclencher leur colère ! L'expulser nous priverait de la puissance de Seth, l'un des feux alchimiques indispensables.

— Alors, que proposes-tu ?

— Sa faute expiée, Seth porte à jamais Osiris sur son dos et nage en le maintenant à la surface de l'océan d'énergie. Il devient le bateau indestructible, capable de le mener à l'éternité. Vent du Nord jouera ce rôle.

Ayant dressé l'oreille droite en signe d'acceptation, l'âne, grave et recueilli, reçut son précieux fardeau. Sanguin le précéda lors d'une lente procession de la totalité des ritualistes autour du temple d'Osiris. Les permanentes jouaient de la flûte, les permanents aspergeaient le sol d'encens. Le Chauve tirait un traîneau, symbole du dieu Atoum, « Celui qui est et qui n'est pas ». Inaccessible à l'entendement humain, cette dualité créatrice, formée de termes indissociables, contenait l'un des secrets majeurs du jaillissement de la vie.

Sékari et le molosse demeuraient en alerte. Exposer ainsi Iker ne lui faisait-il pas courir des risques considérables ? Certes, l'Annonciateur ne disposait plus de complices en Abydos. Mais pendant son trop long séjour, n'avait-il pas implanté çà et là des maléfices ?

La prise de possession de l'espace sacré s'effectua sans incident. Au rythme régulier des pas de l'animal de Seth, la momie d'Iker se chargea de la force essentielle pour franchir la prochaine étape.

Au cœur de la Demeure de l'or, Isis et Iker étaient seuls face à la porte de la contrée de lumière[1], celle-là même que le pharaon ouvrait pendant le rituel de l'aube afin de renouveler la création.

Entrer dans la suite d'Osiris et accéder à la résurrection impliquaient de devenir un être de lumière[2]. Sous cette forme, le dieu s'unissait à son image, à ses symboles et à ses corps de pierre tout en préservant le mystère de sa nature incréée.

Communier avec Osiris exigeait la pratique quotidienne de Maât. Ou bien Iker était en rectitude, et l'œuvre continuerait à s'accomplir, ou bien l'intensité du rayonnement de cette porte l'anéantirait.

D'autres conditions s'avéraient nécessaires : les initiations successives, la cohérence de la démarche, le respect du serment et du silence, et la vénération du principe créateur. L'équipement d'Iker, acquis au cours de son voyage terrestre, serait-il à la mesure de tels impératifs ?

À la Veuve de tenter d'accomplir la réunion du *ba*, l'âme-oiseau, et du *ka*, énergie de l'au-delà. De cette rencontre, excluant la confusion, dépendait l'épanouissement de l'*akh*, l'être de lumière. Si ces deux éléments refusaient de s'associer, le troisième n'apparaîtrait pas.

Isis prononça les formules de transformation, suscita l'éveil du *ka*, nourri de puissance, et la venue du *ba*, gorgé de soleil.

Enveloppée d'une éblouissante clarté, la momie d'Iker franchit la porte et subit aussitôt un processus de transmutation analogue à celui que connaissait l'Osiris métallique. La jonction du *ba* et du *ka* établie, l'oiseau-*akh*, l'ibis *comata*, pouvait prendre son envol.

— Râ te donne l'or issu d'Osiris, déclara Isis, Thot te

1. *Akhet.*
2. *Akh.*

marque au sceau du métal pur né du Dieu Grand. Ta momie est cohérente et stable comme la pierre des mutations provenant de la montagne d'Orient. L'or illumine ton visage, te permet de respirer et rend tes mains efficientes. Grâce à Maât, l'or des dieux, tu passes du périssable à l'impérissable. Elle reste en face de toi et ne s'éloigne pas du corps de résurrection.

La pleine lune, l'œil reconstitué, brillait d'un vif éclat qui, cependant, n'empêchait pas de voir Orion, surgi à l'occident.

Isis prit un sceptre terminé par une étoile à cinq branches et en toucha le front d'Iker. Puis elle souleva sans peine un colossal harpon en cèdre, décoré de deux serpents, et en posa le crochet sur le visage de la momie [1]

— Apparais en or, rayonne en électrum, sois vivant à jamais.

1. Un harpon rituel, long de 2,60 m, a été retrouvé dans une tombe de Saqqara.

MOIS DE KHOIAK, VINGT-SEPTIÈME JOUR (15 novembre), ABYDOS

Le Chauve accueillit au débarcadère la Grande Épouse royale et les autres membres du Cercle d'or.

— Pénible voyage ! tonna le général Nesmontou. Nous avons manqué de vent, plusieurs marins sont tombés malades et le fleuve a tenté de nous jouer de mauvais tours. Enfin, nous voilà !

— Si tu n'avais pas pris la barre et remonté le moral de l'équipage, précisa Séhotep, nous serions encore loin d'ici.

— Le pharaon arrivera-t-il à temps ? s'inquiéta le Chauve.

— Nous ignorons l'issue du combat, avoua Senânkh. Vainqueur, Sa Majesté utilisera un bateau neuf, a priori d'une rapidité exceptionnelle.

— Le Grand Œuvre se poursuit-il ? interrogea la reine.

— Iker se présente à la porte de la contrée de lumière, répondit le Chauve.

Tous frissonnèrent.

Jeune, inexpérimenté, comment le Fils royal disposerait-il de l'équipement spirituel suffisant ?

— L'amour d'Isis réussira à transférer la mort, estima Nephtys.

— Point n'est besoin d'espérer pour entreprendre, rappela le Chauve. Remplissons notre devoir rituel en préparant le pain de résurrection.

Il le façonna en forme de pyramidion [1], le tertre primordial où s'était incarnée la lueur de l'origine.

Isis délia les mouvements de la lumière, permettant ainsi à l'esprit d'Iker de l'escalader et de se déplacer au moyen de ses rayons. Ils pénétrèrent dans chaque parcelle de son corps et renouvelèrent ses chairs.

— Au sein du soleil, ta place est spacieuse et ta pensée un feu. Il relie l'Orient à l'Occident.

Sous la nuque de la momie se forma un cercle lumineux. Il produisit une flamme douce qui enveloppa le visage du Fils royal sans le brûler.

Iker vivait d'une forme d'existence propre à l'or. Si elle ne communiquait pas avec l'extérieur et ne se manifestait pas au-dehors, elle se nourrirait exclusivement de sa propre substance et finirait par s'épuiser.

La Veuve devait attendre le signe annonciateur de la prochaine étape.

La reine était impassible, le Chauve renfrogné, Séhotep nerveux, Senânkh indéchiffrable, Nesmontou impatient et Nephtys angoissée.

Sékari, Vent du Nord et Sanguin continuaient de surveiller les alentours de la Maison de Vie, pourtant parfaitement protégée.

— La mort est un adversaire comme les autres, estima le vieux général. Quand on trouve le défaut de sa cuirasse et qu'on l'attaque au bon moment, on peut la vaincre !

---

1. Le *benben*.

Séhotep ne partageait pas cet optimisme. Après avoir frôlé le châtiment suprême en raison d'une accusation injuste, il prévoyait le pire. La résurrection du trente khoiak lui apparaissait très lointaine, voire inaccessible.

Senânkh croyait en Isis. La jeune femme n'avait-elle pas renversé quantité d'obstacles réputés infranchissables ?

Certes, les trois derniers jours du mois de khoiak s'annonçaient périlleux, et l'éventuelle absence du roi condamnait la démarche de la Veuve à l'échec.

— Regardez, le voilà ! s'exclama Nesmontou en levant la tête.

Un héron cendré volait haut dans le ciel. Avec une grâce et une majesté inégalables, il descendit vers la Grande Terre et se posa sur le pain en forme de pyramidion.

Messager du principe créateur au premier matin du monde, âme d'Osiris, il avait les yeux d'Iker.

MOIS DE KHOIAK,

VINGT-HUITIÈME JOUR (16 novembre)

La violence soutenue du vent du nord était un atout majeur. Heureusement surpris par ce phénomène extraordinaire, le capitaine l'utilisait au maximum. La moitié de l'équipage restait six heures à la manœuvre, l'autre se reposait.

Constamment à la proue, Sésostris, lui, ne dormait pas.

— Nous avons encore une petite chance de réussir, Majesté, estima le capitaine. Je ne croyais pas qu'un bateau pût aller aussi vite. Pourvu qu'aucun incident n'entrave notre progression !

— Hathor nous protège. N'oublie pas d'alimenter constamment le feu de son autel.

Iker venait de franchir le seuil de la contrée de lumière, la porte flamboyante ne le repoussait pas. L'or irriguait ses veines, la vie demeurait à l'état minéral, métallique et végétal. Le trente khoiak, le pharaon tenterait de l'amener à son expression humaine.

L'un des meilleurs rameurs de l'équipage, Deux-chicots, voulait contribuer de façon décisive à l'échec de Sésostris.

Sa fille, Petite Fleur, avait vendu Iker à la police parce qu'il refusait de l'épouser. Depuis cette date, son existence n'était qu'une succession de malheurs. D'abord, la perte de sa ferme à la suite de la découverte de ses fausses déclarations au fisc ; ensuite, le décès brutal de Petite Fleur, rongée de remords ; enfin, une grave maladie et le déchaussement de ses dents.

Les responsables ? Iker, élevé à la dignité de Fils royal, et son père adoptif, le pharaon Sésostris ! Comment se venger d'aussi puissants personnages ?

Au fond du gouffre, le destin lui avait souri. Facteur recruté par l'un des lieutenants de Médès, il s'était vu confier des livraisons dépassant le cadre de son service. Nommé responsable d'un bateau postal en raison de sa malléabilité, Deux-chicots avait approuvé la trame d'un complot destiné à renverser Sésostris. Promu chef d'équipe, il était devenu l'un des éléments majeurs de la maison Médès.

Hélas ! de nouveau, un destin contraire et la chute du Secrétaire de la Maison du Roi !

Ne se mêlant pas à la débandade générale, Deux-chicots jouait le tout pour le tout. Averti de la construction accélérée d'un bateau spécial sur ordre royal et de son départ imminent, il avait réussi à se faire engager comme rameur et signalé aux derniers partisans de Médès l'opportunité de piller un cargo transportant de fabuleuses richesses.

Peu avant Abydos, ils se regrouperaient et l'attaqueraient. À Deux-chicots de supprimer le capitaine et de mettre le feu au navire, contraint d'accoster. La meute des agresseurs s'en prendrait au géant, qui succomberait sous le nombre.

Jamais *Le Rapide* ne parviendrait à bon port.

MOIS DE KHOIAK,

VINGT-HUITIÈME JOUR (16 novembre),

ABYDOS

Afin de rendre présent l'esprit lumineux d'Osiris, les membres du Cercle d'or halèrent un traîneau portant la pierre primordiale, symbole de Râ. Son rayonnement imprégna la Grande Terre et provoqua, à l'intérieur de la Maison de Vie, la mutation décisive de l'Osiris végétal. Les tiges d'orge sortirent du corps de la momie, annonçant la résurrection des cycles naturels, expressions du surnaturel. Cet or végétal circulait à présent dans les veines d'Iker.

Le transfert de mort continuait à s'effectuer, la Veuve n'avait commis aucune erreur. Mais le succès final dépendait de Pharaon, car il exigeait la transmission du principe royal. Seul le feu d'Horus, fils d'Osiris, accomplirait la résurrection.

Peut-être un autre feu, celui de l'Annonciateur, s'approchait-il d'Abydos.

— Je ne suis pas tranquille, avoua Sékari à Nesmontou.

— Resterait-il des partisans de l'Annonciateur en Abydos ?

— Peu probable.

— S'il a semé des pièges, le Cercle d'or les déjouera !

— Et si l'Annonciateur a vidé le chaudron de la Montagne Rouge ? Le torrent de feu ne tardera pas à nous atteindre.

— Sésostris a triomphé, affirma le vieux soldat. Un roi de cette trempe-là ignore la défaite.

— N'oublie pas le long trajet entre Memphis et Abydos ! Tous les terroristes n'ont pas été éliminés. Les survivants pourraient s'agglutiner et attaquer le bateau. Un ultime sursaut, d'autant plus dangereux qu'il sera désespéré.

L'hypothèse n'amusa pas le général.

Cette fois, il partageait les craintes de Sékari.

— N'aurais-tu pas envie de te raser le crâne et de lire quotidiennement la Règle ? demanda le Chauve à Sékari.

L'agent secret ne dissimula pas son étonnement.

— Je comprends mal...

— Le poids des ans devient trop lourd, la fonction accablante. Abydos réclame un nouveau Chauve. Toi, mon Frère, tu as beaucoup couru le monde et bravé le danger. Ne serait-il pas temps de poser ta natte et de te consacrer à l'essentiel ? Ma naïveté m'a fait commettre quantité d'erreurs. Ta méfiance naturelle te servira.

— Es-tu vraiment persuadé que...

— Je proposerai au pharaon le nom de mon successeur.

Demeurée auprès d'Iker, Isis revivait leurs moments de bonheur. Ce n'était pas un passé révolu et nostalgique, mais le socle solide sur lequel s'édifiait l'éternité de leur amour.

MOIS DE KHOIAK,

VINGT-NEUVIÈME JOUR (17 novembre),

ABYDOS

À l'aube de l'avant-dernier jour du mois de khoiak, Isis orna la poitrine d'Iker du collier large[1] aux neuf pétales de lotus. Émanation d'Atoum, le Créateur, il protégeait et fixait le *ka*. Aucune des parcelles de vie rassemblées tout au long du processus alchimique ne serait dispersée. Formé de quatre cent dix-sept éléments de faïence et de pierres dures disposés en sept rangs, ce bijou incarnait l'Ennéade, la confrérie des puissances créatrices engendrant l'univers à chaque instant.

L'heure venait de procéder à une opération très risquée : sortir au jour l'athanor, la vache céleste entièrement transformée en or, à l'intérieur de laquelle se poursuivait l'ultime phase de la transmutation, à l'abri des regards humains. Le rayonnement du soleil lui était indispensable, mais serait-elle assez cohérente et solide pour le supporter ?

Si le métal se fissurait, si le contact avec le monde extérieur le dégradait, ce serait l'échec irréversible. L'Osiris végétal se flétrirait, Iker s'éteindrait.

À la tête de la procession, Isis et Nephtys portèrent la vache

1. L'*ousekh*.

d'or contenant l'Osiris minéral et métallique. Sous le doux soleil d'automne, elle devait faire sept fois le tour de la tombe du dieu. Sékari, Séhotep, Senânkh et Nesmontou halaient les quatre coffres mystérieux. En alternance, la reine et le Chauve prononçaient des formules de protection.

Nul ne parvenait à juguler son anxiété, guettant la sinistre apparition de la plus minime altération, synonyme de désastre. Pourtant, les deux Sœurs ne hâtèrent pas l'allure.

La gorge de Séhotep se dessécha.

Un fragment du dos de la vache avait changé de couleur. Le minuscule défaut n'augmenta pas de volume, mais il battit des ailes !

— Un grand papillon doré, murmura Senânkh. L'âme d'Iker nous accompagne.

La cérémonie ne connut pas d'autre incident.

Ils étaient une trentaine de traîne-sandales, ex-employés des lieutenants de Médès. Un ramassis de malfrats, habitués à commettre des mauvais coups. Tôt ou tard, ils tomberaient entre les mains de la police et n'avaient donc rien à perdre. Le message de leur ami Deux-chicots ravissait les meneurs : un cargo rempli de marchandises offert à leur convoitise !

Au nord d'Abydos, à hauteur d'une bourgade perchée sur un monticule, Deux-chicots provoquerait un incendie. Le bâtiment serait contraint d'accoster, et la meute se ruerait à l'assaut.

On discutait déjà les conditions du partage, et l'on adopta la règle de l'ancienneté. Premiers bandits, premiers servis.

Cachés dans des roseaux dont ils mâchonnaient l'extrémité, ils attendaient l'heureux événement.

— Le bateau ! cria un guetteur.

Les voiles gonflées par un violent vent du nord, le magnifique vaisseau progressait à une vitesse incroyable.

— Ce n'est pas un cargo, constata l'un des meneurs, contrarié.

— Regarde bien, lui recommanda l'un de ses camarades. À la proue, on dirait...

— On s'en moque. Dès l'accostage, on attaque.

À la hauteur de la cabine centrale, une flamme jaillit.

Le soir tombait.

Silencieuse, la Grande Terre d'Abydos s'apprêtait à vivre l'avant-dernière nuit du mois de khoiak.

Et le pharaon n'était toujours pas arrivé. En son absence, les rites ne pourraient être célébrés à leur heure et l'œuvre d'Isis serait réduite à néant.

La reine se retira au palais, proche du temple des millions d'années de Sésostris. Comme si nul danger ne menaçait Abydos, prêtresses et prêtres permanents remplirent leurs devoirs habituels.

Nesmontou trépignait.

— Un traquenard... Les derniers partisans de l'Annonciateur ont tendu un traquenard au roi ! À l'aube, je descends le Nil.

— Inutile, estima Séhotep.

— Il a peut-être besoin de nous !

— C'est nous qui avons besoin de lui. Seule sa présence vaincra la mort à laquelle l'Annonciateur a condamné Osiris et Iker.

Senânkh n'eut pas le cœur à manifester un optimisme de façade.

— En dépit des risques, avança Sékari, Sésostris navigue certainement de nuit. Ne perdons pas espoir.

MOIS DE KHOIAK,

TRENTIÈME JOUR (18 novembre),

ABYDOS

Le général Nesmontou arpentait le quai d'Abydos. Incapable de dormir, il s'apprêtait à partir en direction du nord afin de retrouver le roi et de lui porter secours.

Comment imaginer, un seul instant, la victoire de l'Annonciateur et le déferlement de ses hordes ?

Accompagné d'un vent du nord d'une rare violence, le soleil se leva.

Au loin, un bateau à la fois élancé et puissant.

Sur l'ordre du général, les archers bandèrent leurs arcs.

À la proue, un géant.

Sésostris !

Nesmontou s'inclina devant le monarque, premier à débarquer. Il remercia la déesse Hathor de lui avoir accordé un voyage heureux et se dirigea vers le temple.

— Des ennuis ? demanda Nesmontou au capitaine.

— En ce qui concerne la navigation, pas le moindre. *Le Rapide* porte bien son nom ! Malheureusement, j'ai perdu un membre d'équipage.

— Accident ?

— Non, un drame extraordinaire ! Hier soir, peu avant la

nuit, Deux-chicots a pris feu, dévoré par des flammes tourbillonnantes, et nous ne sommes pas parvenus à le sauver. Au même moment, une trentaine d'hommes jaillirent des roseaux et se massèrent près d'un petit débarcadère. Quand Sa Majesté les regarda, ce fut la débandade ! Beaucoup périrent piétinés.

Nesmontou rejoignit le souverain, qu'accueillirent la reine et les autres membres du Cercle d'or. L'heure n'était pas aux congratulations, car l'ultime phase du Grand Œuvre s'annonçait périlleuse.

Le pharaon entra dans la Demeure de l'or, embrassa rituellement Isis et orna la tête de l'Osiris Iker de la couronne des justes de voix, simple ruban orné de dessins de fleurs.

— Le firmament brille d'une lumière nouvelle, déclara-t-il, les dieux expulsent l'orage, tes ennemis sont vaincus. Tu deviens Horus, l'héritier d'Osiris reconnu apte à régner, puisque ton cœur est empli de Maât et ton action conforme à sa rectitude. Monte au ciel avec la lumière, la fumée d'encens, les oiseaux, les barques du jour et de la nuit, passe de l'existence à la vie. Esprit et matière s'unissent, la substance primordiale issue de la flamme du *Noun* te façonne. Elle efface les barrières dressées entre les règnes minéral, métallique, animal, végétal et humain. Voyage à travers la totalité des mondes et connais l'instant d'avant la naissance de la mort.

Le pharaon ouvrit le vase scellé qu'il avait rapporté de Médamoud.

— Toi, la Veuve, nourris de fluide osirien le corps de résurrection.

La momie allait-elle se dissoudre, ou bien l'œuvre parviendrait-elle à son terme ?

Iker ouvrit les yeux, mais son regard ne contemplait que l'au-delà.

Le roi et Isis se rendirent au temple d'Osiris.

Couché sur le dallage de la chapelle principale, le pilier stabilité[1].

Tenant le sceptre « Puissance », la reine se plaça derrière Sésostris et lui transmit la force nécessaire pour le redresser à l'aide d'une corde.

— Celui qui était inerte revit, affirma le pharaon, et se relève hors de la mort. Le pilier vénérable, durable à chaque moment, rajeunit au fil des années. La colonne vertébrale d'Osiris est à nouveau parcourue d'énergie vitale, le *ka* s'apaise.

Le couple royal encensa le pilier.

À l'intérieur de l'athanor, la déesse Isis vint vers son Frère Osiris sous la forme d'un milan femelle, se réjouissant à cause de son amour. Précise[2] comme l'étoile Sothis[3], elle se plaça sur le phallus de l'Osiris transmuté en or, et la semence du Grand Œuvre pénétra en elle. Horus l'aiguisé[4] naquit de sa mère, et « ce fut lumineux pour le ressuscité en son nom d'être lumineux[5] ».

— Tout en restant femme, déclara la reine, Isis a joué le rôle d'un homme. Elle assume les deux polarités, connaît les secrets du ciel et de la terre. Vénérable jaillie de la lumière, elle est la pupille de l'œil créateur. Horus naît de l'union d'une étoile et du feu alchimique.

Isis et Nephtys revêtirent une robe pourvue de grandes ailes bigarrées. En compagnie du roi, elles retournèrent auprès d'Iker et les déployèrent en cadence, donnant de l'air vivifiant à celui qui s'éveillait.

— Tes os t'ont été rapportés, dit la Sœur à son Frère, les parties de ton corps rassemblées. Tes yeux sont rouverts. Vis la vie, ne meurs pas la mort. Elle te quitte et s'éloigne de toi.

1. Le *djed*, synonyme de « parole, formulation ».
2. *Sepedet.*
3. *Ibid.*
4. *Seped.*
5. *Textes des Pyramides* 632a sq.

Tu étais bien mort, mais tu revis davantage que l'Ennéade, sain et sauf, pour le maître de l'unité [1].

Isis mania le sceptre rapporté de la Cuisse, la deuxième province de Basse-Égypte. Les trois lanières de cuir, symbolisant les peaux successives de la triple naissance, amenèrent au jour l'Osiris Iker.

— La lumière t'anime, décréta le roi en touchant le nez du Fils royal de l'extrémité de la clé de vie, du sceptre de l'épanouissement et du pilier de la stabilité.

Un soleil ardent inonda la momie de ses rayons.

— Les portes du sarcophage s'ouvrent, annonça Isis. Geb, le régent des dieux, redonne la vision à tes yeux. Il étend tes jambes qui étaient repliées. Anubis affermit tes genoux, tu peux te mettre debout. La puissante Sekhmet te redresse. Tu reprends connaissance grâce à ton cœur, tu retrouves l'usage de tes bras et de tes jambes, tu accomplis la volonté de ton *ka* [2].

Le ciel d'Abydos devint lapis-lazuli, des rayons de turquoise illuminèrent la Grande Terre.

Immense, semblant toucher le ciel, l'arbre de vie, l'acacia d'Osiris se couvrit de milliers de fleurs blanches et odorantes, diffusant un parfum d'une divine suavité.

Le Cercle d'or se réunit autour de l'Osiris ressuscité. À l'orient, le couple royal, Isis et Iker, accédant enfin à cette confrérie dont il avait tant rêvé; à l'occident, le Chauve et Sékari; au septentrion, Nesmontou et Séhotep; au midi, Senânkh.

Le pharaon célébra l'invisible et néanmoins réelle présence de Khnoum-Hotep, de Djéhouty et du général Sépi, et rappela la Règle, inchangée depuis l'origine.

— Seule compte la fonction vitale confiée à chacun des membres de ce Cercle. Elle ne consiste ni à prêcher, ni à conver-

1. *Textes des Sarcophages*, chapitres 510 et 515.
2. *Textes des Pyramides*, chapitre 676; *Textes des Sarcophages*, chapitre 225; *Livre des morts*, chapitre 26.

tir, ni à imposer une vérité absolue et des dogmes, mais à agir en rectitude.

La confrérie déposa le vase scellé et l'Osiris transmuté dans sa demeure d'éternité dont l'entrée se situait à l'occident.

Le Grand Œuvre fut installé sur un lit de basalte, formé du corps de deux lions symbolisant hier et demain. Deux faucons gardaient la tête et les pieds. Le maître du silence demeurerait ici jusqu'au prochain mois de khoiak. En célébrant les mystères, les initiés d'Abydos tenteraient, une fois encore, de le ramener à la vie.

À l'exception de Sésostris, d'Isis et d'Iker, les membres du Cercle d'or sortirent du tombeau.

Le pharaon contempla la porte de l'au-delà.

— Après son départ, Iker est revenu. Seul Osiris ressuscite, quelques êtres accèdent à la transmutation. Aujourd'hui, le Fils royal a la capacité d'aller et de venir. Que désires-tu, Isis ?

— Nous désirons vivre à jamais ensemble, ne plus être séparés et reposer en paix, côte à côte, protégés du Mal. Nous franchirons main dans la main le seuil du pays de l'éternité et nous verrons la lumière, à l'instant parfait où elle renaît.

— L'Osiris Iker doit passer cette porte, indiqua Sésostris. Si tu l'accompagnes, tu traverseras sa mort. Malgré ta connaissance du chemin de feu, tu risques de périr. À toi de décider.

LE PASSAGE

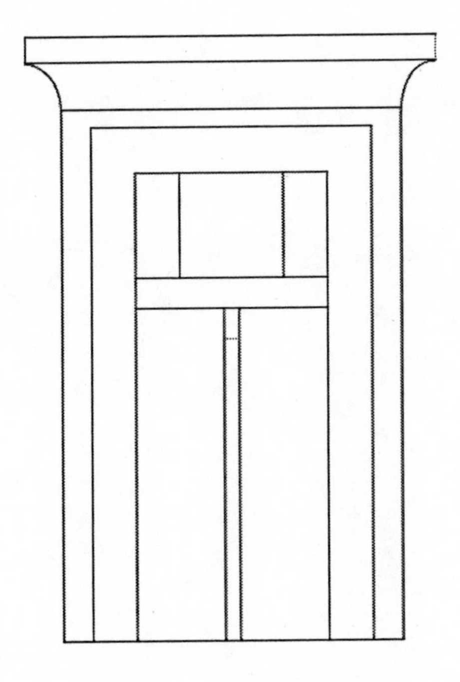

MOIS DE THOT, PREMIER JOUR (20 juillet), MEMPHIS

Sous la protection d'une Sothis étincelante, la crue, nourrie des larmes d'Isis, était parfaite. L'année s'annonçait heureuse et prospère.

Le vizir se remettait lentement de son initiation au Cercle d'or d'Abydos. Habitué à lutter farouchement contre l'adversité, ne reculant jamais devant le danger, Sobek ne s'attendait pas à de telles révélations et à un tel bouleversement.

Le Premier ministre de l'Égypte était fier de servir un pays capable de transmettre le Grand Secret. À travers l'expérience osirienne, les Deux Terres se bâtissaient jour après jour en matériaux empreints de la lumière de l'au-delà. Assurer le bien-être matériel de la population ne suffisait pas. Il fallait aussi, et surtout, ouvrir les fenêtres du ciel.

La visite de Nesmontou réjouit le vizir.

— Toujours de bonnes nouvelles, général ?

— Excellentes. Aucun trouble en Syro-Palestine, paix solide en Nubie.

— À ton avis, pouvons-nous lever les ultimes mesures de sécurité renforcée à Memphis ?

— La disparition de l'Annonciateur a découragé ses derniers partisans. Tout risque terroriste me paraît écarté.

Les bras chargés de papyrus, Senânkh interrompit ses deux Frères.

— Le roi vient de me confier un nombre impressionnant de réformes à entreprendre d'urgence, révéla-t-il. L'appui du vizir me sera indispensable. Et je signale au général en chef de nos forces armées que leur gestion doit, elle aussi, être améliorée.

Nesmontou se rengorgea.

— Je me demande si je ne vais pas démissionner et rejoindre Sékari. Lui, le nouveau Chauve d'Abydos, ne se complique pas l'existence avec les pesanteurs administratives.

— Détrompe-toi, objecta Senânkh.

Le front haut, le vieux soldat alla promener Sanguin et Vent du Nord. Justement décorés, ils ne lui raconteraient pas de balivernes.

— Concernant Nesmontou, je renonce, abdiqua le vizir.

— Rassure-toi, il contrôle la moindre dépense, et chacun de ses soldats se ferait tuer pour lui. Nul ne saurait mieux garantir notre sécurité.

— Je sais, je sais, grommela Sobek. Séhotep est-il rentré d'Abydos ?

— La restauration du temple d'Osiris le retiendra encore quelque temps.

— Sois sincère, Senânkh : approuves-tu la dernière décision du roi ?

— Son regard ne porte-t-il pas au-delà du nôtre ? Lui seul voit vraiment la réalité.

Sobek partageait cet avis.

Au-dessus d'eux, il y avait ce géant capable de réparer les erreurs de ses ministres et de distinguer la moindre lueur au sein des ténèbres. Rasséréné, le vizir pouvait remplir sa lourde tâche.

— Le chef du protocole a-t-il été prévenu ?

— Je m'en suis occupé, il traitera correctement les hôtes de Sa Majesté.

Émoustillé, le Tout-Memphis bruissait de mille rumeurs. Sésostris ne s'apprêtait-il pas à nommer un nouveau Fils royal qu'il préparerait à lui succéder ?

On pariait volontiers sur tel ou tel nom, sans privilégier les héritiers des riches familles de la capitale, car le monarque ne se préoccupait pas de l'apparence et n'accordait d'intérêt qu'aux qualités foncières.

Le chef du protocole voulait éviter la moindre erreur. Inquiet, nerveux, il se précipita au-devant des invités du pharaon, évita de leur poser mille et une questions à propos de leur voyage et de leur santé, et se contenta de les guider jusqu'au bureau du monarque dont la porte était restée entrouverte.

— Voilà, c'est ici, bredouilla-t-il avant de s'éclipser.

La voix puissante et grave de Sésostris s'adressa à ses deux visiteurs.

— Entrez, Isis et Iker. Je vous attendais.

TABLE

ŒUVRES DE CHRISTIAN JACQ

Romans

L'Affaire Toutankhamon, Grasset (Prix des Maisons de la Presse).
Barrage sur le Nil, Robert Laffont.
Champollion l'Égyptien, éditions XO.
L'Empire du pape blanc (épuisé).
Le Juge d'Égypte, Plon :
 * *La Pyramide assassinée.*
 ** *La Loi du désert.*
 *** *La Justice du vizir.*
Maître Hiram et le roi Salomon, éditions XO.
Le Moine et le Vénérable, Robert Laffont.
Les Mystères d'Osiris, éditions XO :
 * *L'Arbre de vie.*
 ** *La Conspiration du Mal.*
 *** *Le Chemin de feu.*
 **** *Le Grand Secret.*
Le Pharaon noir, Robert Laffont.
La Pierre de Lumière, éditions XO :
 * *Néfer le Silencieux.*
 ** *La Femme sage.*
 *** *Paneb l'Ardent.*
 **** *La Place de Vérité.*
Pour l'amour de Philae, Grasset.
La Prodigieuse Aventure du Lama Dancing (épuisé).
Ramsès, Robert Laffont :

* *Le Fils de la lumière.*
** *Le Temple des millions d'années.*
*** *La Bataille de Kadesh.*
**** *La Dame d'Abou Simbel.*
***** *Sous l'acacia d'Occident.*
La Reine Liberté, éditions XO :
* *L'Empire des ténèbres.*
** *La Guerre des couronnes.*
*** *L'Épée flamboyante.*
La Reine Soleil, Julliard
(Prix Jeand'heurs du roman historique).

Nouvelles

Le Bonheur du juste, Le Grand Livre du Mois.
La Déesse dans l'arbre, dans *Histoires d'enfance* (Sol En Si), Robert Laffont.
Le Dernier Singe, dans *Des mots pour la vie* (Secours populaire français), Pocket.
Djédi le magicien et les chambres secrètes de la grande pyramide, Le Grand Livre du Mois.
Que la vie est douce à l'ombre des palmes, Elle.

Ouvrages pour la jeunesse

Contes et Légendes du temps des pyramides, Nathan.
La Fiancée du Nil, Magnard (Prix Saint-Affrique).
Les Pharaons racontés par..., Perrin.

Essais sur l'Égypte ancienne

L'Égypte ancienne au jour le jour, Perrin.
L'Égypte des grands pharaons, Perrin (couronné par l'Académie française).
Les Égyptiennes, portraits de femmes de l'Égypte pharaonique, Perrin.
L'Enseignement du sage égyptien Ptah-Hotep, le plus ancien livre du monde, Éditions de la Maison de Vie.
Initiation à l'Égypte ancienne, Éditions de la Maison de Vie.
Le Monde magique de l'Égypte ancienne, éditions XO.
Néfertiti et Akhénaton, le couple solaire, Perrin.
Le Petit Champollion illustré, Robert Laffont.
Pouvoir et Sagesse selon l'Égypte ancienne, éditions XO.

Préface à : *Champollion, grammaire égyptienne,* Actes Sud.
Préface et commentaires à : *Champollion, textes fondamentaux sur l'Égypte ancienne,* Éditions de la Maison de Vie.
Rubrique « Archéologie égyptienne », dans le *Grand Dictionnaire encyclopédique,* Larousse.
Rubrique « L'Égypte pharaonique », dans le *Dictionnaire critique de l'ésotérisme,* Presses universitaires de France.
La Sagesse vivante de l'Égypte ancienne, Robert Laffont.
La Tradition primordiale de l'Égypte ancienne selon les Textes des Pyramides, Grasset.
La Vallée des Rois, histoire et découverte d'une demeure d'éternité, Perrin.
Le Voyage dans l'autre monde selon l'Égypte ancienne, éditions XO (à paraître).
Voyage dans l'Égypte des pharaons, Perrin.

Autres essais

La Franc-maçonnerie, histoire et initiation, Robert Laffont.
Le Livre des Deux Chemins, symbolique du Puy-en-Velay (épuisé).
Le Message initiatique des cathédrales, Éditions de la Maison de Vie.
Saint-Bertrand-de-Comminges (épuisé).
Saint-Just-de-Valcabrère (épuisé).
Trois Voyages initiatiques, éditions XO :
* *La confrérie des Sages du Nord.*
* *Le message des constructeurs de cathédrales.*
* *Le Voyage initiatique ou Les trente-trois degrés de la Sagesse.*

Albums illustrés

Karnak et Louxor, Pygmalion.
Sur les pas de Champollion, l'Égypte des hiéroglyphes (épuisé).
La Vallée des Rois, images et mystères, Perrin.
Le Voyage aux pyramides (épuisé).
Le Voyage sur le Nil (épuisé).

Impression réalisée sur CAMERON par

BUSSIÈRE CAMEDAN IMPRIMERIES

GROUPE CPI

à Saint-Amand-Montrond (Cher)
en mars 2004

Mise en pages : Bussière